As três partes de Grace

ROBIN BENWAY

As três partes de Grace

Tradução de
Natalie Gerhardt

1ª edição

— Galera —

RIO DE JANEIRO

2019

CIP-BRASIL. CATALOGAÇÃO NA PUBLICAÇÃO
SINDICATO NACIONAL DOS EDITORES DE LIVROS, RJ

B422t

Benway, Robin, 1978-
  As três partes de Grace / Robin Benway; tradução Natalie Gerhardt. –
1ª ed. – Rio de Janeiro: Galera Record, 2019.

  Tradução de: Far from the tree
  ISBN 978-85-01-11446-4

  1. Romance americano. 2. Gerhardt, Natalie. II. Título.

19-58741

CDD: 813
CDU: 82-31(73)

Leandra Felix da Cruz – Bibliotecária – CRB-7/6135

Título original norte-americano:
Far from the tree

Copyright do texto© 2017 by Robin Benway

Todos os direitos reservados. Proibida a reprodução, no todo ou em parte, através de quaisquer meios. Os direitos morais do autor foram assegurados.

Texto revisado segundo o novo Acordo Ortográfico da Língua Portuguesa.

Direitos exclusivos de publicação em língua portuguesa somente para o Brasil adquiridos pela
EDITORA RECORD LTDA.
Rua Argentina, 171 – Rio de Janeiro, RJ – 20921-380 – Tel.: (21) 2585-2000, que se reserva a propriedade literária desta tradução.

Impresso no Brasil

ISBN 978-85-01-11446-4

Seja um leitor preferencial Record
Cadastre-se no site www.record.com.br
e receba informações sobre nossos lançamentos e nossas promoções.

Atendimento e venda direta ao leitor:
sac@record.com.br

Para meu irmão —
Obrigada por ser meu companheiro de *bungee jump.*

QUEDA

GRACE

Grace não tinha pensado muito sobre o baile de boas-vindas. Mas sabia que iria. Imaginou que ela e sua melhor amiga, Janie, se arrumariam juntas, fariam o cabelo juntas. Sabia que sua mãe tentaria ficar tranquila em relação a tudo e não se animar demais, mas obrigaria o pai de Grace a carregar a bateria da câmera cara e extravagante — não a do iPhone — e, então, Grace teria que posar para fotos com Max, seu namorado de pouco mais de um ano.

Ele estaria lindo de smoking — alugado, é claro, porque o que Max faria com um smoking no armário? — e ela não sabia se dançariam música lenta ou se ficariam conversando com a galera. A questão é que Grace não fez suposições. Achou que o baile aconteceria e que seria ótimo.

Ela pensava assim em relação a tudo na vida. O baile de boas-vindas era um evento ao qual iria. Não questionava isso.

E é justamente por esse motivo que foi uma surpresa tão grande passar a noite do baile não com um vestido elegante, ou tomando goles no frasco de bebida de Max, ou com Janie, tirando fotos uma da outra, mas na maternidade do hospital St. Catherine, os pés apoiados nos estribos da cama de parto em vez de em sapatos de salto alto, dando à luz sua filha.

Grace demorou um tempo para descobrir que estava grávida. Costumava ver aqueles reality shows e gritar "como é que você *não sabia* que estava grávida?!" para a tela, enquanto os atores e atrizes recriavam as histórias mais inacreditáveis. O carma, pensou ela posteriormente, realmente a pegou de jeito nesse caso. Em sua defesa, porém, sua menstruação sempre foi irregular, o que não ajudou muito. E Grace passou pelo período de enjoos na mesma época em que vários alunos da escola pegaram uma virose, então o segundo deslize veio daí. Só quando a sua calça jeans preferida começou a ficar mais justa, por volta da décima segunda semana (que ela ainda não sabia que era a décima segunda semana), foi que começou a suspeitar que havia alguma coisa errada. E foi só na décima terceira semana (veja o parêntese anterior sobre a décima segunda semana) que ela obrigou o namorado, Max, a dirigir por vinte minutos até uma farmácia bem distante, onde não encontrariam nenhum conhecido, para comprar dois testes de gravidez.

Acontece que os testes eram caros. Tão caros, na verdade, que Max teve que verificar o saldo da sua conta no celular enquanto ainda estavam na fila, só para se certificar de que tinha dinheiro suficiente.

Quando Grace se deu conta do que tinha acontecido, já estava no quinto dia do segundo trimestre da gravidez.

O bebê era do tamanho de um pêssego. Grace tinha pesquisado no Google.

Depois desse dia, Grace sabia que não ficaria com Pesseguinha. Sabia que não *podia*. Ela trabalhava meio período depois da escola, em uma loja de roupas que atendia principalmente mulheres com mais de quarenta anos que a chamavam de "querida". Ela não recebia o suficiente para criar um filho.

E não era nem porque bebês choravam, fediam e babavam, nada disso. Essas coisas nem pareciam tão terríveis. Era o fato de que eles *precisam* de você. Pesseguinha precisaria de Grace de uma forma que ela não seria capaz de suprir. À noite, ela se sentava no seu quarto, abraçando a barriga agora arredondada, e repetia: "Desculpe, desculpe, desculpe", um mantra de penitência porque Grace era a primeira pessoa de quem Pesseguinha precisaria na vida, e Grace sentia que já a estava decepcionando.

O advogado de adoção mandou uma pasta imensa com informações sobre possíveis famílias adotivas, cada qual com aparência mais ansiosa que a outra. A mãe de Grace e ela avaliaram juntas, como se estivessem analisando um catálogo de compras.

Ninguém era bom o suficiente para Pesseguinha. Certamente nenhum pai com cara de rato ou mãe que não mudava o corte de cabelo desde 1992. Grace vetou uma família porque o filho parecia amargurado, e outra porque não tinham viajado para nenhum lugar mais longe que o Colorado. Não importava que *ela* mesma também não tivesse ido além do Colorado, Pesseguinha merecia *mais*. Merecia alpinistas corajosos, pessoas que fizessem viagens internacionais e buscassem as melhores coisas no mundo, porque era isso que Pesseguinha era. Grace queria exploradores intrépidos que buscavam ouro — porque eles poderiam ficar ricos.

Catalina era espanhola e falava fluentemente espanhol e francês. Trabalhava em uma empresa de marketing on-line, mas também tinha um blog de culinária e o sonho de um dia publicar um livro de receitas. Daniel era web designer e trabalhava de casa. Era ele quem ficaria com Pesseguinha durante os primeiros três meses, o que Grace achou demais. Eles tinham uma cadela chamada Dolly, uma labrador que parecia carinhosa e meio burra.

Grace os escolheu.

Nunca sentiu vergonha, não enquanto Pesseguinha ainda estava na sua barriga. Elas eram um time. Caminhavam, dormiam e comiam juntas, e tudo o que Grace fazia afetava a bebê. Elas assistiam a muitos programas de TV no laptop, e Grace falava sobre o que estavam vendo, sobre Catalina e Daniel e sobre como ela teria um lar incrível com eles.

Pesseguinha era a única pessoa com quem Grace conversava. Todas as suas amigas haviam se afastado. Grace conseguia ver nos olhos de todas a insegurança sobre o que dizer em relação à barriga que crescia rapidamente, o alívio que sentiam por não terem sido elas a engravidar. No início, suas colegas da equipe de *cross-country* tentaram mantê-la atualizada sobre as novidades, mas Grace não conseguiu lidar com o modo como sua inveja repuxava a própria pele até parecer que ela ia explodir. Até mesmo assentir em silêncio se tornou difícil depois de um tempo e, quando parou de responder, elas pararam de falar.

Às vezes, quando estava quase dormindo e Pesseguinha se enfiava embaixo de suas costelas, como se fosse um lugar seguro para ela, Grace sentia a presença de sua mãe na porta do quarto, olhando para ela. Fingia não perceber, e, depois de um tempo, a mãe ia embora.

O pai, porém, era outra história. Ele mal conseguia olhar para Grace. Ela sabia que o tinha decepcionado e que, embora ele ainda a amasse, ela era uma pessoa diferente agora, e nunca mais seria a mesma. Ele devia achar que tinha trocado sua filha por um novo modelo ("agora equipado com um bebê na barriga!"), a Grace 2.0.

Ela sabia disso porque era exatamente como se sentia.

Já estava com quarenta semanas e três dias na noite do baile de boas--vindas. Janie ficava insistindo para ela ir, dizendo que poderiam aparecer como um grupo de amigos ou algo assim, o que provavelmente foi a coisa mais idiota e gentil que ela já disse para Grace. Suas palavras tinham um quê de desculpa, como se soubesse que não deveria dizer aquilo, mas não conseguisse evitar. Vai ser divertido!, escreveu ela em uma mensagem, mas Grace não respondeu.

Quando as aulas começaram, Grace não voltou, como todos os outros fizeram. Estava grávida demais, redonda demais e exausta demais. Além disso, havia o risco de entrar em trabalho de parto no meio da aula de química avançada e acabar traumatizando toda a turma do segundo ano. Ela não estava exatamente arrependida dessa decisão. Quando as férias de verão chegaram, Grace já estava farta de se sentir como uma estranha no ninho, as pessoas lhe dando tanto espaço nos corredores que ela nem conseguia se lembrar da última vez que alguém tinha tocado nela, mesmo que fosse um esbarrão acidental.

12

Pesseguinha nasceu às 21h03, enquanto o baile de boas-vindas acontecia. Bem na hora em que Max estava sendo coroado rei do baile, pensou Grace amargamente, porque garotos que engravidam garotas são considerados heróis, enquanto garotas que engravidam são xingadas de piranha. Mas Pesseguinha deu um jeito nisso e roubou o momento de Max. Essa foi a primeira coisa que a filha de Grace fez, e foi genial. Ela ficou orgulhosa. Era como se Pesseguinha soubesse que era herdeira do trono e tivesse chegado para reivindicar a coroa.

Pesseguinha saiu de dentro dela como fogo, e as entranhas de Grace pareciam estar em chamas. Aplicaram-lhe ocitocina e uma dor lancinante queimou sua coluna, suas costelas e quadris. Sua mãe apertou-lhe as mãos e tirou o cabelo da sua testa suada, sem se importar que a filha não parasse de chamá-la de mamãe, como se ainda tivesse quatro anos. Pesseguinha se retorceu e foi abrindo caminho até a saída, como se soubesse que Grace era apenas um receptáculo e que seus verdadeiros pais, Daniel e Catalina, a aguardavam do lado de fora, prontos para levá-la para casa e para a vida que a aguardava.

Pesseguinha tinha lugares para ir, para conhecer, e já estava farta de Grace.

Às vezes, quando já era tarde da noite e Grace se permitia vagar por aquele lugar sombrio de seu cérebro, ela pensava que tudo teria ficado bem se não tivesse segurado Pesseguinha, se não tivesse sentido a maciez de sua pele ou o cheirinho de sua cabeça, se não tivesse visto que ela herdara o nariz de Max e o cabelo escuro de Grace. Mas a enfermeira tinha perguntado se queria segurá-la, e ela ignorou o olhar preocupado da mãe e aquele jeito como ela mordia o lábio inferior. Ergueu os braços e pegou Pesseguinha do colo da enfermeira e não sabia explicar de outra forma a não ser que a bebê se encaixava. Ela se encaixava perfeitamente nos braços de Grace, exatamente como se encaixara sob suas costelas, aninhada ali, macia e segura. E mesmo que Grace sentisse seu corpo esturricado e queimado, parecia que sua cabeça tinha sido lavada e estava limpa pela primeira vez em dez meses.

Pesseguinha era perfeita. Grace não.

E Pesseguinha merecia a perfeição.

Catalina e Daniel não a chamavam de Pesseguinha, é claro. Ninguém sabia do apelido, a não ser Grace. E a própria Pesseguinha. Eles lhe deram o nome de Amelía Marie. Milly, para facilitar.

Sempre disseram que seria uma adoção aberta. Queriam que fosse assim, principalmente Catalina. No fundo, Grace sempre achou que Catalina se sentia um pouco culpada por Pesseguinha ter se tornado sua filha. "Podemos agendar visitas", sugeriu um dia quando estavam no escritório de adoção. "Ou podemos mandar fotos. O que você achar melhor, Grace."

Mas depois que Pesseguinha — *Milly* — nasceu, Grace não confiou mais em si mesma. Não conseguia se imaginar vendo-a novamente e não a pegando de volta. Logo depois que ela nasceu, Grace sentiu um fluxo de adrenalina no corpo, do tipo que imaginava que apenas esportistas poderiam ter, e estava praticamente pronta para levantar com um salto, colocar Pesseguinha embaixo do braço e correr como um atleta olímpico até a linha de chegada. Provavelmente teria corrido uma maratona com Pesseguinha, e o que a assustava é que sabia que não a teria trazido de volta.

Grace não se lembrava de ter entregado Pesseguinha — *Milly* — para Daniel e Catalina. Em um instante a filha estava nos seus braços e, no seguinte, ela tinha desaparecido, partido com estranhos para ser a filha de outra pessoa, e Grace a tinha perdido para sempre.

No entanto, o seu corpo lembrava de tudo. Ele trouxe Pesseguinha para o mundo e ficou de luto quando Grace voltou para casa do hospital. Ela trancou a porta do quarto e se contorceu de agonia enquanto usava, enrolada nas mãos, uma das mantinhas que Pesseguinha usara no hospital para abafar os soluços que rasgavam o seu peito, o seu coração e a sufocavam de dentro para fora. Não queria mais a mãe. Essa não era uma dor que ela ou os médicos poderiam resolver. O corpo de Grace se retorceu na cama de um jeito que não tinha acontecido no parto, como se estivesse confuso e sem saber para onde Pesseguinha tinha ido, e seus dedos dos pés se dobravam e as mãos abriam e fechavam. Grace tinha dado à luz Pesseguinha, mas a sensação agora era a de que a tinha abandonado. Ela estava livre, partindo para longe.

Grace ficou no quarto. Perdeu a noção do tempo depois do décimo dia.

Depois de duas semanas inteiras no escuro, ela desceu e interrompeu o café da manhã dos pais. Os dois ficaram olhando para ela como se nunca a tivessem visto antes e, de certa forma, não tinham mesmo. Grace 3.0 ("Agora sem bebê na barriga!") estava ali para ficar.

E, então, ela disse as palavras que seus pais mais temeram ouvir nos últimos 16 anos de sua vida, desde o nascimento de Grace. Não eram as palavras "Estou grávida", nem "a bolsa estourou", nem "aconteceu um acidente".

Grace desceu e, com a barriga vazia e o cabelo desgrenhado, declarou para os pais:

— Quero procurar a minha mãe biológica.

Grace sempre soube que tinha sido adotada. Seus pais não fizeram segredo disso. Também não pensavam muito no assunto. Era apenas o jeito como as coisas *eram*.

Na mesa do café da manhã, Grace agora observava enquanto a mãe, em um movimento de reflexo, abria e fechava o pote de manteiga de amendoim. Depois da terceira vez, o pai estendeu a mão e afastou o pote dela.

— Seria melhor fazermos uma reunião de família — sugeriu ele enquanto as mãos da mãe agarravam o guardanapo.

Na última reunião que tiveram, Grace contara que estava grávida. No ritmo que estavam indo, seus pais nunca mais fariam outra reunião de família.

— Tudo bem — concordou Grace. — Hoje.

— Amanhã. — Sua mãe finalmente tinha encontrado a voz. — Tenho uma reunião de trabalho hoje e nós devemos... — Ela olhou para o pai de Grace. — Nós temos que separar alguns documentos para você. Estão no cofre.

Sempre existiu um acordo implícito entre Grace e seus pais. Eles sempre contariam para ela tudo que sabiam sobre sua família biológica, mas apenas se ela perguntasse. Teve curiosidade algumas vezes — como quando estudou DNA no primeiro ano de biologia, ou naquela vez, quando ainda estava no segundo ano do fundamental I e descobriu que Alex Peterson tinha duas mães, e Grace tinha se perguntado se também poderia ter duas mães —, mas era diferente agora. Grace sabia que em algum lugar do mundo existia uma mulher que talvez tenha sofrido (e talvez ainda sofresse) como Grace estava sofrendo. Conhecê-la não traria Pesseguinha de volta, nem cobriria as rachaduras que ameaçavam estilhaçá-la, mas seria alguma coisa.

Grace precisava se ligar a alguém novamente.

Seus pais sabiam muito pouco sobre sua mãe biológica, o que não foi nenhuma surpresa. Tinha sido uma adoção particular, feita por meio de advogados e tribunais. O nome de sua mãe era Melissa Taylor. Os pais de Grace não a tinham conhecido. Melissa não quisera.

Não havia fotos de sua mãe biológica, nem impressões digitais, nem um bilhete, nem uma lembrança, apenas um documento assinado. O nome era comum o suficiente para Grace achar que, se o jogasse no Google, demoraria horas olhando os resultados e provavelmente não encontraria nada. No entanto, ao que tudo indicava, talvez nunca tenha sido o desejo de Melissa ser encontrada.

— Nós mandamos uma carta para ela por intermédio do advogado — revelou a mãe de Grace, entregando-lhe um envelope fino. — Foi logo depois que você nasceu. Queríamos dizer o quanto éramos gratos, mas a carta foi devolvida. — Ela não precisava ter acrescentado esta última parte. Grace conseguiu ler o carimbo vermelho "Devolver ao remetente" no envelope.

E bem no momento em que começou a sentir um sofrimento novo e diferente (embora não pior) por não existir uma mulher que a tivesse desejado, por não existir uma mulher que tivesse precisado dela do jeito que ela precisava de Pesseguinha, uma mulher que tivesse se contorcido e sofrido de vontade de saber qualquer coisa sobre ela, os pais de Grace falaram algo que fechou imediatamente o buraco negro que ameaçava engoli-la por inteiro.

— Grace — disse seu pai em tom suave, como se sua voz pudesse ativar algum dispositivo que destruiria a todos —, você tem irmãos.

Depois que Grace terminou de vomitar no banheiro de hóspedes do primeiro andar, pegou um copo de água e voltou para a mesa. A expressão de ansiedade no rosto da mãe a deixou agitada.

Eles contaram a história de um jeito cuidadoso e obviamente ensaiado: Seu irmão se chamava Joaquin. Ele tinha um ano quando Grace nasceu, e foi colocado no programa de acolhimento familiar alguns dias depois que seus pais a trouxeram para casa.

— Eles perguntaram se queríamos acolhê-lo — explicou a mãe de Grace, e, mesmo agora, 16 anos depois, a menina conseguia ver as rugas de arrependimento em relação a Joaquin entalhadas no rosto da mãe. — Mas você era recém-nascida e nós... Nós não estávamos preparados para isso. Para dois bebês. E sua avó já tinha sido diagnosticada...

Grace conhecia essa parte da história. Sua avó, Gloria Grace, a mulher com quem compartilhava o nome, tinha sido diagnosticada com câncer pancreático em estágio avançado um mês antes de Grace nascer e morreu pouco depois do primeiro aniversário da neta. "O melhor e o pior ano" era como sua mãe descrevia o período nas poucas vezes que falava sobre o assunto. Grace sabia que era melhor não fazer muitas perguntas.

— Joaquin — disse ela, sentindo a palavra na boca. Percebeu que nunca tinha conhecido nenhum Joaquin, que nunca tinha pronunciado esse nome antes.

— Disseram que ele foi levado para uma família acolhedora e que essa família tinha entrado com um pedido para a adoção definitiva — continuou seu pai. — Mas isso é tudo que sabemos sobre ele. Tentamos ter notícias, mas o sistema é... complicado.

Grace assentiu, absorvendo tudo aquilo. Se a sua vida fosse um filme, aquele seria um momento de reflexão, acompanhado por uma música orquestrada.

— Você disse *irmãos*? No plural?

Sua mãe concordou com a cabeça.

— Logo depois que Gloria Grace... — Ninguém a chamava de outra forma, a não ser essa — ... morreu, recebemos uma ligação do mesmo advogado que nos ajudou a adotar você. Havia outro bebê, uma menina, mas a gente não podia... — Ela olhou para o pai de Grace novamente em busca de ajuda para preencher o espaço entre as palavras. — Nós não podíamos, Grace — continuou sua mãe, a voz falhando antes de pigarrear. — Ela foi adotada por uma família que mora a uns vinte minutos daqui. Nós temos as informações de contato, e combinamos com eles que se uma de vocês quisesse conhecer a outra, mandaríamos um e-mail.

Eles deslizaram um papel com um endereço de e-mail em direção a ela.

— O nome dela é Maya — disse o pai. — Ela tem 15 anos. Conversamos com seus pais ontem à noite, e eles falaram com ela. Se você quiser entrar em contato, Maya está esperando.

Naquela noite, Grace se sentou diante do seu laptop e observou o cursor piscar na tela enquanto tentava planejar o que escrever para Maya.

~~Querida Maya, sou sua irmã e~~

Não. Familiar demais.

~~Oi, Maya, meus pais acabaram de me contar sobre você e uau!~~

Grace queria se socar depois de ler aquela frase.

~~E aí, Maya? Eu sempre quis ter uma irmã e agora tenho uma~~

Grace ia precisar contratar um escritor profissional para fazer aquilo.

Por fim, depois de meia hora digitando, apagando e digitando de novo, conseguiu um resultado que lhe pareceu razoável:

Oi, Maya,

Meu nome é Grace e recentemente descobri que temos a mesma mãe biológica. Minha mãe e meu pai me contaram hoje sobre você, e sou obrigada a admitir que estou um pouco chocada, mas animada também. Eles me disseram que você já sabe sobre a minha existência, então espero que não fique surpresa demais ao receber este e-mail. Não sei se seus pais contaram para você sobre Joaquin. Ele talvez seja o nosso irmão. Acho que seria legal se conseguíssemos encontrá-lo juntas.

Meus pais me disseram que você mora a cerca de meia hora daqui, então talvez a gente pudesse marcar de tomar um café ou algo assim? Se você quiser, eu vou adorar conhecê-la. Mas sem pressão. Sei que essa situação tem potencial para ser muito estranha.

Espero ter notícias suas,

Grace.

Ela leu a mensagem três vezes e clicou em "enviar".
Tudo que podia fazer agora era esperar.

MAYA

Quando Maya era pequena, seu filme favorito era a versão da Disney de *Alice no país das maravilhas*. Ela amava a ideia de cair no buraco do coelho e mergulhar em algo inesperado e, é claro, a ideia de que um coelhinho branco pudesse usar um coletinho e óculos minúsculos.

No entanto, a sua cena favorita era a parte em que Alice ficava grande demais para caber na casa do Coelho Branco. Suas pernas e seus braços saíam pelas janelas, estilhaçando o vidro, e sua cabeça batia no teto, enquanto as pessoas gritavam e berravam à sua volta. Maya *amava* essa parte. Costumava obrigar os pais a voltar o filme para aquela cena e assisti-la repetidas vezes, morrendo de rir da ideia de que o teto poderia se consertar sozinho.

Agora, quando seus pais brigavam e as paredes de casa pareciam pequenas demais e ela desejava poder estilhaçar as janelas de vidro e fugir, a ideia da casa se quebrando não parecia mais tão engraçada assim.

Maya não se lembrava de uma época em que os pais não estivessem brigando. Quando ela e a irmã, Lauren, eram mais novas, isso era feito atrás de portas fechadas, com vozes abafadas e sorrisos forçados na manhã seguinte no café da manhã. Com o passar dos anos, porém, as palavras sussurradas começaram a ficar mais altas. Depois vieram os gritos e, por fim, os berros.

Os berros eram a pior parte, palavras agudas e estridentes, o tipo de som que faz você querer cobrir os ouvidos e gritar de volta.

Ou fugir e se esconder.

Maya e Lauren escolhiam a última opção. Maya era 13 meses mais velha que Lauren e se sentia responsável pela irmã. Ela pegava o controle remoto e aumentava o volume até ficar difícil decidir qual era o som mais alto e quem queria vencer a batalha sonora.

— Será que dá para baixar o volume da TV? — gritava o pai, e isso parecia tão injusto. Elas só tinham aumentado porque eles começaram a gritar primeiro.

Maya tinha 15 anos, Lauren, 14.

As brigas estavam mais intensas do que nunca.

Aconteciam o tempo todo.

Você está sempre trabalhando! Você está sempre trabalhando e não...

Por você! Pelas meninas! Pela nossa família! Pelo amor de Deus, você quer tudo e quando eu tento dar a você...

Maya já tinha idade suficiente para entender que muitas dessas palavras zangadas tinham a ver com o vinho: uma taça antes do jantar, duas ou três durante, e uma quinta quando o pai de Maya estava viajando a negócios. A menina nunca via garrafas vazias na lata de lixo reciclável, e as prateleiras da despensa pareciam estar sempre abastecidas com garrafas fechadas. Ela se perguntava de quem a mãe escondia as evidências: das filhas, do marido ou de si mesma.

Mesmo assim, teria deixado a mãe beber três *garrafas* por noite se isso a mantivesse calma, complacente. Ou mesmo, meu Deus, *sonolenta*.

Mas o vinho só servia para deixar os pais acelerados, como aqueles carros de corrida que provocam um ao outro um pouco antes da partida, até alguém descer a bandeira e *vrum!*, eles partirem a toda velocidade. Maya e Lauren aprenderam a ficar fora do caminho àquela altura, seguras no andar de cima, cada uma em seu quarto, ou na casa de um amigo. Já tinham chegado a dizer que iam para a casa de um colega, mas se esconderam no quintal até a barra ficar limpa. Não é que a briga dos pais ficasse fisicamente violenta, nada disso; as palavras tinham o potencial de cortar mais que vidro estilhaçado contra a parede, de machucar mais que um soco na boca.

Era fácil seguir o padrão dos dois. Maya tinha quase certeza de que poderia escrever um roteiro e eles o seguiriam. Assim que os gritos começavam, levava cerca de 15 minutos até a mãe acusar o pai de ter um caso. Maya não sabia se isso era verdade ou não e, para ser sincera, ela nem se importava muito com isso. Que tivesse um caso, se isso o deixasse feliz. Maya suspeitava de que sua mãe ficaria felicíssima se isso fosse verdade. Como se finalmente tivesse vencido a corrida na qual competia havia décadas.

Você morreria se chegasse em casa antes das oito horas da noite? Sério mesmo?

Ah, mas quem quis fazer uma nova reforma na cozinha? Você acha que dinheiro cai do céu?

Uma batida na porta a fez erguer os olhos. Maya meio que esperava que fosse Claire, mesmo sabendo que isso era impossível. Estavam namorando havia cinco meses, e seu abraço era melhor e mais seguro que qualquer esconderijo ou quintal do mundo. Claire era segurança. Maya às vezes pensava que era seu lar.

Mas a batida viera de Lauren.

— Oi — cumprimentou ela quando Maya abriu a porta. — Posso ficar um pouco com você?

— Claro.

Em algum ponto que Maya não sabia muito bem quando, suas conversas tinham passado de risinhos altos para segredos sussurrados, frases curtas e respostas de uma ou duas palavras. A diferença de 13 meses entre elas começou a separá-las como um golfo, ficando cada vez maior a cada mês que passava.

Maya sempre soube que tinha sido adotada. Em uma família de ruivos, esse fato ficava extremamente óbvio. Quando Maya era menor, para fazê-la dormir, sua mãe costumava contar a história de quando a levaram para casa do hospital. Já tinha ouvido aquela história mil vezes, é claro, mas sempre queria ouvir de novo. Sua mãe era uma boa contadora de histórias (trabalhara para uma rádio quando estava na faculdade) e sempre as temperava com gestos grandes e exagerados, contando como estavam assustados quando colocaram Maya na cadeirinha do carro pela primeira vez e como compraram todos os frascos de álcool em gel da farmácia.

Mas a parte favorita de Maya era sempre o final. "E, então", concluiria sua mãe, cobrindo-a e alisando os cobertores, "você veio com a gente para casa. Onde é o seu lugar."

No início, não importava muito que Maya fosse adotada e Lauren não. Eram irmãs, e isso era tudo que importava. Mas, então, as outras crianças se encarregaram de explicar tudo para ela.

Crianças podem ser bem babacas.

"Eles provavelmente não teriam adotado você se Lauren tivesse nascido primeiro", explicara sua melhor amiga do terceiro ano do ensino fundamental, Emily Whitmore, na hora do almoço. "Lauren é a filha *biológica*", ela disse a palavra como se alguém tivesse ensinado para ela. "E você não é. Esses são os fatos."

Maya se lembrava da expressão no rosto de Emily enquanto explicava os "fatos" para ela, e ainda se lembrava do impulso imediato de dar um murro na cara convencida da menina de oito anos. Emily estava passando por uma fase de super-honestidade naquele ano, o que provavelmente explicava por que não tinha muitos amigos agora que estavam no segundo ano do ensino médio. (Mas ela ainda tinha cara de convencida. E Maya ainda queria socá-la.)

No entanto, Emily estava certa em relação a uma coisa: três meses depois que os pais trouxeram Maya para casa do hospital, a mãe descobriu que estava grávida de Lauren. Eles vinham tentando ter pelo menos um filho havia quase dez anos, e agora tinham sido abençoados com duas.

Bem, *abençoados* nem sempre seria a palavra que Maya escolheria usar.

"Qual de vocês duas foi adotada?", as pessoas costumavam perguntar para ela e para Lauren, e as duas simplesmente piscavam. No início, não entendiam a piada, mas Maya entendeu bem mais rápido que Lauren. Foi obrigada a entender. Ela era a única que se sobressaía, a única que não tinha pele branca coberta de sardas e cabelo ruivo, a única mancha morena em todas as fotos da família penduradas na parede da escada.

Quando seus pais brigavam, Maya às vezes se imaginava ateando fogo na casa inteira. Sempre achou que jogaria gasolina naqueles retratos da parede da escada.

Aos cinco anos, a garota percebeu que era diferente. Quando foi a Estrela da Semana no jardim de infância, todos os seus coleguinhas perguntaram por que ela tinha sido adotada, onde sua "mãe de verdade" estava e se ela tinha sido abandonada porque era malcriada. Nenhum dos colegas fez perguntas sobre sua tartaruga, Scooch, nem sobre seu cobertor favorito, que tinha sido tricotado pela bisavó Nonie. Ela chorou depois, mas não conseguiu explicar o motivo.

Amava os pais, porém, com um desespero que até a assustava.

Às vezes sonhava com os pais que a tinham abandonado e acordava, toda suada, no meio de uma fuga, pessoas de cabelo castanho sem rosto e com os braços estendidos para pegá-la. Seus pais — sem o vinho, sem as brigas e sem a vida *adulta* sufocante de reformas na cozinha e pagamentos de hipoteca — eram gente boa. Muito boa. E eles a amavam incondicionalmente do jeito que ela era. Mas Maya sempre notava que os livros sobre criação de filhos eram sobre filhos adotados e não biológicos. Eles passavam tanto tempo tentando normalizar sua vida que Maya às vezes sentia que era tudo, menos normal.

Ela arrumou um espaço na sua cama para Lauren.

— O que você estava fazendo?

— Dever de matemática — respondeu a irmã. Ela era péssima em matemática, pelo menos quando comparada a Maya... mas Maya estava três anos adiantada na matéria. — E você?

Ela fez um gesto casual em direção ao laptop.

— Trabalho.

— Ah.

Para ser justa, Maya *estava* mesmo fazendo um trabalho. Só que não naquele exato momento. Ela o tinha feito durante a semana, apesar de o prazo ter sido três dias antes. A garota sabia que a professora ia deixar passar. Os professores amavam Maya. Ela os convencia com seus argumentos e, no fim das contas, conseguia pontos extras sem nem ter feito o que haviam pedido. Além disso, não é como se o mundo precisasse de mais um trabalho sobre a importância da caracterização em *Spoon River Anthology.*

Em vez disso, estava conversando por mensagem com Claire.

Ela tinha entrado na escola em março. Maya ainda se lembrava da primeira vez que a tinha visto andando no jardim da frente, a mochila pendurada em um dos ombros em vez de em ambos, como todas as outras pessoas fazem.

Maya gostou dela na hora.

Gostava de ver que sua unha estava sempre pintada e com o esmalte lascado, mas o cabelo nunca tinha pontas duplas. Gostava do fato de suas meias nunca combinarem entre si, mas os sapatos serem os melhores (Maya invejava os sapatos da Doc Martens e morria de raiva por calçar dois números a mais que Claire).

Amava sentir as mãos da namorada nas suas, como sua pele às vezes parecia a coisa mais suave e elétrica que Maya já tinha tocado na vida. Amava a risada de Claire (era profunda e, para ser completamente sincera, soava como um ganso sendo assassinado) e a boca de Claire e o jeito como Claire acariciava seu cabelo, como se ela fosse meiga e importante.

Maya adorava que tinha passado a vida inteira tentando descobrir onde se encaixava, só para Claire aparecer ao seu lado, como se tivessem esperado a vida toda para se encontrar.

Como os pais de Maya não eram dinossauros antiquados, não se importavam que a filha fosse gay. Ou, mais precisamente, aceitavam isso. Tinham até *orgulho* disso. O pai tinha chegado a colar um adesivo de arco-íris no carro, escandalizando toda a vizinhança por um tempo, até Maya explicar gentilmente que o adesivo de arco-íris no carro era para declarar que *o dono* era gay, e talvez os vizinhos tivessem entendido errado.

Mesmo assim, tinha sido um gesto fofo. Eles doaram dinheiro para a PFLAG, uma organização LGBT, e ela e o pai participaram juntos de uma corrida de dez quilômetros. Maya tinha todo o apoio de que precisava nessa área específica, e era grata por isso. Só gostaria que os pais prestassem mais atenção no próprio relacionamento, em vez de ficarem focados no dela.

Outra porta bateu e Lauren se sobressaltou. Não muito, mas o suficiente para Maya notar.

Será que ao menos se importa em ver suas filhas?

Como você se atreve a dizer uma coisa assim para mim!

Você nem perguntou para Maya sobre...

As meninas trocaram um olhar.

— Você já recebeu alguma mensagem daquela garota? — perguntou Lauren logo depois.

Maya negou com a cabeça.

— Não.

Na noite anterior, os pais tinham se sentado com ela — era a primeira vez em meses que ela os via juntos em casa sem brigar — e lhe contado sobre uma garota chamada Grace, que aparentemente era sua meia-irmã e vivia a uns vinte minutos dali. Pela primeira vez na vida, ao que tudo indicava, Grace tinha perguntado sobre a família biológica. Havia um garoto também, um suposto meio-irmão chamado Joaquin, mas ninguém mais sabia onde ele estava, como um chaveiro perdido em algum lugar.

— Tudo bem se nós dermos o seu endereço de e-mail para Grace? — perguntou seu pai.

Maya apenas encolheu os ombros.

— Claro. Pode dar.

Não estava tudo bem, não de verdade, mas ela não confiava mais na capacidade dos pais de serem fortes por ela. Eles mal conseguiam ficar um do lado do outro — que tipo de energia ainda poderiam lhe passar? Ela não tinha a menor vontade de chorar na frente deles, nem de fazer perguntas, nem de permitir que eles sequer tivessem um vislumbre do que se passava em sua cabeça. Não confiava seus pensamentos a eles, não quando agiam como elefantes em uma loja de porcelana. Só queria manter distância, uma distância segura, desse tipo de estrago.

Na noite anterior, despertara de um terrível pesadelo: as pessoas altas e de cabelo escuro queriam pegá-la, tentavam arrancá-la de casa pela janela de seu quarto, e ela tinha acordado ofegante, com as mãos tremendo tanto que nem tinha conseguido mandar uma mensagem para Claire. Não tinha certeza do que a tinha assustado mais: os estranhos tentando tirá-la de casa ou o fato de ela não ter certeza de querer que fracassassem.

Não conseguiu voltar a dormir.

Você conhece a Maya. Ela não conta as coisas. Você tem que perguntar! Ela não é como Lauren! Se você passasse um pouco de tempo com elas...

Não é como se Maya adorasse o fato de ter sido adotada, mas, em momentos como aquele, ela meio que gostava de saber que aquelas pessoas não tinham parentesco biológico com ela (*que droga ser você, Lauren,* pensava ela às vezes, quando as brigas ficavam exaltadas e próximas demais de onde estavam). Era mais fácil imaginar um mundo de possibilidades, um mundo no qual literalmente qualquer um pudesse ter algum grau de parentesco com ela. Mas, então, às vezes, isso apenas fazia com que o mundo parecesse grande demais, e com que Maya começasse a se sentir desconectada, como se pudesse voar para longe a qualquer momento. Então, segurava a mão de Claire e a apertava com força para conseguir voltar para a Terra.

— Você acha que eles vão se divorciar? — perguntara-lhe Lauren alguns meses antes, depois que o pai tinha saído enfurecido de casa e a mãe nem fora ver como estavam. As meninas dormiram na mesma cama naquela noite, algo que não faziam desde que eram pequenas.

— Não seja burra — respondera Maya, mas aquele pensamento a manteve acordada a noite inteira. Se os pais se separassem, quem eles escolheriam? Lauren era a filha biológica, exatamente como Emily Whitmore tinha dito. Maya não era.

Era uma ideia ridícula, é claro.

Mesmo assim.

Naquela noite, depois que todo mundo se recolheu no segundo andar, depois que Lauren voltou para seu quarto e fechou a porta, depois que Maya enviou uma mensagem para Claire bem além da hora em que já deveria ter desligado o celular (meus pais vão se divorciar com certeza — rs) e ninguém apareceu para impedi-la, Maya ficou acordada na cama.

Tudo parecia ainda mais terrível às três horas da manhã. Isso era um fato.

Seu telefone de repente vibrou com uma notificação de e-mail, e ela abriu. Tinha lido em algum lugar que, para cada minuto que se passa no celular na cama, perde-se uma hora de sono. Achara aquilo uma besteira, mas agora realmente parecia possível.

Irmã? Era o que estava escrito na linha de assunto do e-mail.

Não era de Lauren.

Maya o leu.

JOAQUIN

Joaquin sempre amou as primeiras horas da manhã.

Gostava do céu rosado que lentamente se iluminava de amarelo até se tingir de azul. Quando não ficava azul, gostava da neblina que envolvia a cidade como um cobertor, enrolando-se nas montanhas e estradas, tão espessa que Joaquin às vezes conseguia tocá-la.

Gostava da tranquilidade das manhãs, de como podia andar de skate pela rua sem se preocupar em desviar de turistas ou criancinhas correndo depois de soltar a mão dos pais. Gostava de ficar sozinho, sem ninguém por perto. A solidão parecia uma opção dele dessa forma. Era mais fácil do que se sentir sozinho mesmo cercado de gente, que era como ele sempre se sentia quando o mundo começava a acordar, antes da realidade se assentar e o cobertor de neblina ser derretido pelo sol.

Joaquin jogou o corpo para a esquerda enquanto descia a ladeira em direção ao centro de artes. As rodinhas do skate eram novas, um presente "sem motivo" de sua décima oitava família acolhedora.

Mark e Linda eram gente boa, já fazia quase dois anos desde que o tinham acolhido. Joaquin gostava deles. Linda o ensinara a dirigir a minivan antiga e tinha ignorado o amassado que o garoto deixara na porta traseira do lado do passageiro; Mark o levara a seis jogos de beisebol no último verão, onde se sentavam lado a lado e assistiam em silêncio, assentindo quando concordavam que o juiz agira corretamente.

"Legal ver pai e filho juntos em um jogo", comentou um homem mais velho para eles após uma das partidas, e quando Mark abriu um sorriso e o puxou pelo ombro, Joaquin ficou vermelho como um pimentão.

Joaquim sabia algumas coisas básicas sobre sua infância, mas não muito. A mãe o colocara no programa de acolhimento quando ele tinha um ano. Sabia, pela certidão de nascimento, que o nome dela era Melissa Taylor, e o sobrenome do pai era Gutierrez, mas só conseguiu descobrir isso cerca de dez assistentes sociais atrás, quando os direitos parentais de Melissa tinham sido revogados havia muito tempo. Ela nunca tinha aparecido nas visitas quando ele era pequeno. Às vezes Joaquin se perguntava se tinha sido o pior bebê do mundo, já que nem a própria mãe aparecia para vê-lo.

Não sabia nada sobre o pai biológico, a não ser o sobrenome e o fato de que Joaquin só precisava olhar para o espelho para saber que o seu misterioso pai não era branco. "Você parece mexicano", declarou um irmão de acolhimento depois de Joaquin ter dito que não sabia de onde tinha vindo. Nunca ninguém disse nada para refutar isso, então essa era sua verdade. Joaquin era mexicano.

Em relação às famílias acolhedoras e aos lares temporários em que morou, tinham sido bons e ruins. Teve aquela acolhedora que uma vez perdeu a paciência e o acertou com uma escova de cabelo de madeira, fazendo com que Joaquin se sentisse um daqueles personagens de desenho animado que literalmente veem estrelas; teve também um casal de idosos que, por motivos que Joaquin nunca conseguiu entender, prendiam sua mão esquerda com fita adesiva, obrigando-o a usar a direita (não adiantou nada, Joaquin ainda era canhoto); teve também um acolhedor que gostava de apertar Joaquin pela nuca, fazendo suas vértebras roçarem de um jeito que nunca conseguiu esquecer totalmente; havia os acolhedores que mantinham a comida das crianças acolhidas em uma prateleira separada da despensa com produtos de marcas genéricas, logo abaixo de uma prateleira cheia de cereais matinais de marcas conhecidas para os filhos biológicos.

Mas teve também Juanita, a acolhedora que acariciava seu cabelo e o chamou de *cariño* quando teve uma virose estomacal no inverno; teve Evelyn, que organizava guerras de balões de água no quintal e cantava todas as noites para Joaquin a música sobre três pintinhos que se aninhavam sob as asas da mãe para dormir; e Rick, o acolhedor que uma vez comprou para Joaquin uma caixa de tintas pastel a óleo porque achava que o garoto era muito talentoso. (Seis meses depois, Rick bebeu demais e entrou em uma briga com o vizinho, e Joaquin foi obrigado a deixar aquela casa e sua caixa de tintas pastel para trás. Ainda não tinha superado aquilo.)

Mark e Linda eram os últimos acolhedores e queriam adotar Joaquin de forma definitiva.

Tinham lhe perguntado na noite anterior, quando estava sentado à mesa da cozinha colocando as rodinhas novas no skate. Eles se sentaram de frente para Joaquin, as mãos dadas, e ele sentiu imediatamente que iam pedir que fosse embora. Já tinha acontecido 17 vezes antes, então ele conhecia bem os sinais. Haveria explicações, pedidos de desculpas e talvez até lágrimas (nunca as de Joaquin), mas tudo sempre terminava do mesmo jeito: o rapaz colocando os poucos pertences em um saco de lixo e aguardando a chegada da assistente social que viria buscá-lo para levá-lo para outro lugar. (Certa vez, uma assistente social tinha lhe dado uma mala de verdade, mas ela foi completamente destruída na nova casa quando duas outras crianças começaram a brigar. Joaquin preferia sacos de lixo. Desse jeito, não tinha nada a perder.)

— Joaquin — começou Linda, mas ele a interrompeu. Gostava de Linda e não queria que uma de suas últimas lembranças dela fosse cheia de desculpas esfarrapadas e elogios falsos.

— Não, tudo bem — respondeu ele. — Eu entendo. Só... É por causa da porta do carro? Porque eu poderia consertar. — Joaquin não sabia como fazer aquilo. Seu emprego no centro de artes não lhe pagava o suficiente para deixá-lo milionário, e ele não fazia a mínima ideia de como consertar um amassado no carro, mas para que serve o YouTube, não é mesmo?

— Espere, o quê? — perguntou Linda, e Mark aproximou mais a cadeira de Joaquin, o que o fez se empertigar um pouco. — Não se preocupe com o carro, querido, não é sobre isso que queremos conversar com você.

Joaquin raramente se sentia perdido. Era muito bom em prever o que os outros iam fazer e como reagiriam; quando não conseguia prever o comportamento de alguém, sabia como provocar. A terapeuta que Mark e Linda o obrigaram a frequentar chamava isso de mecanismo de defesa, e Joaquin achou que aquilo soava exatamente como algo que uma pessoa que nunca precisou usar um mecanismo de defesa diria.

Mas Linda não estava seguindo as falas do roteiro que Joaquin já conhecia de cor.

Mark se inclinou para a frente nesse momento, pousando a mão no braço de Joaquin e pressionando de leve. Isso não incomodou o garoto, ele sabia que Mark jamais o machucaria e, mesmo que tentasse, Joaquin era uns oito centímetros mais alto e uns 13 quilos mais pesado, então seria uma luta fácil. Em vez disso, não conseguiu evitar a sensação de que Mark estava tentando acalmá-lo.

— Amigão — começou Mark. — A sua mã... Linda e eu queremos conversar com você sobre algo importante e, se você concordar, nós gostaríamos de adotá-lo.

Os olhos de Linda brilhavam enquanto balançava a cabeça em concordância, acompanhando as palavras de Mark.

— A gente ama muito você, Joaquin — declarou ela. — Você... você é como um filho para nós. Não conseguimos imaginar não tornar isso permanente.

O zunido na cabeça de Joaquin quase lhe provocou uma vertigem e, quando baixou o olhar para as rodinhas do skate nas suas mãos, percebeu que não as sentia. Só tinha se sentido daquela maneira uma vez antes, quando Mark e Linda disseram (de forma casual, bem casual mesmo), que ele poderia chamá-los de pai e mãe se quisesse.

— Mas só se você *quiser,* é claro — reforçou Linda. Mesmo que ela estivesse de costas ao dizer aquilo, ele ainda conseguia ouvir o tremor em sua voz.

— A decisão é sua, amigão — acrescentou Mark da ilha da cozinha, onde tinha ficado olhando para o laptop. Joaquin notara que ele não estava clicando nem navegando pelos sites, só subindo e descendo a mesma página.

— Beleza — respondera Joaquin, que posteriormente fingiria não notar as expressões decepcionadas no jantar quando ele chamasse a mulher de Linda, como se nada tivesse acontecido naquela manhã.

Joaquin nunca tinha chamado ninguém de mãe nem de pai. Ele sempre usava os nomes ou, em algumas casas mais formais, sr. e sra. Fulano de Tal. Não havia avós, tios, tias nem primos, como acontecia com algumas outras crianças do programa de acolhimento familiar.

E a verdade era que ele queria chamar Linda e Mark de mãe e pai. Queria tanto que conseguia sentir as palavras não ditas rasgarem sua garganta. Seria tão mais fácil simplesmente dizê-las, deixá-los felizes, finalmente ser um garoto com uma mãe e um pai que cuidavam dele.

Mas não eram só palavras. Joaquin sabia, do mesmo modo como sabia todas as verdades da vida, que se usasse aquelas duas palavras, elas o redefiniriam. Para aquelas palavras saírem de sua boca, ele precisava saber que poderia dizê-las pelo resto da vida, e Joaquim tinha aprendido, da forma mais difícil, que as pessoas podiam mudar de ideia, que podiam dizer uma coisa e fazer outra. Certa vez, em uma tarde, durante uma aula de matemática, ele se atrevera a chamar a professora do segundo ano de mãe, só para sentir a palavra na boca e ver como soaria aos seus ouvidos, mas o constrangimento causado pelas outras crianças fora tão agudo e forte que ele ainda sentia o rosto queimar só de pensar no episódio, mesmo tantos anos depois.

Aquilo, porém, tinha sido apenas um erro. Chamar Linda e Mark de mãe e pai de forma intencional significaria que o coração de Joaquin se tornara algo muito mais frágil, impossível de se recuperar se fosse partido. Ele não poderia fazer — e não faria — aquilo de novo. Ainda não tinha conseguido recuperar todos os pedacinhos depois da última vez, um ou dois buracos ainda permaneciam em seu peito, deixando o ar frio entrar.

Agora Mark e Linda queriam adotá-lo, e Joaquin sentia as rodinhas do skate girarem sob seus pés enquanto ele passava direto pela biblioteca. Mark e Linda seriam seus pais, mesmo que ele decidisse não chamá-los assim. Ele sabia que os dois não podiam ter filhos ("Completamente estéril!", exclamara Linda certa vez naquele tom bastante animado que as pessoas costumam usar para esconder os piores sofrimentos), e se perguntava se ele era a última chance dos dois de finalmente conseguir o que queriam, se não passava de um meio para um fim.

Enquanto passava pela biblioteca, viu a placa que dizia "Mamãe, Papai e eu e a hora da história" em uma das janelas.

Joaquin tinha superado o fato de não ter pais. Não era mais burro como quando pequeno, quando tinha tentado ser charmoso e engraçado, tipo aquelas crianças que via nas comédias da TV, com risadas idiotas e pais que apenas suspiravam quando os filhos faziam coisas estúpidas, como atravessar a parede da cozinha com um carro. Aos cinco anos, ele já tinha mudado de lar temporário tantas vezes que frequentou três jardins de infância diferentes, o que significava que conseguiu evitar completamente aquele mico da Estrela da Semana, quando você vira a "estrela" e as crianças perguntam sobre sua casa, sua família e seus animais de estimação, todas as coisas que Joaquin sabia muito bem que não tinha.

Uma vez, quando estava no primeiro ano do ensino médio, Joaquin teve que escrever uma redação respondendo para que época ele iria se pudesse viajar no tempo. Escreveu que teria voltado para ver os dinossauros, o que provavelmente foi a maior mentira que já tinha contado na vida. Se Joaquin pudesse viajar no tempo, obviamente voltaria para encontrar o seu eu de 12 anos, apenas para dar uma sacudida violenta nele e sibilar: *"Você está ferrando com tudo"*. Essa foi a época que ele *realmente* ficou mal, quando cedia à fúria que borbulhava dentro de si. Ele tinha ataques e se retorcia e gritava e berrava até o monstro retroceder, saciado por um tempo, deixando Joaquin alquebrado e exausto, impossível de ser consolado, impossível de ser punido. Ninguém queria uma criança assim, Joaquin sabia agora, especialmente uma que fazia xixi na cama quase todas as noites.

Quando fez oito anos, Joaquin já conhecia as regras do jogo. Seus dentes de leite tinham caído, deixando dentes grandes e alguns buracos no lugar; as bochechas fofas tinham afinado enquanto ele se aproximava da adolescência. Não era mais um garoto fofinho, e havia uma regra estabelecida e inflexível que dizia que pais adotivos queriam bebês.

34

Compreendeu que provavelmente não haveria ninguém nas reuniões de pais e mestres da escola para ouvir os professores contarem que ele era um ótimo artista. Não haveria ninguém para tirar uma foto dele com a fita azul que colocaram em seu desenho durante a feira de artes do quarto ano do ensino fundamental, nem para levá-lo para a festinha de aniversário do outro lado da cidade quando estava no quinto ano. Alguns dos seus acolhedores tinham tentado, é claro, mas não era como se tivessem muito dinheiro para esbanjar. Joaquin já tinha percebido havia muito tempo que, se não esperasse que as pessoas estivessem lá, não ficaria decepcionado quando não aparecessem.

Ainda tinha a fita azul, porém. Ele a guardava no fundo da gaveta de meias, as pontas desfiadas por causa dos 18 meses em que dormiu com ela embaixo do travesseiro.

Não tivera muita sorte na vida, mas reconhecia que era sortudo por não ter irmãos. Tinha visto o que acontecia com as outras crianças, como lutavam para permanecer juntas e como ficavam destruídas quando inevitavelmente eram separadas. Tinha visto irmãos mais velhos tentarem desesperadamente ser adotados por famílias que só queriam suas irmãs mais novas; tinha visto irmãs mais velhas serem arrancadas dos irmãos mais novos por não haver espaço suficiente para três crianças na casa da família acolhedora; e, além de tudo, os assistentes sociais às vezes separavam irmãos por gênero. Já era difícil o suficiente para Joaquin se manter firme, não deixar que seu coração afundasse em uma maré que só queria puxá-lo para baixo. Ele nunca teria conseguido impedir que outra pessoa também se afogasse. Estava *feliz* por não precisar, por ser livre, mesmo que às vezes suspeitasse que, sem essa amarra, ele poderia simplesmente navegar para longe sem que ninguém jamais soubesse seu paradeiro, sem que ninguém jamais o procurasse.

Mark e Linda provavelmente o procurariam, percebeu Joaquin quando viu o centro de artes, bem na hora que o sol começou a aparecer por entre as nuvens. Mas eles não o adotariam, concluiu.

Joaquin tinha sido adotado uma vez antes.

E nunca mais queria passar por aquilo de novo.

35

GRACE

Depois que os pais de Grace descobriram que ela estava grávida, eles se reuniram com os de Max. "Vai ser só uma conversa", disse seu pai. "Só queremos analisar as opções." Mas, com 14 semanas de gestação, Grace sabia que não havia muito o que discutir.

Os pais de Max não quiseram conversar sobre as "opções". Eles se encontraram na sala de estar que os pais de Grace raramente usavam, até porque a TV não ficava ali, mas no escritório. Mesmo assim, ali na sala, Max e Grace se sentaram um de frente para o outro, exatamente como tinha acontecido quando se conheceram no dia da Simulação das Nações Unidas. Dizer que ela e Max se uniram e se tornaram um país era uma piada que não saía da cabeça de Grace, embora ela nunca tenha dito isso em voz alta. Não achou que seus pais — nem o próprio Max — achariam graça. E provavelmente nem era engraçado mesmo.

O pai de Max estava tão zangado que chegava a tremer. Mesmo em uma tarde de sábado, usava camisa de colarinho e paletó. Ele não tirou a mão do ombro do filho nem uma vez, mas não era um toque de conforto. Estava mais para "você vai ficar sentado aqui e me obedecer". Max odiava o pai. Sempre o chamava de babaca pelas costas.

— Não sei o que sua filha fez com meu filho...

— Acho que não estamos aqui para procurar culpados... — começou a mãe de Grace, agora também com a mão em seu ombro. Estava quente, muito quente, e Grace já se sentia cheia demais com Pessegui-nha crescendo dentro dela. Afastou a mão da mãe. Não queria que ninguém a tocasse, nem mesmo Max.

Especialmente ele.

— Max tem um futuro pela frente — declarou o pai dele, enquan-to a mãe permanecia em silêncio. — Ele vai para a Universidade da Califórnia. E isto aqui não faz parte dos planos.

Os pais de Grace não disseram nada. Ela tinha planos de se inscrever para Berkeley no ano seguinte, mas não estavam mais conversando sobre fazer um *tour* pelos *campi* das universidades (além disso, Grace sabia que Max tinha colado na prova de francês avançado, mas tam-bém não mencionou isso).

— Grace também tem um futuro — retrucou seu pai, interrompendo o pai de Max. Eles pareciam dois jogadores de hóquei prestes a co-meçar uma batalha no gelo. — E ela e Max são ambos responsáveis...

— Eu não sei o que ela disse para colocar meu filho nesta situação, mas se você acha que vai receber o meu dinheiro... — interrompeu o pai de Max, as narinas dilatadas.

Max tinha essa mesma característica quando ficava zangado. Às vezes Grace o chamava de Senhor Esquentadinho, mas só em seus pensamentos, e só quando estava muito zangada com ele.

— Isso é sobre o bebê — interrompeu sua mãe. — E sobre Grace e Max.

— Não existe Grace *e* Max — rebateu o pai de Max. A mãe dele permaneceu em silêncio. Era tão estranho. Grace começou a pensar que você só conhece a verdadeira família de um cara quando engravida do filho deles. — Max está namorando uma boa moça agora.

Uma boa moça. As palavras pairaram no ar enquanto Grace olhava para Max, mas ele mantinha os olhos fixos no chão.

— Max? — chamou ela.

Ele não ergueu o olhar para ela. Nem para Pesseguinha.

Stephanie era uma boa moça, é claro. Grace não fazia ideia se era uma pessoa boa ou não, mas o pai de Max obviamente considerava uma "boa moça" uma pessoa cujo útero estava desocupado. E se eles iam usar essa definição, então, sim, Stephanie era totalmente uma boa moça. Grace, não.

E esse foi o resumo de como Grace e o namorado terminaram.

Max e Grace namoraram por quase um ano, o que, se ela parasse para pensar, foi só um pouco mais de tempo do que levou para gestar Pesseguinha. Mas ela não conseguia pensar sobre o assunto dessa forma, não mesmo. Não conseguia pensar sobre Pesseguinha sem sentir uma dor dilacerá-la por dentro, rasgando-a exatamente como tinha acontecido na sala de parto. Grace achou que nada poderia ser pior do que aquela noite, sua mãe segurando sua mão e as enfermeiras dizendo que ela precisava fazer força. Mas podia.

Janie costumava chamar Max de o "Cara do Filme" porque ele era basicamente isso, o cara que a gente vê nos filmes: jogador de futebol americano, dentes perfeitos, amigo de todos... mas um amigo melhor para algumas pessoas. Grace não tinha percebido na época, mas só gostava dele porque ele gostava dela, e essa não era uma estrutura forte o bastante para resistir a uma tempestade. Sabia agora, é claro, porque tanto Max quanto Pesseguinha tinham ido embora e suas mãos estavam vazias, feridas por terem agarrado com muita força algo que ela nunca deveria ter segurado, para começo de conversa.

— Você está inquieta — disse a mãe de Grace.

— Não estou, não. *Você* é que está — retrucou ela.

— Vocês *duas* estão inquietas — interveio o pai. — Parem com isso.

— Mas tem um fio na sua... — interrompeu a mãe, estendendo a mão para a camisa dele. Ele deu um tapinha brincalhão no braço estendido.

— *Inquietação* — repetiu ele

Os três estavam parados diante de uma varanda de entrada de pedra, todos amontoados embora houvesse espaço para se espalharem. Grace provavelmente poderia dar uma cambalhota sem derrubar nenhum dos pais. A varanda era grande assim.

E não era uma varanda qualquer. Era a varanda de Maya. Ou, para ser mais precisa, a varanda da família de Maya. Uma semana depois do início da troca de e-mails entre ela e Grace, os pais de Maya convidaram a família de Grace para jantar e eles aceitaram porque, bem, como alguém pode recusar um convite desses?

Maya e Grace conversaram algumas vezes, começando com a resposta de Maya para aquele primeiro e-mail. *Bem, já não era sem tempo.* Era uma resposta curta e direta, que fez Grace começar a perceber que era esse o estilo de resposta da irmã. E ela não usava emojis. Grace começou a se perguntar se sua irmã era, na verdade, um robô sem senso de humor, mas presumia que até mesmo um robô devia saber como usar um emoji. Talvez Maya fosse muito séria em relação à tecnologia. Ou talvez fosse uma dessas pessoas que colecionam máquinas de escrever e desejam ter uma linha de telefone fixo como as usadas trinta anos atrás.

Grace tinha um monte de perguntas para Maya, e não sabia bem como fazer nenhuma delas.

Quando pararam na frente da casa, o pai de Grace assoviou baixinho e sua mãe disse:

— Ai, meu Deus, você devia ter vindo de terno.

Ao que Grace deveria ter retrucado: "Mas o papai odeia usar terno", se não estivesse ocupada demais olhando para a casa. Era um tipo de mansão de pedra — faltava pouco para ser algo saído diretamente de um filme da Disney.

E era ali que Maya morava.

— Eu odeio usar terno — retrucou seu pai.

Os três ainda estavam sentados no carro. A respiração de Grace embaçava o vidro, pois ela estava com o rosto praticamente colado na janela. Eles levaram mais alguns minutos para fazer a caminhada épica até a varanda de entrada e, então, sua mãe tocou a campainha enquanto ouviam a Nona Sinfonia de Beethoven tocar lá dentro.

— Será que erramos o endereço e viemos parar em uma igreja? — sussurrou Grace.

— Você está bem? — perguntou seu pai, virando-se para ela, enquanto a campainha continuava tocando.

— Estou, sim.

— Tem certeza?

39

— Pergunte daqui a uma hora — sussurrou Grace assim que a porta se abriu e um casal sorridente os cumprimentou. Os dois eram ruivos. O homem estava de terno.

Grace ouviu a mãe praguejar baixinho atrás dela.

— Ah, vocês encontraram nossa casa! — exclamou a mulher. — Entrem, entrem!

Ela era um exagero, como Janie costumava dizer. (E provavelmente ainda dizia. Grace não conversava com Janie havia... um tempão.)

— É um prazer conhecer vocês — continuou a mulher. — Eu sou Diane e este é Bob.

Os dois estavam sorrindo para Grace como se quisessem devorá-la. Grace retribuiu.

Seguiu os pais quando eles entraram na casa, que brilhava e cintilava e tinha um ar de mausoléu por causa de todo o mármore. Havia uma escada espiral dupla, também de mármore, que levava ao segundo andar e, ao longo da escadaria, Grace conseguia ver uma parede coberta com fotos profissionais emolduradas.

Não havia um grão de poeira à vista.

— Sua casa é adorável — elogiou a mãe de Grace, que lia a revista *Architectural Digest* como... Bem, Grace nunca tinha conhecido ninguém que consumisse qualquer coisa do jeito que sua mãe lia aquela revista de arquitetura. De qualquer forma, a mãe de Grace estava *morrendo* por dentro. Grace conseguia vê-la mentalmente arrancando o tapete da sala deles, acrescentando uma segunda ala e possivelmente abandonando o pai de Grace e a própria Grace só para morar nesta casa. — É magnífica.

Grace nunca tinha ouvido a mãe usar a palavra *magnífica* antes.

Seu pai assumiu a conversa:

— É mesmo. Muito obrigado por nos receber. Grace realmente estava ansiosa por isso.

Grace tinha ansiado por aquilo do mesmo jeito que ansiaria por uma queda em uma montanha-russa. Só que não sabia se o cinto de segurança era confiável ou a última vez em que os trilhos tinham passado por uma manutenção.

Por sorte, sua educação assumiu o controle; ela deu um passo à frente e estendeu a mão para Diane.

— Oi, eu sou Grace — apresentou-se. — Muito prazer em conhecê-la.

Os olhos de Diane ficaram marejados e ela pegou sua mão.

— Grace — disse, a voz falhando um pouco. — Estou muito, muito feliz em conhecê-la. Sei que Maya também está ansiosa por este momento. Acho que isso vai ser muito bom para ela.

Bom para ela? Grace previu que logo teria problemas.

— Ela é igualzinha à Maya — disse Bob. — Chega a dar nervoso, não é, Di?

Grace sorriu novamente sem saber o que dizer. Não fazia ideia se isso era verdade ou não. Ela e Maya não tinham trocado fotos, e ela tinha ficado com medo de procurar nas redes sociais.

Grace não sabia bem o motivo.

Bem nessa hora, uma garota se aproximou, também ruiva. Grace respirou fundo sem perceber. *Maya é ruiva? Essa é ela?* Bob tinha acabado de dizer que ela era quase igual a Grace, mas esta garota e Grace não podiam ser mais diferentes.

— Ah, esta é a nossa filha Lauren — esclareceu Diane, estendendo um braço para a garota e puxando-a para si. — Ela é irmã de Maya.

Lauren sorriu e Grace retribuiu. Era tão óbvio que Lauren era a filha biológica que chegava a ser ridículo. Grace se perguntava como deveria ser morar em uma casa na qual os outros três habitantes não têm absolutamente nada a ver com você, como se estivesse presa no jogo dos sete erros eternamente.

— Achei que Maya estivesse descendo — comentou Diane, dando um passo em direção à escada e levando Lauren com ela. — Maya! Grace e os pais já chegaram.

Depois de um instante ou dois, Maya apareceu no alto da escada. Estava com um short jeans cortado e uma camiseta larga. O cabelo estava preso em um daqueles coques no alto da cabeça que Grace tinha tentado fazer várias vezes sem nunca conseguir porque seu cabelo não era comprido o suficiente. Era como se Maya tivesse sido jogada na vida desses três estranhos ruivos e bem-vestidos.

E, de certava forma, percebeu Grace, era exatamente o que tinha acontecido.

— Oi — cumprimentou ela, acenando com uma das mãos. — Eu sou a Grace.

— Oi — respondeu Maya. Sua voz estava estranhamente indiferente, mas talvez ela só estivesse tentando permanecer calma.

Quando chegou ao último degrau, ficaram uma de frente para a outra. Grace ouviu fungadas abafadas dos quatro adultos atrás delas, observando as irmãs se encontrando pela primeira vez. Maya se parecia com Grace, com certeza. Cor dos olhos, do cabelo e até o mesmo nariz estranho e reto. Ela era um pouco mais baixa que Grace, mas tirando ou colocando algumas sardas, era como se olhar em um espelho.

E Grace não sentiu absolutamente nada.

— Oi — disse ela novamente. — Sinto muito, mas não sei o que dizer. — E deu um risinho nervoso, que odiou, mas tudo aquilo começava a parecer bizarro demais. Estavam em uma casa que mais parecia um castelo de princesa! Ela tinha uma irmã biológica diante dela e era igualzinha a ela! O pai da garota usava *terno*!

Maya apenas olhou para Grace e, então, dirigiu-se ao pai.

— Por que você está de terno?

— Porque temos convidados — explicou ele, pegando-a pelo ombro e guiando-a para a sala. Grace tinha a sensação de que ele estava acostumado a guiar Maya por qualquer situação, como uma técnica que as pessoas usam com crianças bem pequenas. Grace tinha visto isso uma vez quando se atrevera a ler um livro sobre maternidade, em uma livraria que ficava a uns 25 quilômetros de sua casa, um lugar onde ninguém a reconheceria.

— Os aperitivos serão servidos na sala de estar! — exclamou Diane, fazendo um gesto para os pais de Grace enquanto continuava com um braço apoiado nos ombros de Lauren.

As irmãs não se falaram, percebeu Grace. Sendo filha única, sempre observava como irmãos interagiam entre si. Era como assistir a um desses programas sobre espécies estranhas de animais que ela e o pai sempre adoraram ver.

— Pode ir na frente — respondeu a mãe de Grace, seguindo Diane para uma (também branca e imaculada) sala de estar. — Venha — ela chamou a filha, que seguiu entre os pais.

Enquanto seguiam para a sala, o pai de Grace se inclinou e cochichou em seu ouvido.

— É só pedir — sussurrou ele — que eu pego o carro e derrubo essa casa que mais parece uma barraca de picolé chique.

Grace sorriu e meio que deu um tapinha nele antes que a mãe os escutasse.

O jantar foi uma tortura.

A comida estava gostosa, é claro. Não era como se tivessem servido molejas ou algo estranho assim. (Grace provara molejas uma vez na vida, antes de perceber que aquele nome não combinava em nada com aquele tipo específico de comida.)

Eram basicamente sete estranhos sentados em uma sala de jantar mais elegante do que qualquer restaurante ao qual Grace já fora, sendo que duas dessas pessoas compartilhavam laços sanguíneos e tinham acabado de se conhecer. Para piorar ainda mais a situação, a sala tinha o pé-direito alto, o que fazia o silêncio ecoar à volta deles, os garfos tocando os pratos e soando como uma agulha quebrada em um toca-discos que ficava se repetindo.

— Bem, estamos tão felizes por vocês duas finalmente terem a chance de se conhecer — declarou Diane, a voz um pouco mais alta do que o necessário.

A mãe de Grace aceitou o passe e seguiu com o lance, como as mães costumam fazer.

— Ah, nós também estamos muito felizes! — exclamou ela, sorrindo para Maya e Grace. — Vocês duas são tão parecidas. Sei que Grace sempre quis ter uma irmã.

Grace olhou para a mãe e levantou ligeiramente uma das sobrancelhas. *Desde quando?* Mas percebeu que Maya estava observando e ficou séria de novo.

— Se você quer uma irmã, posso dar uma sugestão? — perguntou Maya, fazendo um gesto para Lauren. — A gente arruma uma faca bem afiada e eu divido a minha com você, mas precisa decidir agora. É pegar ou largar.

Lauren fulminou Maya com o olhar, e mesmo que Bob e Diane tenham rido, Grace percebeu que eles meio que queriam matar Maya. Grace riu mesmo assim. Não conseguiu evitar. Agora entendia por que Maya nunca escrevia e-mails ou textos como um ser humano normal: o humor dela era sombrio demais.

— Maya e Lauren ora são melhores amigas, ora são as piores inimigas — comentou Diane, pegando sua taça de vinho e a colocando de volta à mesa enquanto Maya comia um pedaço de frango. — Na verdade, nós descobrimos que eu estava grávida três meses depois de termos trazido Maya para casa. Tentamos por quase dez anos ter um filho e, então, o que acontece? Dois milagres em três meses! Não conseguimos acreditar na nossa sorte!

Grace viu seu pai olhar de Maya para Lauren, e ela se perguntou se estavam pensando a mesma coisa: que aquelas duas eram mais diferentes do que água e vinho. Ou Diane queria se enganar ou, mais provavelmente, estava tentando evitar que as filhas estragassem o jantar.

— Então, como é ser filha única, Grace? — perguntou Lauren para ela. — É incrível? Parece ser *incrível*.

A mãe de Maya pigarreou e tomou um longo gole de vinho.

— Hum — Grace olhou por um instante para o próprio prato e, depois, de volta para Lauren. — É... silencioso?

Todos os adultos riram, e Grace deu um sorriso.

— É legal, eu acho. Sei lá. É bom.

Maya olhou para Grace, mas sua pergunta foi direcionada aos pais:

— Será que Grace e eu podemos sair agora? Tipo, nós temos uns 15 anos de papo para colocar em dia.

— Claro. Vocês podem ir — concordou a mãe dela. — Mas leve a comida, está bem? Você não tem comido bem.

— Você sabe que essa é uma frase tirada diretamente do livro *Como provocar um distúrbio alimentar na sua filha*, não sabe? — perguntou

Maya, mas já estava empurrando a cadeira para trás, pegando o prato e fazendo um gesto para Grace segui-la.

Grace lançou um olhar para sua mãe, enquanto o carrinho da montanha-russa subia cada vez mais alto.

— Tudo bem, pode ir — autorizou sua mãe, e ela deixou o prato na mesa antes de subir a escada atrás de Maya, escorregando um pouco no mármore.

A parede de fotos que Grace tinha visto logo que entrou na casa era ainda mais impressionante de perto, e ela percebeu que diminuía o passo enquanto observava as fotos. Eram fotografias casuais e profissionais que foram tiradas ao longo dos anos, de Maya e Lauren quando bebês até as que pareciam mais recentes, tiradas no Natal. Maya se sobressaía em todas elas, a única morena em uma família de ruivos, seu sorriso menos brilhante com o passar dos anos.

No instante que entraram no quarto de Maya, ela fechou a porta e soltou um longo suspiro.

— Ai, meu Deus, sinto muito. Aquilo foi brutal — declarou ela, soltando o cabelo do coque. Grace percebeu que o cabelo de Maya era muito mais comprido que o seu, e se perguntou se talvez devesse deixar crescer também.

— Ah, tudo... É, está tudo bem. — Grace observou o quarto e avistou medalhas que Maya deve ter ganhado por... algo esportivo, talvez. — Seus pais parecem ser legais.

Maya a olhou pelo espelho.

— Você sabe que essas medalhas são prêmios de participação, né?

— Ah.

Maya jogou o cabelo por cima do ombro e, depois, para trás de novo.

— Eu disse para meus pais, tipo, *um milhão* de vezes, para não fazermos um jantar formal, só pedir uma pizza ou algo assim para as coisas não ficarem estranhas. E o que eles fazem? Fazem tudo de forma estranha.

— Não foi *tão* estranho assim.

— Meu pai está de terno, Grace.

— Tudo bem, isso é um pouco estranho mesmo — admitiu ela.

O quarto de Maya era o oposto do resto da casa, parecia uma explosão de cores. Uma das paredes era de um tom azul-escuro, outra de um amarelo clarinho e as outras duas eram brancas. Havia pôsteres pendurados, principalmente de bandas, além de dezenas de Polaroids coladas na parede com uma fita adesiva azul.

— Foi você que tirou? — perguntou Grace, aproximando-se para olhar uma de Maya abraçada com uma garota, beijando seu rosto enquanto a menina sorria com os olhos fechados.

Maya olhou para ela.

— Foi — respondeu ela. — Essa é a minha namorada, Claire.

— Ela é bonita — elogiou Grace. — Parece a Sininho.

Maya parou.

— Você sabe que não estou brincando, não é? Ela é a minha *namorada* mesmo.

Grace assentiu.

— Sim, eu entendi. — Desconfiava que aquilo era um teste para Maya se certificar de que sua irmã biológica recém-descoberta não era um pesadelo homofóbico. — Namorada não deixa nenhuma dúvida. Há quanto tempo vocês estão juntas?

— Quase seis meses — revelou Maya e, pela primeira vez, pareceu quase relaxada, não como um ratinho de laboratório preso em uma gaiola esperando para ver o que acontece depois. — Ela é incrível. A gente se conheceu no colégio católico.

— Você é católica?

— Não. — Maya se jogou na cama e passou o polegar sobre o rosto de Claire na foto, enrugando o nariz. — É que o colégio católico é a melhor escola particular da região, então meus pais decidiram matricular nós duas, Lauren e eu, lá. Então, basicamente estamos pecando por frequentar a escola. É ótimo.

Grace se sentou na beirada da cama, ainda olhando para as Polaroids de Maya. Havia fotos superexpostas de rosas, mãos unidas em oração, mais *selfies* de Maya e Claire juntas.

— Então, você e Lauren, tipo, se odeiam?

— Você está falando da filha ruiva de ouro?

Grace achou que essa era sua resposta.

Maya se virou na cama, de modo que estava olhando para Grace de baixo para cima.

— Então, nada de irmãos para você, hein?

— Não — respondeu Grace. O edredom de Maya tinha um toque macio em sua pele, e o material gasto fez Grace se lembrar dos dias e noites que passara, depois de ter Pesseguinha, deitada na própria cama, enrolada nos próprios lençóis e cobertores como se eles pudessem protegê-la.

— Por que você parece tão triste? — Maya inclinou a cabeça enquanto a observava. Naquele ângulo, ela meio que parecia um periquito.

— Hum... é só que... *foi* meio deprimente crescer como filha única — disfarçou Grace.

Maya gemeu e deitou a cabeça de novo.

— Você quer a *minha* irmã de presente? — perguntou ela. — Pague uma e leve duas?

— Essa é a segunda vez que você oferece. Ela é tão ruim assim? — quis saber Grace. Analisando todas as fotos na parede do quarto, ela percebeu que não havia nenhuma da família de Maya.

— Ela não é ruim, só irritante — revelou Maya. — Sabe aquele aluno esperto que sabe todas as respostas e que os professores deixam tomando conta da turma quando precisam sair da sala por um minuto? — Maya arqueou as costas para olhar para Grace de novo. — Essa é a Lauren.

— Parece legal viver com ela — comentou Grace.

Maya sorriu.

— Então nós duas herdamos o gene do sarcasmo. Bom. — Então ela suspirou e se sentou na cama. — Meus pais não entendem quando eu sou sarcástica. Isso complica as coisas.

— Hum, falando sobre herança — começou Grace, e Maya olhou para ela, de repente, parada como uma estátua. — Tipo, não estou falando de dinheiro nem nada, mas estou tentando encontrar a nossa mãe biológica.

Maya soltou um enorme suspiro e se deitou mais uma vez.

— Ugh. Divirta-se.

— Você não quer?

Maya se virou de novo, e agora estavam cara a cara. Ela tinha muita energia, e Grace de repente se perguntou se a irmã estava nervosa.

— Olha só — começou ela. — Sei que estamos no mesmo barco aqui e tudo mais, mas ela nos abandonou. Ela *desistiu* de nós. Tipo, *voem, passarinhos*. Por que eu ia querer encontrar uma mulher que não me quis, para começo de conversa?

— Mas você não tem como saber se foi assim! — exclamou Grace, um pouco mais alto do que pretendia. O quarto de repente ficou quente. — E se ela fosse jovem demais ou estivesse com medo? E se os pais dela a *obrigaram* a fazer isso?

— Nesse caso, por que ela não nos procurou? — perguntou Maya, de um jeito que Grace sabia que não precisava de resposta. — Ponto para mim!

— Talvez ela não queira nos aborrecer ou...

— Olha só, Grace, se você quer procurá-la, faça isso. Mas eu estou fora. Eu só quero me formar, ir para Nova York com Claire, dar o fora daqui e finalmente começar a minha vida. Não estou interessada em andar para trás, está bem?

Grace soube naquele instante que Maya estava zangada com a mãe biológica delas. E, como resultado, jamais poderia contar sobre Pesseguinha a ela.

— Mas tudo bem se a gente passar um tempo juntas — acrescentou Maya, e Grace se perguntou se a expressão em seu rosto fez com que ela acrescentasse essa parte. — Você parece uma pessoa legal, seus pais também, e, você sabe, se eu precisar de um rim ou de uma transfusão de sangue, é bom que eu possa entrar em contato com você. — Ela deu um sorrisinho. — E vice-versa, é claro, embora eu desmaie só de ver uma agulha.

Grace assentiu. O que ela poderia fazer? Obrigar essa estranha a partir em uma busca maluca com ela?

— Tudo bem — concordou Grace. — Se é assim que você se sente.

— Sério? — Maya pegou um travesseiro e o abraçou. — Meu Deus, isso foi fácil. Se fosse Lauren, ela ia ficar insistindo e choramingando até eu dizer sim.

— Bem, isso é um lance de irmãs. Eu preciso de um tempo para me acostumar.

— Mas eu talvez esteja interessada em encontrar nosso irmão — declarou Maya.

Grace concordou com a cabeça. Ela não tinha contado para ninguém — nem tinha planos de fazer isso —, mas tinha pesadelos em que os novos pais de Pesseguinha desistiam dela e a entregavam para adoção e ela, de repente, desaparecia de novo, perdida no mesmo sistema que tinha engolfado Joaquin. Mas em vez de dizer isso, ela pegou o telefone no bolso.

— Conversei com a assistente social dele na semana passada. Meus pais me ajudaram a encontrá-la, e ela disse que poderíamos mandar um e-mail para ele.

— É mesmo? — Maya largou o travesseiro e se inclinou para a frente. — Por que ele tem uma assistente social?

— Porque ele não foi... hum... — Grace se remexeu um pouco, o edredom não parecia mais tão confortável. — Porque ele não foi adotado. Nunca. Ele agora está morando com uma família que fica a uma hora de distância daqui, mas já passou por vários lares temporários antes disso.

Maya arregalou os olhos, e Grace finalmente viu o potencial de irmã mais nova nela. Conseguia imaginar Maya engatinhando atrás dela, irritando-a, puxando seu cabelo, pegando suas roupas emprestadas sem pedir. Não contou sobre todas as pessoas com quem teve que conversar no telefone para seguir o rastro de um garoto de 17 anos de idade que parecia sempre prestes a desaparecer. Não mencionou que algumas pessoas tinham sido grosseiras ou que outras tinham se esforçado tanto para ajudá-la que o coração de Grace doeu ao perceber que a árvore da família de Joaquin parecia ter tantos galhos quebrados e nenhuma raiz sólida o suficiente para aguentar uma tempestade forte.

— A gente devia escrever para ele! — exclamou Maya, toda animada, jogando o travesseiro em Grace. — Mas você faz isso. Você escreve bons e-mails do tipo "Oi! Acho que a gente é irmã".

— Eu puxei essa matéria como eletiva no primeiro ano — brincou Grace, e depois sorriu quando viu que Maya riu de sua piada.

E foi assim que Grace acabou escrevendo *mais um* e-mail para outro irmão que nunca tinha encontrado.

Oi, Joaquin,

Você não me conhece, mas acho que temos algum parentesco. Sua assistente social deve ter mencionado que a gente talvez entrasse em contato. Uma menina chamada Maya e eu recentemente descobrimos que somos irmãs biológicas. Fomos adotadas e nos encontramos pela primeira vez e, depois de alguma pesquisa, descobrimos que você talvez seja nosso irmão.

Será que você gostaria de nos conhecer? Nós moramos a uma hora de distância, então a gente poderia se encontrar em qualquer lugar.

Carinhosamente,

Grace & Maya

— Carinhosamente? — perguntou Maya quando leu o e-mail. — Sério?

— É caloroso sem ser pessoal — explicou Grace, dando de ombros.

— Caloroso sem ser pessoal? — repetiu Maya. — Uau, então tá.

— Então, como é fazer parte de uma família de ruivos? — perguntou Grace, tentando mudar de assunto.

Maya abafou uma risada.

— Você viu a Galeria de Fotos lá fora? — ironizou ela. — Quem não se encaixa nelas?

— Seus pais aceitam de boa você ser gay? — Grace se sentiu estranhamente protetora em relação a ela, da mesma forma como se sentia em relação a Pesseguinha.

— Você está brincando? Essa é basicamente a oportunidade de serem famosos. Eles entraram para PFLAG mesmo antes de eu terminar de contar que era lésbica. Cara, meu pai queria ir à parada gay comigo.

Grace não conseguiu segurar a risada, estranhamente aliviada por Maya não ter acabado em uma família horrível e opressiva.

— Bem, isso é bom, não é? — perguntou ela. — Que eles apoiem você?

— Não, é muito bom. É só que... — Pela primeira vez desde que tinham ido para o seu quarto, Maya pareceu não saber o que dizer. — É bom — concluiu por fim, e Grace decidiu não insistir.

Trocaram números de telefone e ouviram músicas (escolhidas por Maya) e conversaram sobre Claire. Foi bom Grace não querer contar para Maya sobre Pesseguinha ou Max, porque ela mal conseguia dizer uma palavra nos intervalos. E, quando Grace e os pais estavam partindo para casa, a garota saboreou o relativo silêncio do Toyota Camry (a não ser pelo assovio dos freios).

— E então?! — exclamou seu pai depois de um minuto, unindo as mãos. — Pontos altos e baixos?!

Grace gemeu. Os pais sempre perguntavam sobre os pontos altos e baixos à noite, depois do trabalho e da escola. Cada um deles deveria falar sobre os pontos altos e baixos do seu dia. Eles meio que tinham parado depois que Grace disse que estava grávida (ponto baixo).

— Fala sério, pai!

— Eu começo! — ofereceu-se ele. — O ponto alto para mim foi ver o seu encontro com Maya, Grace. Aquilo foi... bem, aquilo significou muito para mim, enquanto pai.

— Pai, pare com isso. Não posso mais chorar este mês. Já estou desidratada.

— Tudo bem, tudo bem. Mas o ponto baixo foi perceber que talvez eu tenha que usar um terno toda vez que formos nos encontrar com aquela família. — Ele suspirou. — Eu me senti um fazendeiro à mesa.

Grace colocou a mão sobre o ombro do pai.

— Você fez esse sacrifício por nós.

Ele deu tapinhas na mão dela como resposta.

— Tudo bem, minha vez, minha vez — pediu a mãe do banco do carona. — O meu ponto alto foi ouvir você e Maya conversando no andar de cima e escutar a sua gargalhada. Já fazia muito tempo desde a última vez que a ouvi rir, Gracie.

— Talvez você só não seja tão engraçada quanto costumava ser — brincou Grace, sabendo que a mãe entenderia a piada. Ela era uma pessoa difícil de se ofender.

— E o meu ponto baixo foi deixar o frango voar para fora do prato. Eu queria morrer. — Grace começou a rir. — Eu realmente queria morrer, Steve! Aquela casa parece um mausoléu...

— Foi exatamente o que eu pensei! — exclamou Grace.

— ... E quem foi a primeira a deixar molho cair na toalha? Eu. — A mãe de Grace gemeu. — Mas até Diane foi bastante tranquila em relação a isso.

— Onde está a *nossa* toalha de mesa? — perguntou Grace. — A gente tem uma?

— Não. Seu pai ateou fogo na nossa no último almoço de Ação de Graças.

— Ah, é verdade. — Os pontos altos e baixos daquele feriado específico tinham sido bem intensos.

— Tudo bem, sua vez — disse a mãe, olhando para Grace pelo espelho retrovisor.

— Bem, acho que o meu ponto alto foi conhecer Maya. E ela ser normal. Quero dizer, pelo menos ela não é uma assassina nem nada do tipo.

— E o ponto baixo? — perguntou o pai depois de um minuto.

— Bem, ela é meio irritante — confessou Grace. Ela nem sabia que realmente achava isso... até dizer em voz alta. — Maya não parava de me interromper e só falava sobre si mesma. Foi um pouco grosseiro, para falar a verdade.

— Querida? — chamou sua mãe.

— Oi?

— Bem-vinda ao mundo das irmãs.

MAYA

Joaquin levou quase uma semana para responder o e-mail.
Maya não gostou nada daquilo.

Quando finalmente recebeu a resposta, ela ainda estava em casa. Maya estava passando bastante tempo em casa desde a escapada para se encontrar com Claire, quando o pai estava viajando a negócios e ela achara que a mãe estivesse dormindo. E quando ela diz *dormindo*, quer dizer *desmaiada*. Mas não importava, na verdade, porque a mãe não estava dormindo *nem* desmaiada quando ela se esgueirou de volta para casa às duas da manhã. Elas apenas olharam uma para a outra até a mãe de Maya apontar um dedo para a filha e declarar: "De castigo. Uma semana", antes de subir. Maya desconfiava de que, se estivesse namorando um garoto, teria enfrentado uma cena bem mais dramática, envolvendo gritos e ameaças e teorias de que ela poderia ser encontrada morta em um beco sinistro, além de ter que escutar as estatísticas de gravidez na adolescência. Como se ela fosse burra o suficiente para engravidar...

No fim das contas, Maya concluiu que namorar uma garota era menos ameaçador para seus pais.

Sorte a dela.

Maya abriu o e-mail de Joaquin.

Oi, Grace e Maya,

Claro, parece legal. Vamos nos encontrar no próximo fim de semana?
Estarei trabalhando no centro de artes, mas fico livre depois das 13h.
   Um encontro seria bacana.

— Só isso? — perguntou Maya assim que Grace atendeu sua ligação.
Ela precisou usar o telefone fixo, já que parte do castigo era ficar sem
o celular. Maya estava se sentindo um personagem de filme dos anos
1980. Era humilhante. — *Bacana* encontrar vocês? Será que ele acha
que é um encontro de verdade?

— Meu Deus, espero que não.

Grace parecia estar fazendo outra coisa enquanto conversava com
ela, o que irritou Maya. Ela só tinha se encontrado com a irmã biológica uma vez, nenhuma com Joaquin, e já estava ficando irritada com
os irmãos. Típico.

— Isso vai ser ainda mais constrangedor se ele realmente achar que
é um encontro — acrescentou Grace. —Por que você ligou em vez de
me mandar uma mensagem?

— Ei, eu não posso ligar para conversarmos como pessoas normais?
Tipo, para estabelecermos uma conexão humana?

— Boa desculpa. Você está de castigo?

— Estou. Meus pais confiscaram o meu celular. E só posso usar
o computador da escola. — Maya suspirou alto uma vez enquanto a
mãe passava para ir à cozinha, então mais uma vez para garantir que
Grace tinha ouvido. — Meus *carcereiros* só me deixam usar o telefone
fixo por cinco minutos. A porra do *telefone fixo*. Como se eu estivesse,
tipo, no século passado. Eu disse que ainda tinha uma dúvida sobre
o dever de casa.

— Então como foi que você viu o e-mail do... Ah, deixa pra lá.
Prefiro não saber. Então, você quer encontrar com ele?

— Claro que quero! — Maya enrolou o fio do telefone no dedo.
Era um gesto estranhamente reconfortante. A ponta do dedo começou
a ficar vermelha e ela soltou o fio e, então, enrolou de novo. — Mas
você vai ter que dirigir — disse ela para Grace. — E eu vou na frente!

— Não vai ter mais ninguém no carro. Por que você tem que...

Maya às vezes se sentia mal por Grace. Imagine só ser criada sem um irmão ou uma irmã e não conseguir compreender a importância de gritar um "Eu vou na frente!" sempre que tiver a oportunidade. Grace realmente estava perdendo muita coisa na vida... Maya se perguntava o que ela fazia para o tempo passar mais rápido nas viagens de carro.

A mãe de Maya voltou da cozinha e a garota fez cara de inocente. (Tinha ensaiado no espelho. Era uma coisa necessária, considerando o número de vezes que saía escondida).

— Ah, entendi, então *essa* é a *equação* quadrática? — A voz de Maya de repente mudou para uma versão doce e burra dela mesma. — Ah, isso faz sentido. Tudo bem.

Seguiu-se uma pausa do outro lado do telefone.

— Você está tendo algum derrame que de repente fez surgir esse interesse por matemática?

Grace, tão doce, inocente e ingênua. Maya definitivamente precisava ensinar umas coisinhas a ela.

A mãe de Maya arregalou os olhos e apontou para o relógio.

— Um minuto — murmurou.

— Eu sei, eu sei — respondeu Maya, e a mãe lhe lançou um olhar de aviso antes de sair da sala.

— Será que eu quero saber *por que* você está de castigo?

Maya conseguia ouvir ao fundo que Grace estava digitando enquanto conversavam. Como ela se atrevia?

— Saí escondida na semana passada para praticar adoração ao demônio com uma galera que conheci em um milharal. — Maya enrolou o fio no punho fechado dessa vez. — Eles não são muito bons de papo, mas até que são legais depois que você supera aquele lance todo de ritual de sacrifício.

Grace riu dessa vez, o que deixou Maya feliz. Sua família estava tão acostumada com esse humor de gosto duvidoso que tinha parado de dar atenção àquilo havia muito tempo. Ouvir a risada de Grace fez Maya se sentir a própria comediante que finalmente encontra o público perfeito.

— Tudo bem, vou ter que desligar agora — disse Grace. — Vou buscar você no sábado, meio-dia. Não se atrase. Boa sorte com o ritual de sacrifício.

Ouvir Grace pedir para que ela não se atrasasse aqueceu o coração de Maya. Sentia como se tivesse passado a vida toda cuidando de Lauren, levando-a de um lado para o outro, pedindo que ela se apressasse. Era bom ter outra pessoa para assumir as rédeas, mesmo que essa pessoa fosse basicamente uma completa estranha.

— Pode deixar que vou falar bem de você para a galera do milharal — brincou Maya, desligando antes que Grace tivesse a chance de responder.

Maya não disse aos pais que estava indo conhecer Joaquin, principalmente porque não queria responder a muitas perguntas. Eles gostavam de conversar sobre *tudo*. As expectativas dos dois para que a menina traduzisse suas emoções em palavras deixavam Maya ansiosa, como se essa fosse uma coisa fácil de se fazer. Lauren era boa nisso, capaz de dizer tudo que passava pela sua cabeça; Maya, por sua vez, sempre associava os próprios sentimentos às cores: os tons rosados e vermelhos do primeiro amor, os azuis das tempestades que anuviavam sua mente quando estava magoada ou zangada.

Claire sempre parecia enxergar a paleta de cores do seu cérebro e conseguira classificar as cores através de um prisma de tal forma que era capaz de compreender como Maya se sentia sem que esta precisasse dizer nada. Na noite que fora pega no flagra voltando para casa depois de ter saído escondida, tinha ido se encontrar com a namorada no parque para fumar a maconha que Claire roubara do irmão mais velho, Caleb. (Eles também tinham dois irmãos mais novos, Cassandra e Christian. Os pais deles se chamavam Cara e Craig, mas Craig tinha ido embora cinco anos antes, então ele não contava. Foi a primeira vez que aquela aliteração fez Maya ficar com vontade de vomitar.)

Elas fumaram em silêncio por um tempo, o que era uma das coisas favoritas de Maya.

Depois disso, deitaram no gramado úmido e Maya apoiou a cabeça na barriga de Claire.

— Acho que as estrelas estão se mexendo — disse. Sua voz soava melecada, como se pudesse escorrer pela boca.

— Nós estamos nos movendo, não as estrelas — respondeu Claire, sua mão macia pousada no cabelo de Maya. — É assim que o mundo funciona.

— Você acha que Joaquin vai querer conhecer Grace e eu?

— Como é que eu vou saber? — respondeu Claire. — Só ele pode responder isso.

— Se eu fosse ele, não ia querer me conhecer — confessou Maya. — Na verdade, ia me odiar.

— Que bom que você não é ele, então — retrucou Claire antes de se inclinar para beijar Maya, fazendo-a ver fagulhas amarelas atrás das pálpebras fechadas.

Os pais de Maya sempre quiseram falar sobre a sua adoção, principalmente quando ela era mais nova. Maya achava que eles estavam fazendo um trabalho preventivo para se certificarem de que não tinham ferrado com tudo de forma monumental. Que se um dia ela de repente tivesse um ataque de fúria e fizesse um massacre em uma sala cheia de gente, eles pudessem erguer as mãos e afirmar "Nós tentamos, tentamos mesmo". Ela já tinha ido a psicólogos, sessões de terapia em grupo com outras crianças adotadas, teve discussões orientadas com os seus pais quando Lauren estava na casa dos amigos. "Você pensa na sua mãe biológica?", perguntavam eles, e Maya respondia "Sim?" porque achava que a resposta certa era essa. Mas a verdade era muito mais profunda. A verdade era todas as cores do espectro do arco-íris, e Maya não tinha palavras para descrever como se sentia.

Então, ela não dizia nada. Era muito mais fácil assim.

Grace buscou Maya um pouco antes do meio-dia no sábado. O plano original era se encontrarem às 11h30, mas Maya perdeu a hora e quando, por fim, desceu, se sentia um tornado raivoso, um redemoinho cinzento. (Tinha certeza de que conseguiria criar uma piadinha do tipo *Cinquenta tons de cinza*, mas estava cansada demais para tentar.)

— Starbucks — pediu ela a Grace. Seus óculos escuros já estavam no rosto, apesar de ainda estar dentro de casa.

— Tudo bem — concordou a irmã. Maya tinha certeza de que ela só tinha aceitado porque estava com muito medo do seu estado descafeinado para discutir.

— Então, você tem namorado? — perguntou enquanto voltavam para o carro. Maya segurava um copo gigante de Frappuccino.

— Não — respondeu Grace de um jeito cortante. Havia algo ali pressionando a superfície da palavra, mas Maya não fazia ideia do que poderia ser.

— Namorada, então? — insistiu ela. — Você herdou o mesmo gene da sua irmã caçula?

Grace sorriu dessa vez.

— Não. Só você é assim.

— Bem, então, você teve?

— O quê?

— Namorado? Namorada?

— Sim. E não.

Maya ficou imaginando se Grace estaria mentindo. Ela parecia o tipo de garota que espera a vida inteira para perder a virgindade na noite de núpcias, que lê artigos de revistas femininas sobre *Como fazer o melhor sexo oral da vida dele!*, mas que jamais pronunciaria a expressão "sexo oral" em voz alta. O que não tinha o menor problema — Maya não ia começar a dizer o que ela deveria fazer ou não com o próprio corpo —, mas estar ao lado de alguém tão perfeita fazia Maya querer ser mais bagunceira, mais boca suja e mais barulhenta.

Pelo amor de Deus, pensou Maya, *a postura dela é perfeita até quando dirige.*

— Mas você não quer falar sobre esse namorado? — perguntou.

— Quem disse que eu não quero falar sobre ele?

— Bem, você está respondendo como se estivesse falando com um delegado.

— Bem, você está me interrogando como se fosse uma delegada.

— Alguém está sensível hoje — resmungou Maya, ajeitando os óculos. — Término difícil?

— Pode-se dizer que sim. — Grace riu de novo. — Definitivamente.
Maya assentiu.

— Sei como é. Eu também tive um término difícil antes de conhecer Claire. Conheci uma garota. Julia. *Ugh,* ela era péssima. Não sei o que vi nela.

— Hum — respondeu Grace, exatamente como a mãe de Maya respondia para o seu pai quando estavam conversando sobre algo que não a interessava.

— Tipo, eu sei o que eu vi nela — continuou Maya, abrindo a janela. — É só que vi as coisas erradas, sabe?

Grace olhou para ela.

— Ela era bonita?

— Linda — confirmou. — Ei, dá pra ligar o ar-condicionado? Você dirige igual a minha mãe.

— Acho que isso não foi um elogio — retrucou Grace.

— Pode ter certeza que não.

Grace suspirou e ligou o ar.

— Mais alguma coisa?

— Podemos mudar a estação de rádio? — Maya começou a pressionar os botões no painel. — Não sei se você notou, mas eu não tenho 55 anos de idade. E não quero ficar ouvindo a rádio de notícias, vovó.

Maya não sabia por que não conseguia parar de falar. Ela gostava de Grace. Grace era *legal.* Ela estava levando Maya para conhecer o irmão delas e ainda parou na Starbucks no caminho. Mas Maya tinha feito a mesma coisa quando ela e Grace se conheceram na sua casa, suas palavras saindo como uma metralhadora, falando, falando e debochando de Lauren e dos seus pais, mal deixando Grace ter uma chance para falar nos intervalos. *Por favor, goste de mim,* era o que ela queria dizer. *Por favor, seja minha amiga.*

Maya não tinha muitas amigas. Conhecia algumas garotas da escola, mas elas só se cumprimentavam nos corredores, às vezes conversavam antes do início das aulas ou quando o professor ainda não tinha chegado. Estudara na mesma escola do jardim de infância ao oitavo ano, e isso foi em uma época quando Lauren e ela eram bem novinhas e inseparáveis, chegando a usar roupas parecidas. Ela não precisara de muitos amigos porque tinha Lauren.

Isso mudou no primeiro dia do nono ano, quando começaram, de repente, a estudar em escolas diferentes e Maya percebeu que era a garota nova cercada por garotas que já estudavam juntas desde a pré-escola.

E ter uma mãe que bebia muito tornava difícil levar qualquer pessoa para casa depois da aula ou convidar colegas para ir à piscina ou para uma festa do pijama. Maya não levava uma amiga para casa havia anos. Claire era a única exceção, e mesmo assim *ela* raramente aparecia.

Nos primeiros meses, Maya almoçara sozinha um monte de vezes. O som das outras garotas rindo fazia os pelos da sua nuca se eriçarem. *Será que estão debochando de mim?*, ela se perguntava.

No fim das contas, Maya não era a única pessoa gay da escola e nunca sofreu nenhum tipo de assédio nem passou por provocações, mas descobriu que não sabia como demonstrar seu carinho pelas amigas. Será que iam achar que estava dando em cima delas se as abraçasse? Será que seria estranho ser apenas ela mesma? Ela não havia se importado com essas coisas quando ainda tinha Lauren, mas, na nova escola, Maya percebia que se segurava, que usou sarcasmo como forma de demonstrar afeto até isso virar um hábito, até ela se tornar *assim*.

— Cara, você é *sempre* desse jeito? — perguntou Grace, interrompendo seus pensamentos. — Falando sério. Porque juro que vou parar no acostamento e enfiar você no porta-malas se for.

Maya simplesmente tomou mais um gole de café. Se Grace achava que era a primeira pessoa a fazer a ameaça de colocá-la no porta-malas por ser a pentelha em uma viagem de carro, podia tirar o cavalinho da chuva.

— Assim como?

— Irritante — respondeu Grace.

Maya encolheu os ombros, virando-se para olhar pela janela.

— Sou.

— Talvez fosse melhor cortar um pouco a cafeína.

— Você só não está acostumada a ter uma irmã — explicou Maya, recostando-se no banco e colocando os pés no painel. Grace os colocou para baixo.

— Você ouviu o que acabou de dizer? — perguntou ela. — Você acabou de dizer que eu sou sua irmã.

Maya fingiu tomar um gole animado.

— Em breve nós vamos a uma Sephora comprar maquiagem e falar sobre garotos... Bem, pelo menos *você* vai. E também vamos começar a pegar roupas emprestadas. Vai ser como nos filmes. — Tomou outro gole. O café estava chegando ao estágio perfeito de derretimento, quando o açúcar e a cafeína se unem e formam uma espiral gloriosa de adrenalina. Mais cinco minutos e Maya provavelmente seria capaz de pular direto para a lua.

— Você está falando sério? — perguntou Grace.

— Sobre pegar roupas emprestadas? Não, só estava exagerando. — Seus olhos passaram pelos sapatos de Grace (chinelos de dedo da Target; Maya tinha um par igual, mas os dela eram azuis); pela calça jeans (grande demais, pelo amor de Deus) e pelo suéter (o tom de bege mais bege que Maya já tinha visto na vida). — Mas se você quiser sair para comprar roupas, posso ajudá-la. Já ajudei Lauren. Isso mudou a vida dela.

— Você precisa parar de falar.

— Só estou dizendo...

— Porta-malas.

Maya ergueu as mãos.

— Tudo bem. Tudo bem. Vou ficar quietinha aqui. Calada. Sem falar. Nada. Talvez eu até aprenda alguma coisa no noticiário. Ah, espere...

— Cinco minutos! — exclamou Grace. — Isso é tudo que eu peço!

— Mas...

— Maya, juro por Deus...

Maya apontou pela janela.

— Aquela é a nossa saída.

— O quê? Merda!

Grace imediatamente cruzou as quatro faixas da estrada, passando por dois carros e exatamente nenhum policial. Maya apenas se agarrou à maçaneta na porta do carona, segurando firme enquanto desciam a pista. Quando ela se viu no espelho retrovisor lateral, notou que tinha um grande sorriso no rosto.

— Arrasou! — exclamou ela. — Você parecia uma personagem de *Velozes e Furiosos*!

Grace a fulminou com o olhar.

— Calando a boca agora — prometeu Maya, fingindo trancar os lábios e jogar a chave fora.

A praia estava lotada para um sábado, e o trânsito ficou mais e mais lento à medida que se aproximavam do centro de artes.

— *Ugh*, engarrafamento — reclamou Maya, mas Grace olhou para ela e a garota imediatamente calou a boca de novo.

Ninguém nunca *realmente* a enfiou em um porta-malas, mas Maya não conhecia os limites de Grace bem o suficiente para testá-la. O silêncio definitivamente era a melhor opção do momento.

Já eram quase 13h quando estacionaram, e Maya gemeu ao saltar do carro.

— Não levamos nem uma hora e meia — declarou Grace, apertando os olhos por causa do sol. Maya não sabia por que ela simplesmente não usava óculos escuros.

— Tanto faz, eu sou nova e ainda estou em fase de crescimento. Pelo menos *espero* que sim. — Maya era um pouco sensível por ser baixa. (Bem, *mais* baixa.) Ela olhou em volta. — Claro. Um monte de arte.

— Então o fato de ser chamado de centro de artes não é apenas um disfarce inteligente.

— Ei, sarcasmo é o *meu* lance — retrucou Maya, pendurando a bolsa no ombro enquanto Grace fechava a porta e se certificava de que estava trancada.

— Que sarcasmo? Eu só... — começou Grace.

Maya baixou os óculos para olhar para ela.

Grace suspirou.

— Só estou estressada.

— Eu meio que percebi isso quando você ameaçou me prender no porta-malas — debochou Maya.

— É... — Grace respirou fundo e balançou os braços. — Você não está nem um pouquinho nervosa para conhecê-lo?

Maya deu de ombros, jogando o copo vazio da Starbucks em uma lata de lixo. Não sabia bem como se sentia, mas era uma sensação de laranja intenso, como um aviso, uma pergunta.

— Na verdade, não. Meu ponto de vista é bem simples. Se ele for um esquisitão, um assassino psicótico ou algo do tipo, podemos simplesmente dizer "Opa, sinto muito, acho que o laboratório cometeu algum erro no resultado do exame de DNA. *Até mais, cara*". E aí a gente o bloqueia nas redes sociais. Ih, olha só, eles fizeram uma baleia com papel de chiclete! Que legal!

Grace seguiu o olhar de Maya e viu que sim, alguém *realmente* tinha feito uma baleia toda de papel de chiclete.

— Então você está pronta para renegar o nosso irmão biológico? Você ia fazer o mesmo comigo?

— Bem, ia... Mas só se você fosse uma esquisitona que dirige ora como uma vovó, ora como um personagem de *Velozes e Furiosos*, e ainda por cima ouvisse a rádio de notícias. — O rosto de Grace permaneceu impassível, e Maya se perguntou se o interesse da irmã no seu senso de humor tinha sido uma coisa de uma vez só. — Brincadeirinha! Vamos lá, vamos começar logo a estabelecer esse vínculo familiar.

Pagaram a entrada ("Vocês têm desconto para familiares e amigos?", perguntou Maya para a mulher no estande de vendas), e entraram no centro. Estava quente e lotado, e elas demoraram alguns minutos para encontrar o balcão de informações.

— Oi — cumprimentou Maya através da divisória de vidro, puxando os óculos para a cabeça. — Você conhece o Joaquin?

— Conheço — respondeu o cara. — Ele está no estande de cerâmica.

— Cerâmica? Ah, que *legal* — disse Maya antes de olhar para Grace. — Ele deve se parecer comigo.

Grace se aproximou do balcão, bloqueando Maya totalmente.

— E onde fica o estande de cerâmica?

O rapaz apontou para o centro do festival.

— É só procurar a fila de crianças — disse. — Não tem erro.

— Valeu — agradeceu Maya. — Você é gente boa.

— Ei, esperem! Vocês são as irmãs dele?

Maya voltou para o balcão.

— Talvez — respondeu ela. — O que você ouviu?

O homem sorriu.

— Só que ele tem duas irmãs que viriam vê-lo hoje.

Maya enfiou a mão pela divisória.

— Oi! Eu sou a Maya. Esta é a Grace.

— Oi — cumprimentou Grace, mas só depois de Maya lhe cutucar.

— Gus — apresentou-se o homem. — Meninas de sorte, ter Joaquin como irmão. Enfim, ele está trabalhando no estande de cerâmica.

— Você diria que ele tem habilidades artísticas? — perguntou Maya.

— Em uma escala de pessoas normais até aquela família Manson de psicopatas, você diria que ele...

— Muito obrigada — agradeceu Grace, puxando Maya para longe do balcão. — Vamos procurá-lo agora. — Ela ficou segurando o braço de Maya por mais um tempo antes de soltá-la. — Sabe, acho que você talvez não queira compartilhar a sua preocupação sobre Joaquin ser um psicopata com pessoas que acabamos de conhecer.

— Calma. Gus pareceu ser um cara legal. A gente podia até sair com ele. — Maya ajeitou os óculos. — E nunca se sabe, talvez o motivo de virmos conhecer Joaquin tenha sido fazer amizade com Gus. Temos que pensar em todas as possibilidades, Grace. Onde fica esse negócio de cerâmica?

Elas acabaram encontrando o estande e descobrindo que Gus não estava errado. Realmente havia uma grande fila de crianças em volta dele, todas elas olhando para dois voluntários, cada um com uma criança, girando argila cuidadosamente em uma roda de oleiro. A voluntária era mais velha, como uma vovozinha, e o garoto tinha o cabelo escuro em um rabo de cavalo curto. Mesmo sentado, Maya percebeu que era alto.

Quando ele olhou para Maya e Grace, as duas arfaram um pouco. Era Joaquin.

— Ele se parece com *você* — disseram as duas ao mesmo tempo, e Maya achou que nenhuma delas estava errada.

Os três ficaram imóveis, um olhando para o outro, enquanto crianças e seus pais passavam pelo caminho segurando potes de cerâmica. Joaquin definitivamente tinha a pele mais escura do que as irmãs, isso era bastante óbvio, mas ele tinha os olhos castanhos e o cabelo escuro e cacheado de Maya, além do maxilar firme e incisivo de Grace. Maya sentiu algo bem acima das costelas, um aperto e uma contração, como se um músculo nunca usado antes tivesse, enfim, despertado. Ela associou o sentimento ao verde da grama, uma semente germinando na terra, brotando e crescendo em direção ao sol.

Maya sorriu para ele, que retribuiu o sorriso. Eles tinham o mesmo dente ligeiramente torto na frente... Bem, Joaquin ainda tinha, mas os pais de Maya a obrigaram a usar aparelho por dois anos para corrigir isso. Ela se arrependia agora. Queria se parecer com as pessoas que tinham seu sangue. Queria que as pessoas os parassem na rua e exclamassem: "Nossa! Como vocês são parecidos!" Queria pertencer a eles, queria que eles pertencessem a ela do jeito que ninguém mais no mundo poderia.

Grace começou a fungar ao seu lado.

— Sério? — sussurrou Maya, enquanto Joaquin fazia o gesto conhecido internacionalmente para esperarem um minuto. — Será que a gente realmente precisa de um chororô agora?

— Fica na sua — resmungou Grace, enxugando os olhos. — São os hormônios.

— Nossos ciclos já estão sincronizados? — perguntou Maya, arregalando os olhos. — Porque eu estou para ficar menstruada, tipo, *amanhã*, e...

— Oi — cumprimentou alguém. Maya olhou para trás e para cima, então mais para cima, *bem* mais para cima, e a sua esperança de ser alta em pelo menos uma família se estilhaçou. Joaquin estava ao lado delas.

— Oi, sou o Joaquin.

Maya tentou esconder o fato de que as mãos estavam trêmulas quando ele a cumprimentou. Não estava acostumada a tocar em garotos, e ela se perguntou se todos eles tinham mãos secas assim. Ao seu lado, Grace ainda estava enxugando os olhos e, quando Joaquin se virou para ela, a irmã abriu os braços e o abraçou pela cintura.

— Oi! — exclamou ela. — É tão bom conhecer você!

Joaquin parecia um animal que acaba de perceber que é a presa e não o predador, mas se esforçou para esconder a descoberta.

— Oi — repetiu, dando tapinhas desajeitados no ombro de Grace. — Oi.

— Por que você não chorou quando *me* conheceu? — quis saber Maya, colocando as mãos na cintura antes de se virar para Joaquin novamente. — Ela não derramou uma lágrima sequer quando me conheceu. Fique sabendo que você tem muita sorte.

— Eu sei! Tipo, sei mesmo — afirmou ele, ainda batendo no ombro de Grace. Por fim, Maya a afastou dele.

— Você está assustando o garoto — sussurrou. — Controle-se. Sério mesmo.

— Talvez a gente possa sair para comer alguma coisa? — sugeriu Joaquin, fazendo um gesto na direção da saída. — Já terminei por hoje, podemos almoçar ou...? — Ele deixou a pergunta no ar, como se não tivesse certeza de que era a pergunta certa a fazer.

— Não, claro. Seria perfeito — respondeu Grace. — Vamos.

E Maya observou a sombra dos três se virar ao mesmo tempo, seguindo para a mesma direção.

JOAQUIN

Mesmo antes de conhecê-las, Joaquin sabia que as irmãs seriam brancas.

Sua assistente social, Allison, tinha falado com ele, Mark e Linda sobre o assunto várias semanas antes. Eles se sentaram em volta da ilha da cozinha e comeram salgadinhos enquanto Allison explicava cuidadosamente a situação — que Joaquin não tinha apenas uma, mas *duas* irmãs, que eles compartilhavam a mesma mãe e que as meninas foram adotadas assim que nasceram, mas que haviam acabado de descobrir sobre ele e queriam entrar em contato.

Foi quando Joaquin soube.

Ele não era ingênuo em relação ao modo como o mundo funcionava. Sabia que bebezinhas brancas eram as preferidas na lista de crianças "que gostaríamos de ter um dia". Sabia que eram mais caras também, que as pessoas pagavam quase dez mil dólares a mais em taxas legais para bebês brancos, então Joaquin tinha noção de que os pais adotivos daquelas meninas deviam ter dinheiro. Bem, bom para elas. Ele não poderia se ressentir das irmãs por causa disso.

Suas *irmãs*.

Puta merda.

Joaquin ficou sentado, imóvel e calmo enquanto Mark e Linda assentiam e Allison continuava falando.

— Sim, tudo bem — respondeu quando Allison perguntou se Grace e Maya poderiam mandar um e-mail para ele. E, então, Joaquin disse que tinha dever de casa e subiu para ouvir música, esboçou alguns desenhos com carvão no novo caderno de desenho e não fez nenhum dever de casa. Não quis nem pensar que existiam pelo menos duas pessoas no mundo com quem tinha parentesco nem que um dos seus maiores medos se tornou realidade não apenas uma, mas duas vezes.

Mark e Linda sabiam que seria melhor não pressioná-lo, então eles o deixaram em paz. E quando Joaquin recebeu o e-mail, leu três vezes antes de arquivá-lo, depois leu mais duas vezes antes de fechá-lo novamente. Não sabia bem se deveria responder. Ao estabelecer laços com essas meninas, talvez as puxasse do céu e as arrancasse da sua bolha perfeita, tirando o equilíbrio de tudo.

— Você recebeu alguma mensagem de Grace e Maya? — perguntou Linda uma noite, enquanto colocava os pratos na lava-louça.

Joaquin percebeu que ela e Mark tinham ensaiado a conversa, mas isso não o incomodava. Gostava de saber que eles ensaiavam coisas para ele, que queriam fazer o que era certo por ele. Era um gesto bonito. Às vezes Joaquin se sentia um pai em um recital de escola quando Mark e Linda faziam isso, como se ele devesse erguer os polegares e sussurrar "Valeu pelo esforço!" do jeito que já tinha visto pais fazerem pelos filhos.

— Recebi — respondeu Joaquin, depois se virou para o triturador de lixo. Quando não tinha mais razão para mantê-lo ligado, ele desligou. Linda ainda estava parada ali.

— Você respondeu?

Joaquin só ficou olhando para ela.

— Tudo bem, então — disse Linda, dando um tapinha de brincadeira no ombro dele com a luva de borracha. (Ela tinha feito isso na primeira semana de Joaquin naquela casa, e ele quase pulara de susto.) — Mark e eu só queríamos saber, só isso.

— Elas parecem ser legais — concedeu Joaquin, entregando algumas colheres para ela. — Tipo, bem delicadas.

— Bem, às vezes meninas são delicadas — disse Linda. — Não há nada de errado com isso.

— Você acha que elas querem me conhecer?

Linda fez uma pausa.

— Tenho quase certeza de que, quando alguém manda um e-mail pedindo para conhecer outra pessoa, isso é um bom sinal.

Joaquin negou com a cabeça.

— Não. O que quero é dizer é, tipo, *me* conhecer.

Linda fez outra pausa, mas havia uma gentileza nas suas palavras.

— Acho que um monte de gente quer conhecer você, filho — declarou ela, colocando a mão quente e ensaboada no seu ombro. — Você só não descobriu isso ainda.

Então, ele mandou uma resposta.

Tentou manter o tom casual, como se tivesse muita experiência em mandar mensagens para irmãs biológicas marcando de se conhecerem. Ele se perguntava se tinha conseguido, mas elas escreveram de volta no dia seguinte (Grace parecia ser a porta-voz do pequeno grupo, então Joaquin imaginou que devia ser a mais velha), dizendo que adorariam se encontrar com ele no centro de artes, no sábado.

Tudo bem, então. Foi isso.

Joaquin teve dificuldade para dormir na noite anterior. Decidiu não procurá-las na internet — não queria saber quem eram até conhecê-las pessoalmente —, mas isso deixou espaço demais para sua mente preencher, e ele parecia estar flutuando em vez de dormindo. Às três horas da manhã, desceu para a cozinha a fim de comer um pote de cereal, porque era isso que Mark fazia quando não conseguia dormir. E foi onde o encontrou quinze minutos mais tarde.

— Sobrou um pouco para mim? — foi tudo que Mark perguntou, e Joaquin passou a caixa para ele. — Não está conseguindo dormir?

— Não. — O rapaz meneou a cabeça.

Mark, para crédito dele, conseguiu comer metade da tigela antes de fazer outra pergunta.

— Nervoso com o encontro com Grace e Maya?

Dois anos atrás, Joaquin teria respondido "não" para a mesma pergunta. Mas agora era outro momento.

— E se elas não gostarem de mim? — perguntou antes de enfiar uma colherada cheia de cereal na boca.

Mark apenas assentiu, pensativo.

— Bem, se elas não gostarem de você, o chato será que você tem parentes idiotas. Sinto muito. Mas isso acontece com um monte de gente. Você estará em boa companhia.

Joaquin tentou esconder o sorriso comendo mais uma colherada, mas Mark o flagrou.

— Sério — continuou. — Encontrar alguém pela primeira vez é difícil. Mas elas são suas... Bem, você tem um parentesco com elas. Vocês todos merecem se encontrar. Conheça elas primeiro, depois decidam quem gosta de quem.

Joaquin franziu o nariz.

— Não desse modo, seu pervertido. — Mark pegou a caixa de cereal e então olhou para ele. — Você já acabou com a caixa.

— Boa noite! — exclamou Joaquin, colocando a tigela na pia e subindo dois degraus de cada vez.

Joaquin ficou tão ocupado no estande de cerâmica no dia seguinte que chegou a esquecer sobre Maya e Grace por alguns minutos. Estava trabalhando com Bryson, um garotinho que se recusava a fazer qualquer coisa além de potes que poderiam se tornar meros porta-canetas, mas seus pais pareciam satisfeitíssimos sempre que ele terminava um. Joaquin se perguntou se eles tinham um quarto inteiro na casa apenas para os porta-canetas e, bem no instante em que estava tentando imaginar como seria o tal quarto, viu duas garotas olhando para ele. Uma delas estava com os olhos marejados e a outra parecia assustada, talvez.

Era a primeira vez que Joaquin olhava para alguém que tinha qualquer grau de parentesco com ele.

Elas eram brancas — ele estava certo —, mas a mais baixa tinha cabelo cacheado e um nariz que se inclinava um pouco para a esquerda, como o dele. A mais alta, que tentava desesperadamente esconder que estava chorando, tinha o seu maxilar. Ele sabia só de olhar que ela tinha um segredo. A postura estava reta demais, a coluna, rígida

70

demais. Bem, que bom para ela. Joaquin também tinha segredos. Talvez eles respeitassem a privacidade um do outro e não tentassem descobrir os segredos alheios.

Foi ele quem sugeriu que saíssem para comer alguma coisa, e meio que se arrependeu da sugestão assim que as palavras saíram da sua boca. Mas Maya, a mais nova e mais baixa, não parecia se arrepender de nenhuma das palavras que falava. E como ela falava!

— Então, eu fiquei totalmente apavorada no início — disse ela enquanto caminhavam, Maya entre Joaquin e a outra garota, Grace, que não tinha dito muita coisa depois da explosão inicial.

— Até porque já tenho uma irmã, a Lauren. Ela é, tipo, o bebê milagroso que eles tiveram logo depois que me adotaram, *ah, que alegria...* E às vezes ela é superirritante, e eu fiquei tipo "Mais uma? Não sei se é o que eu quero". Mas aí depois eles me contaram sobre você também. E eu fiquei, tipo, "Fala. Sério". Somos tipo uma família instantânea, não é? Só colocar um pouco de água e aqui estamos.

Joaquin assentiu. Era como se estivesse assistindo a um personagem de desenho animado falar depois de sugar um pouco de gás hélio. Ele só conseguia ouvir algumas palavras: *bebê, milagre, família instantânea.*

— Maya — falou Grace em tom de advertência.

— Sinto muito, eu falo demais quando estou nervosa. — Ela enfiou a mão no bolso do casaco.

— Tranquilo — respondeu Joaquin, apontando para o outro lado da rua. — Tem uma hamburgueria logo ali. A batata frita é maravilhosa. A não ser que vocês não comam carne. Nem batata frita.

— Vamos nessa — se animou Maya.

— Batata frita parece ótimo — concordou Grace, e sorriu para ele, franzindo o nariz. Joaquin sabia que fazia a mesma coisa quando sorria porque sua namorada, Birdie, adorava isso nele.

Não, calma. *Ex*-namorada. Ele vivia se esquecendo dessa parte. O que era estranho, já que foi ele quem terminou com ela.

Joaquin já conhecia Birdie por aproximadamente 127 dias quando se falaram pela primeira vez. Ele não estava acostumado a conhecer outras pessoas por tanto tempo, já que se mudava muito, mas Mark e

Linda o haviam matriculado em uma escola de ensino médio e técnico e, no primeiro dia de aula, lá estava Birdie em sua turma de matemática. Não que ela soubesse quem ele era, é claro.

Naquele ano, um pouco antes do recesso de Natal, a monitora de história americana o puxou de lado e lhe entregou uma nota de vinte dólares.

— Oi, Joaquin — disse ela com um sorriso. Seu nome era Kristy, e ela era sempre muito legal com ele. Joaquin não conseguia resistir a pessoas que eram legais com ele. Era o seu ponto fraco. — Será que eu poderia comprar alguns *tamales* da sua família neste Natal?

Joaquin não respondeu nada a princípio. Mark e Linda eram o mais próximo que tinha de família, e Mark era judeu e não comia carne de porco. Linda ia a um círculo de tambores na praia toda lua cheia. Nenhum deles conseguiria preparar *tamales,* nem com um tutorial no YouTube ou com um ajudante de cozinha do lado.

E foi então que Joaquin se tocou de que Kristy talvez não soubesse que ele era parte do programa de acolhimento familiar. Ela achava que ele era de uma grande família mexicana que preparava comida típica latina na noite de Natal.

Joaquin não tentou corrigi-la. Não conseguiu dizer a verdade.

No dia seguinte, ele se viu diante da tela do computador, pesquisando os melhores restaurantes de *tamales do bairro*. Na noite de Natal, foi até uma das lojas e ficou na fila com algumas outras pessoas, a nota de vinte dólares de Kristy enfiada no bolso do casaco. O cara do balcão falou com ele em espanhol, e Joaquin teve que responder *"No español"*, que era o que costumava dizer sempre que alguém o cumprimentava nessa língua. "Você é tanta coisa e, ao mesmo tempo, nunca é o suficiente", ouvira de uma das irmãs de acolhimento, Eva. "Os brancos sempre vão vê-lo como mexicano, mas você nem sabe falar espanhol." Pelo tom de sua voz, ficou bem claro para ele que aquela era uma grande questão para a garota.

Joaquin não teve como discordar.

Por fim, levou os *tamales* para casa e os guardou bem no fundo do freezer, onde sabia que Mark e Linda não veriam. Quando os levou para a escola, na segunda-feira depois do recesso de Natal, Kristy ficou tão maravilhada que Joaquin a odiou, a odiou *de verdade,* por tê-lo colocado naquela situação.

E foi quando Birdie falou com ele.

— Você sabe fazer *tamales?* — perguntou ela assim que Kristy entrou na sala de professores. (Joaquin entrara lá uma única vez. E tinha sido uma grande decepção.)

— Não — respondeu Joaquin. Ele não tinha percebido que Birdie estava atrás dele. Ela tinha sido tão silenciosa quanto um falcão observando de um galho, e, de repente, Joaquin se sentia como um ratinho bem pequeno. — Eu só comprei para ela.

— Não é que você é bonzinho? — gracejou Birdie e, então, sorriu para ele. — Feliz Ano-Novo, Joaquin.

Eles ficaram juntos pelos 263 dias seguintes.

E foi a época mais feliz da vida de Joaquin.

Birdie gostava de gente, principalmente daqueles que fazem coisas constrangedoras, como falar muito quando estão nervosas ou agir timidamente porque não sabem como esconder o sentimento. Ela ria muito, mas nunca de forma cruel, e às vezes, quando não dormia bem, ficava ríspida e mal-humorada, o que só servia para que Joaquin gostasse ainda mais dela.

Ele não tinha percebido como sentira falta de gostar de alguma coisa, *qualquer coisa.* Ele tinha se colocado em um estado de dormência, como dissera Ana, a terapeuta que Mark e Linda tinham arrumado para ele, para que não sentisse nenhum sofrimento futuro. Mas quando Birdie entrou em cena, Joaquin percebeu que tinha parado de sentir felicidade também, que os arrepios que subiam pela sua espinha quando ela sorria queimavam e faziam com que ele se sentisse bem ao mesmo tempo. Era como segurar gelo na mão e senti-lo derreter contra a sua pele. Joaquin não estava acostumado com aquilo.

Ele se apaixonou por Birdie devagar, um passo de cada vez, saltando de uma pedra para outra até chegar, em segurança, à terra firme do seu abraço, e ele achou que talvez agora conseguisse compreender o que as pessoas queriam dizer quando afirmavam que encontramos nosso lar em pessoas, não em lugares. Birdie formava as quatro paredes e o telhado que Joaquin nunca ia querer deixar para trás.

Mas ela queria coisas, coisas que Joaquin não podia lhe dar. Birdie dizia que queria se mudar para Nova York e trabalhar no mercado financeiro. Fazer MBA em Wharton. Queria aprender italiano e morar em Roma durante pelo menos um ano. Birdie contou todas essas coisas a Joaquin como se soubesse que elas iam realmente acontecer, e que ele estaria ao lado dela quando acontecessem. Mas ele olhava para o futuro e não conseguia enxergar praticamente nada.

Um dia, Joaquin foi jantar na casa dos pais de Birdie. Eles sempre eram muito gentis, e Joaquin os chamava de sr. e sra. Brown, apesar de eles já terem falado para chamá-los de Judy e David. Depois do jantar, a sra. Brown pegou alguns álbuns de fotografia e, apesar dos protestos de Birdie, ficou óbvio que ela estava gostando daquilo. Joaquin olhou cada uma das fotos de bebê, as fotos de cada primeiro dia de aula, de cada manhã de Natal e cada Halloween. Birdie sem os dois dentes da frente, Birdie fantasiada de animadora de torcida em um ano e de cientista no outro. Birdie cujo sorriso nunca parecia forçado, que nunca se perguntava se alguém ia aparecer na escola para buscá-la, que nunca acordava em uma casa e ia dormir em outra.

E Joaquin teve a sensação horrorosa de que jamais conseguiria dar aquele tipo de vida a ela. Não existia ninguém para falar sobre sua infância, ninguém para compartilhar suas histórias constrangedoras, que Birdie adoraria escutar, nem para mostrar a ela fotos suas de bebê. Mark e Linda tinham fotos pela casa, claro, mas não era a mesma coisa. Birdie queria — queria não, *precisava* — o mundo. Ela estava acostumada com isso. Aquelas fotos eram o seu mapa, e Joaquin soube naquele instante que ele estava à deriva e que acabaria tirando-a do próprio caminho.

Sabia como era ser reprimido.

Amava Birdie demais para deixá-la passar por isso.

Terminou com ela no dia seguinte.

Foi horrível. No início, Birdie achou que ele estivesse brincando, depois chorou muito e gritou e berrou, e Joaquin nem disse "sinto muito". Sentia que pedir desculpas significava que tinha feito algo de errado, e ele sabia que não estava errado. Tentou abraçá-la, mas ela se esquivou. Foi a pior sensação que sentiu na vida e, quando voltou para casa, subiu direto para o quarto e se enfiou embaixo das cobertas.

Mark e Linda foram atrás dele mais tarde naquela noite. Cada um se sentou de um lado da cama, como suportes de livros que impediriam sua queda.

— Judy Brown acabou de ligar — revelou Mark em voz baixa. — Você está bem?

— Estou — respondeu Joaquin, sem descobrir a cabeça.

Ele gostaria que os dois fossem embora, porque não há nada pior do que alguém querer que você diga alguma coisa quando as palavras que precisa dizer não foram sequer inventadas ainda. Depois de um tempo, Mark e Linda o deixaram sozinho, o que, de alguma forma, fez com que se sentisse ainda mais solitário. Mas pelo menos essa era uma sensação familiar. Quase reconfortante.

Joaquin viu Birdie na escola, é claro, mas ela só o fulminou com o olhar nos corredores, os olhos inchados e raivosos.

— Você é um babaca, sabia? — disse Marjorie, a melhor amiga de Birdie, um dia de manhã quando ele estava fechando o armário.

— Sabia — respondeu Joaquin, fazendo com que ela ficasse surpresa e fosse embora.

No dia seguinte, sua assistente social, Allison, apareceu em sua casa e contou que ele tinha duas irmãs que queriam conhecê-lo.

Dois fachos de luz em meio ao vazio que a falta de Birdie lhe causava.

— Isso é estranho, não é? — Grace estava sentada ao lado de Joaquin agora, e Maya estava no balcão pegando guardanapos enquanto esperavam o pedido. — Tipo, a gente acabou de se conhecer e agora vamos comer hambúrgueres como em um dia normal.

Joaquin se empertigou um pouco mais. A postura de Grace estava fazendo com que se sentisse desengonçado.

— Você não quer hambúrguer? — perguntou ele. — Tem uma lanchonete que vende *burritos* do outro lado da rua ou...?

— Não, não foi o que eu quis dizer.

Havia uma rigidez no sorriso de Grace, como se ele tivesse sido forjado no fogo. Joaquin podia respeitar isso. Também sabia que era melhor não fazer muitas perguntas a respeito do assunto.

— O que eu quis dizer é que é estranho. Só isso — continuou ela. Maya voltava com os guardanapos embaixo do braço e um monte de copinhos de papel com condimento nas mãos. — Sinto que eu deveria saber o que dizer, mas não sei.

— Sei como é — respondeu Joaquin. Maya se sentou de frente para eles com um suspiro e, então, levantou as pernas e as dobrou sob o corpo. — Eu, hum... Eu dei um Google para descobrir como lidar com isso tudo — admitiu ele.

— Sério? — Maya riu. — Eu também.

Joaquin tinha quase certeza de que as pesquisas deles tinham sido um pouco diferentes, mas não disse nada.

Como é ter irmãs?

As minhas irmãs vão me odiar?

Eu vou odiar as minhas irmãs?

Qual é a sensação de ter uma irmã?

Por que alguém quis as minhas irmãs e não a mim?

Como conversar com as suas irmãs para que elas gostem de você?

— Mas o Google foi totalmente inútil — revelou Maya enquanto arrumava os condimentos diante de si.

— Ei — disse Joaquin, apontando para os copinhos. — Você pegou dois copinhos de maionese.

— É, eu sei, é nojento — retrucou Maya. — Todo mundo na minha família debocha de mim por causa disso, mas eu amo maionese na batata frita. E é estranho porque eu *odeio* maionese em todo o resto, mas...

— Não, não é isso. Eu também gosto de maionese na batata frita — declarou Joaquin. Foi difícil interromper Maya. Ela falava sem pausas nem pontos, como se fosse uma frase sem fim.

— Sério? — perguntou Maya.

— Eu também gosto — revelou Grace. — É uma das coisas que mais gosto, mas meus pais acham nojento.

Houve um curto silêncio depois disso, enquanto os três olhavam de um para o outro antes de Maya abrir um sorrisão.

— Estamos começando a estabelecer um vínculo! — exclamou ela. — Um vínculo com base em condimentos!

— Já é um começo — respondeu Joaquin, e Grace se levantou para pegar mais copinhos de maionese para eles.

Ficou mais fácil depois que a comida chegou e eles podiam comer em vez de conversar. Joaquin ainda não fazia ideia do que dizer, mas era fácil ouvi-las conversando sobre famílias e escola. E ele só ficava concordando com a cabeça.

— *Ugh,* vou ter que voltar para a *escola* na segunda-feira — comentou Grace, usando duas batatas como palitinhos para pegar um pedaço de picles.

— Você estava com algum problema? — perguntou Joaquin.

Ele era muito bom em fazer perguntas genéricas, fazendo as outras pessoas falarem sobre si mesmas para que ele não precisasse abrir a boca. Sua terapeuta chamava isso de mecanismo de enfrentamento, mas Joaquin só achava que era educado. Eles concordaram em discordar quanto a isso.

Grace fez uma expressão de "Ah, não!", como se tivesse deixado algo escapar, mas sua testa logo relaxou.

— Fiquei fora por um mês — contou ela. — Mononucleose.

— Sortuda — disse Maya. — Eu mataria para ficar um mês sem ir à escola.

— Nossa, *muito* sortuda — debochou Grace. — Foi como tirar férias no Havaí.

Maya revirou os olhos. Joaquin não conseguia acreditar em como já era fácil para elas. Era como se as duas dançassem a mesma dança. Talvez fosse por serem garotas? Ou talvez porque havia algo de errado dentro dele? Algo que todos conseguiam enxergar menos ele e...

Sua terapeuta chamava isso de pensamento negativo. Joaquin considerou o termo óbvio demais.

— Bem, mesmo assim. Eu mataria para ficar um mês sem ir às aulas. — Maya deu de ombros. — A escola é horrível. Tipo, a única coisa boa é que a minha namorada estuda lá também.

Joaquin reconheceu a deixa.

— Há quanto tempo estão namorando? — perguntou. Percebeu na hora que Maya estava pronta para brigar por isso, mas não ia ser com ele.

— Há uns seis meses — contou ela, dando de ombros de leve enquanto seu rosto enrubescia.

— E seus pais... — Joaquin acabou de tomar o restante da Coca-Cola que estava no seu copo. — Sabe, eles aceitaram bem?

Maya se empertigou um pouco.

— Ah, eles aceitaram superbem. Tipo, isso faz deles os pais mais maneiros do bairro.

— Uma das irmãs de acolhimento de que mais gostei era gay — contou Joaquin. — Passamos uns seis meses morando com a mesma família, mas nossa acolhedora descobriu que ela era gay e a devolveu para a agência.

Maya se encolheu um pouco.

— Porque ela era gay.

Joaquin assentiu, percebendo de repente que talvez não tivesse escolhido a história certa para contar a Maya.

— Mas ela era muito legal — continuou ele. — Ainda sinto saudade. Meeka. Ela esqueceu o iPod comigo e eu ainda escuto às vezes. Ótimas playlists. Ela queria ser DJ.

Maya apenas assentiu, seus olhos arregalados como moedinhas de um centavo.

— Ah, legal.

— Conte para Joaquin como você e Claire se conheceram — sugeriu Grace, e Joaquin voltou a atenção para a bebida.

Viu o rosto de Maya enrubescer enquanto falava sobre Claire, o jeito como ela mordia o lábio e sorria quase sozinha, mesmo que o restaurante estivesse cheio e Joaquin e Grace estivessem bem diante dela. Ficou imaginando se ele também ficava com aquela cara de bobo quando falava sobre Birdie. "Ah, você está *caidinho* por ela", dissera Mark na noite do primeiro encontro oficial (eles tinham ido ao cinema e tomado *frozen yogurt* depois), e Joaquin ficou se perguntando como Mark sabia, porque ele mesmo nem tinha dito nada.

Observando Maya falar sobre Claire agora, ele compreendia o que Mark queria dizer.

E doía tanto que Joaquin queria nunca ter permitido que aquele cubo de gelo derretesse.

Foi só depois que tinham acabado de comer (todos os potinhos de maionese dizimados) que a pergunta veio. Eles foram para a praia. Joaquin sabia que era inevitável. Era por isso que não contava para as pessoas que fazia parte do programa de acolhimento familiar. A curiosidade sempre levava a melhor e ele ficava se sentindo como uma experiência científica ou um estudo de caso.

— Então, como é o programa de acolhimento familiar? — perguntou Maya enquanto caminhavam. Maya e Grace tinham deixado os sapatos perto da escada, mas Joaquin ficou segurando os dele. Ele não tinha muita coisa, e certamente não adquirira o hábito de deixar o que possuía para outras pessoas pegarem.

— Maya — repreendeu Grace.

— Tudo bem — disse Joaquin, dando de ombros de leve. Sabia que elas queriam que dissesse que o programa de acolhimento não era tão ruim quanto as pessoas diziam por aí, que nunca ninguém tinha batido nele ou o machucado de outra forma, que ele nunca tinha batido nem machucado ninguém. As pessoas sempre achavam que queriam os detalhes sórdidos, pensou Joaquin, até realmente ouvi-los. — Gosto dos meus acolhedores de agora, Mark e Linda. Eles são legais.

Pelo menos aquilo era verdade.

Maya olhou para ele com expressão preocupada.

— Me sinto mal por você não ter sido adotado — admitiu. Ela estava com o aplicativo de câmera aberto e tirava algumas fotos enquanto caminhavam. — Isso é errado de se dizer? Porque é verdade.

— Não, não é errado — respondeu ele, porque não era mesmo. Nunca ninguém tinha dito isso antes. — Eu quase fui adotado quando era bebê; me colocaram em uma família logo depois que entrei para o sistema. Eles iam me adotar, mas um pouco antes de a documentação ficar pronta, a mãe engravidou, e o casal só queria um filho. Então...

Joaquin encolheu os ombros de novo. Ele não se lembrava dos Russos, mas vira o arquivo.

Maya, porém, pareceu horrorizada.

— Mas você já não era praticamente como um filho para eles?

— Eles sempre escolhem os filhos biológicos no lugar dos acolhidos. — argumentou Joaquin. Em um mundo onde as regras estavam sempre mudando de casa para casa, essa era uma regra aprendida rapidamente. Joaquin ainda se lembrava de uma família de acolhimento temporário na qual o filho biológico mais velho cumprimentava a criança acolhida da seguinte forma: "Eu decido se você fica ou se vai embora". E ele não estava errado. Joaquin só durou um mês lá.

Maya pareceu não se conformar.

— Bem, isso foi... Uau.

Joaquin não sabia bem quando tinha ultrapassado aquela linha invisível de informações demais, mas, aparentemente, tinha acabado de fazer exatamente isso.

— Tipo assim, foi só uma casa. Eu fui para outras. A maioria até que era legal.

— Então por que você não foi adotado? Você é legal.

Joaquin tomou a decisão de mentir para elas. Ele não se achava um mentiroso, não de verdade, mas era muito bom em perceber quando precisaria omitir informações.

— Eu não sei — respondeu. — Acho que acabei ficando velho demais para ser adotado. A maioria das pessoas quer bebês. Ou meninas.

— Como nós — sussurrou Grace.

— Parece que sim — concordou Joaquin. — Mas a casa de vocês é legal, não é? Tipo, as pessoas são legais e tudo mais.

Joaquin não tinha se dado conta até dizer aquilo, mas achou que se alguém pensasse em magoar uma daquelas garotas, ele ia acabar com a pessoa.

— Ah, nós estamos bem, estamos bem mesmo — assegurou Grace. Maya concordava com a cabeça. — Nossos pais são legais.

— Bem, os meus provavelmente vão se divorciar — revelou Maya, chutando a areia molhada com o dedão do pé. — Mas eles são bem legais. Quando eu saí do armário, meu pai chegou a colar um adesivo de arco-íris no carro por alguns dias. Todos os vizinhos acharam que ele era gay, aí tive que explicar para ele o significado do adesivo.

Joaquin nem conseguia imaginar como seria se equilibrar em uma corda-bamba e poder contar com o apoio desse tipo de rede de segurança para pegar você, caso se desse mal. Pensou na garota que tinha morado com a mesma família acolhedora que ele. Ela chorou quando foi expulsa da casa e implorou para ficar. Ninguém gostava de ser devolvido para a agência, é claro, e ainda menos de entrar na roleta-russa de uma nova família temporária. Maya realmente tinha tido sorte, mas Joaquin não ia dizer isso para ela. Às vezes, era melhor ignorar a própria sorte.

— Que bom — foi tudo que disse. — Que bom.

— Posso... hum... Você se lembra da nossa mãe? — perguntou Grace. — Você se lembra de alguma coisa?

Joaquin parou de andar nesse momento. Não foi muito pela pergunta em si, mas sim por terem chegado ao fim do caminho. Tinham que escolher entre voltar ou escalar um monte de pedras de aparência escorregadia. Maya e Grace também pararam de andar, e os três ficaram olhando para a água por um tempo. Eles tinham passado por turistas e banhistas; a água estava sem ondas, então quase não havia surfistas, só um casal, cada um em sua prancha, esperando na distância. A garota estava rindo sobre alguma coisa, mas Joaquin não conseguia ouvir.

— Eu meio que me lembro dela — respondeu, enfim. — Na verdade, lembro de algumas coisas. Nada muito específico.

— Você se lembra de como ela era? — quis saber Grace. Ela parecia tão esperançosa que Joaquin não conseguiu decepcioná-la.

— Ela tinha cabelo castanho — contou. — Cacheado, como o nosso. E sorria muito. — Joaquin estava inventando isso, mas sempre imaginava essas características quando pensava na mãe de verdade. Ele sonhava com ela, uma mulher sorrindo para ele.

— Você a viu alguma vez depois que, hum...?

— Você pode dizer — autorizou Joaquin. — Depois que ela me abandonou?

— É — disse Grace. — Depois disso.

— Marcaram algumas visitas antes de ela perder os direitos.

Joaquin não contou para elas que a mãe nunca tinha aparecido a nenhuma daquelas visitas. Ele se lembrava de ficar vagando por uma sala procurando por uma pessoa que ele provavelmente nem ia reconhecer. A acolhedora da época tinha tentado acalmá-lo com balas da máquina de venda automática, mas ele só tinha chorado debaixo da mesa até ela arrancá-lo de lá e voltarem para casa.

Joaquin ainda odiava aquele tipo de bala. E máquinas de venda automática.

— Ela era bonita — disse Joaquin. — Bonita de verdade.

Quando voltaram para o centro de artes, onde elas tinham deixado o carro, Joaquin sentiu a areia da praia grudada nos pés e o nariz ardendo por causa do sol. Teria que se limpar antes de ir para casa. Linda realmente gostava do piso de tábua corrida. Não queria arruiná-lo.

— Então, eu quero dizer uma coisa — começou Grace, de repente, e Maya se virou para olhar para ela.

Mas Joaquin já sabia o que Grace ia dizer. Soube desde o instante em que ela mencionara a mãe biológica, e ele desejava que o assunto não fosse abordado.

— Acho que a gente deveria procurar a nossa mãe biológica — declarou ela.

Grace literalmente retorceu as mãos na frente do corpo enquanto falava. Joaquin já tinha lido sobre pessoas que fazem isso nos livros, mas nunca tinha visto alguém realmente *fazer* isso antes. Parecia doloroso.

Ao seu lado, Maya ficou em silêncio. Joaquin tinha quase certeza de que aquele silêncio não era um bom sinal. Parecia mais aquele silêncio entre ver uma arma disparar e ouvir o tiro.

Ele estava certo. Geralmente estava.

— Isso é *burrice* — irritou-se Maya. — E por que você quer encontrá-la? Ela nos *abandonou*. Ela entregou Joaquin para *estranhos*.

— Mas isso já faz quase 18 anos — protestou Grace. — Ela tinha basicamente a minha idade, não é? Ou a de Joaquin? Ela era muito nova! Talvez queira saber o que estamos fazendo. Tipo... — Ela fez uma pausa antes de acrescentar. — Tenho certeza de que ela ainda nos ama.

Joaquin riu. Não conseguiu evitar. Invejava a crença de Grace de que a mãe biológica ainda se importava com ela.

— Desculpe — disse Joaquin quando as duas se voltaram para ele. — Eu só... eu não quero procurar por ela. Vocês duas podem fazer isso se quiserem, mas eu estou fora.

— Exatamente — concordou Maya.

Grace parecia prestes a chorar, e Joaquin sentiu uma pequena onda de pânico crescer no peito. Então, ela piscou e a expressão em seu rosto endureceu.

— Tudo bem — concordou ela. — Vocês não precisam fazer isso comigo. Vou procurá-la sozinha.

— Como queira — ofereceu Maya.

— Por mim, tudo bem — respondeu Joaquin

— Tudo bem, então — finalizou Grace.

O dia terminou de um jeito estranho depois disso. Eles não sabiam se deviam se abraçar ou trocar um aperto de mão ou um aceno como despedida. Então, acabaram fazendo uma estranha combinação das três coisas.

Joaquin não era bom com abraços, mas tentou.

GRACE

Grace demorou um tempo para escolher o que vestir para a escola na manhã de segunda-feira.

Principalmente porque tudo que tinha estava superlargo, gritava gravidez ou estava apertado demais. Sua barriga ainda estava um pouco... bem, *molenga* era a única forma de descrevê-la. Queria usar seu pijama, mas tinha certeza de que não importava quantos bebês ela tivesse, sua mãe não permitiria que fosse para a escola usando aquela calça xadrez.

No fim, optou por uma calça jeans de corte reto e uma camisa marrom que encontrou no fundo do armário. O tom combinava com as marcas de estresse que estavam começando a aparecer no seu peito e no seu pescoço.

É claro que sua mãe notou.

— Tem certeza de que quer voltar? — perguntou ela, segurando uma caneca de café com tampa e as chaves do carro. — Sei que foi uma semana intensa com o encontro com Maya e Joaquin.

— Eu vou voltar — declarou Grace, pegando a mochila que parecia leve demais. — Não posso continuar em casa, e Joaquin e Maya não têm nada a ver com isso.

Grace mal conseguia pronunciar o nome deles sem fazer uma careta. Ela tinha mentido para os dois. Conhecia Joaquin havia menos de

84

uma hora e mentir para ele. A pior parte é que eles acreditaram que ela tinha contraído mononucleose. E tinham sido *solidários*.

Grace se perguntou se poderia desistir do seu dever como irmã ou se alguém poderia simplesmente aparecer e tirá-los dela, como acontecia quando vencedoras de um concurso de beleza eram pegas em um escândalo de mensagens de cunho sexual.

Sua mãe deixou o rádio ligado no caminho para a escola, rindo de alguma piada que o locutor contou e olhando para Grace para ver se ela tinha achado graça também. Não tinha (o cara era um misógino babaca, e Grace nunca o achara engraçado), mas ela sorriu para a mãe, com aquele sorriso cuidadosamente ensaiado que dizia "Sou uma pessoa normal e este é o meu sorriso normal". Definitivamente não era o sorriso de alguém que tinha parido um bebê quatro semanas antes.

— Querida — disse a mãe quando parou perto da escola. — Quer que eu entre com você?

— Você está falando sério? — perguntou Grace. — Não. Claro que *não*.

— Mas...

— Mãe — cortou Grace. — Vou ter que ir em algum momento. Você precisa me deixar fazer isso.

Ela fez essa declaração de forma literal, mas, pela expressão no rosto de sua mãe, ficou bem claro que tinha sido interpretada de forma metafórica. Grace viu os olhos da mãe se encherem de lágrimas por trás das lentes dos óculos de sol, mesmo enquanto se inclinava para dar um beijo de despedida.

— Tudo bem. — Sua mãe fungou e, então, pigarreou. — Tudo bem, você está certa. O seu pai me pediu que eu não chorasse hoje e aqui estou eu chorando. — Ela riu de si mesma. — Ligue se precisar de mim, está bem?

— Pode deixar — prometeu Grace, mesmo sabendo que não ligaria.

Sua mãe não sabia realmente a gravidade das coisas que os outros alunos da escola disseram para ela durante a gravidez. *Piranha, mamãezinha, baleia.* A lista era longa. Grace não tinha contado nada para ela porque sua mãe contaria para o diretor, e isso só serviria para que as provocações piorassem ainda mais, mas também não contou porque sabia que a mãe sentiria pena dela.

Pena não era o mesmo que força, e Grace já tinha tido muita dificuldade para conseguir se manter firme. Não queria que os pais dela *e* ela desmoronassem, não ao mesmo tempo.

Grace saiu cuidadosamente do carro, pendurou a mochila vazia no ombro e seguiu para a aula de inglês, o primeiro tempo do dia. Sentia como se estivesse seguindo para o pelotão de fuzilamento, só que pior, porque sabia que em vez de morrer, ia ter que continuar viva o dia inteiro. E depois no dia seguinte e assim por diante.

Ela não conseguiu deixar de pensar que preferia o pelotão de fuzilamento a se deparar com o primeiro par de olhos encarando-a.

Grace já tinha sido liberada dos deveres de casa — ela só tinha que aguentar firme até o final do ano, o que era bom —, mas enquanto passava pelos outros alunos, conseguia enxergar os marcadores de texto, os cartões de estudo e todas as coisas que costumava usar durante a loucura da sessão de estudos. Sua melhor amiga, Janie, debochava de todos os seus macetes para lembrar as matérias.

"Agora", diria Janie, imitando Grace estudando para a prova final de história europeia. "Napoleão era tampinha e isso me lembra garrafas de cerveja, que é uma bebida muito comum na Alemanha, o que..."

Grace morria de rir, chegando a segurar a barriga.

— Grace.

Ela parou na hora, seu devaneio se desfazendo.

— Janie — cumprimentou. — Oi.

Ela não via Janie desde a visita da amiga, dois dias depois de Milly nascer. Grace não se lembrava de muita coisa daquele dia, a não ser que tinham assistido a *Friends* na Netflix. Mas Grace estava arrasada na época, completamente envolta no luto da perda. Os detalhes eram confusos, para ser sincera.

— Oi — disse Janie, a cabeça inclinada para o lado. Grace tinha a sensação de que fizera alguma coisa de errado, algo que tinha violado o código de amizade, mas não sabia o que era. Ou, para ser mais precisa, *quantas violações* tinha cometido. — Você não me contou que ia voltar para a escola.

Ah. Ali estava.

— Hum... Pois é — respondeu Grace. Ela tentou sorrir, mas parecia que estava arreganhando os dentes para a amiga, como um sinal de aviso para ela ficar longe. — Eu decidi ontem à noite. Não aguentava mais ficar em casa, sabe? — Grace encolheu os ombros, como se fosse uma coisa totalmente casual ter um filho e se esquecer de contar para a sua melhor amiga que ia voltar para a escola.

— Ah, tá — disse Janie. — Bem, é muito bom ver você. Você está com a aparência boa.

Janie nunca usava as palavras *bom* e *boa,* e definitivamente não duas vezes seguidas. Isso não era *nada* bom.

— Obrigada — agradeceu Grace e, então, olhou para a garota ao lado de Janie. As duas usavam bolsas penduradas nos ombros e carregavam os livros e fichários apoiados no lado direito do corpo, enquanto a mochila de Grace estava frouxa no ombro. Quando Janie tinha abandonado a mochila?

A garota ao lado dela era Rachel.

— Oi. — Grace se voltou para ela. — Eu sou a Grace.

— *Eu sei.* — Ela respondeu de um jeito que fez com que Grace sentisse que tinha se apresentado como Rasputin ou Voldemort, um nome que não deveria ser dito.

— Que bom ver você, Grace — repetiu Janie.

O terceiro *bom.* Grace não conseguiu evitar o pensamento: *três chances e você já era.*

— Se você for almoçar aqui, venha se sentar com a gente, está bem? — Ela sorriu para Grace e foi embora com Rachel.

Grace ainda nem tinha pensado no almoço. Agora estava desejando ter pensando nisso. Ela era amiga de Janie desde o terceiro ano do ensino fundamental, então nunca tinha se preocupado em saber com quem almoçaria ou onde deveria se sentar. Mas agora que tinha parado para pensar, o campus da escola de repente pareceu maior e grande demais, como se não tivesse fim. Ela já tinha tido sonhos assim antes, vagando por um lugar estranho sem conseguir achar a saída.

Grace enfiou os polegares sob as alças da mochila que, de repente, parecia que a tinha traído. Ela as soltou e continuou subindo a ladeira para a aula de inglês. Por algum motivo, parecia mais difícil agora que não estava mais grávida. Tinha passado o último mês de gestação na escola, ofegante e sem ar em todo os lugares (e também indo aproximadamente 982.304.239 vezes ao banheiro, já que Pesseguinha gostava de usar sua bexiga como travesseiro), mas agora suas pernas pareciam mais pesadas, como se não quisessem ir à aula de inglês e estivessem avisando ao seu cérebro para *manter distância.*

Grace percebeu, tarde demais, que devia ter ouvido os sinais.

Todo mundo ficou olhando quando ela entrou na sala um pouco antes de o sinal tocar, mas Grace estava preparada para isso. Tão preparada quanto qualquer pessoa poderia estar para 36 pares de olhos de repente fixos nela. Ela sorriu para a parede atrás da cabeça de Zach Anderson, só para que achassem que ela estava sorrindo para alguém, e então a sra. Mendoza entrou e colocou a mão do ombro da garota.

— Que bom vê-la, Grace. — E ela repetiu para si mesma em silêncio *não chore, não chore,* até que deu certo e as lágrimas retrocederam, escorreram pela garganta e voltaram para o fundo do seu estômago.

— Obrigada. — Isso foi tudo o que Grace conseguiu dizer em voz alta, antes de se sentar.

Alguém tinha entalhado a palavra PUTA na mesa de madeira falsa, mas não sabia se tinha sido para ela ou para alguma outra garota, ou se era apenas obra de algum aluno entediado do segundo ano com vocabulário limitado e tempo demais nas mãos. *Tipo assim,* pensou Grace, *é a sala de inglês. Era de se imaginar que a pessoa pudesse pensar em algum sinônimo melhor.* Meretriz, *talvez.* Quem sabe vulgar *ou* prostituta?

— Grace?

Ela ergueu o olhar. A sra. Mendoza estava sorrindo para ela do jeito que os padres fazem quando estão visitando doentes no hospital. De forma benevolente, mas desejando em silêncio um álcool em gel para as mãos.

— Eu estava dizendo que se você preferir passar os próximos dias na biblioteca para se atualizar e colocar os trabalhos em dia, tudo bem.

— Ah — disse ela. — Não, eu estou bem.

Então vieram os risinhos abafados. Parecia que era Zach. E Miriam Sei-Lá-Do-Quê. Você percebe que as pessoas já estão rindo pelas suas costas há um tempo quando consegue identificar os donos do riso sem olhar.

— Que pena que *eu* não pude ter um bebê — disse a voz. Grace estava certa: era Zach mesmo. — Se isso significa se livrar do dever de casa. Mandou bem.

— *Ugh,* você é horrível.

Essa foi Miriam. Primeiro Grace achou que a garota tinha saído em sua defesa e estava prestes a se virar e dar um sorriso de agradecimento quando *entendeu* o que Miriam realmente quis dizer. Ela disse "Você é horrível" do jeito que as garotas dizem coisas quando querem que os garotos achem que elas estão provocando, tipo: "Você é horrível, mas ainda gosto de você o suficiente para continuarmos juntos, mesmo que com essa sua profundidade emocional equivalente a um excremento".

Mas, pensando bem, quem era Grace para julgar? O último cara de quem *ela* gostou a havia engravidado, abandonado e levado outra garota para o baile na mesma noite do parto.

Não poderia exatamente culpar Miriam por fazer escolhas ruins na vida.

Grace não conseguiu evitar imaginar o que Maya diria a Zach se *ela* estivesse naquela situação. Grace não conhecia a irmã havia tanto tempo, mas tinha certeza de que teria se atirado à vida escolar do jeito que os leões corriam pelo Coliseu no Império Romano: dentes arreganhados e garras à mostra.

Grace canalizou essa energia.

— Uau — respondeu ela, se virando para olhar para Zach. — Você não deixa passar nada, não é? Você é *muito* observador.

Grace tinha quase certeza de que ela parecia mais um gatinho manhoso que um leão.

Zach só riu e tirou o boné de beisebol, alisando o cabelo antes de colocá-lo de volta.

— Tanto faz, mamãezinha.

— Zach, fala sério — brincou Miriam.

Grace teria dado o seu reino para agarrar Miriam pelos ombros e sacudi-la até a sua cabeça ficar balançando no pescoço.

Foi nesse momento, porém, que a sra. Mendoza começou a falar ("Zach, tire o boné, você conhece as regras da sala de aula"), e Grace encontrou a caneta e o caderno. *Simplesmente aja de forma normal,* disse para si mesma.

E foi o que fez durante o primeiro tempo de inglês e o segundo de química avançada, mas foi no terceiro tempo que tudo explodiu. Se por *explodir* você entender *perder completamente o controle.*

O terceiro tempo era aula de história americana.

O terceiro tempo era com Max.

A julgar pela expressão no rosto de Max, Janie não foi a única pessoa que ficou surpresa com a volta de Grace. Ele estava rindo com Adam, um dos seus amigos, quando Grace entrou na sala. Max arregalou tanto os olhos que parecia um desenho animado. Se Grace não o odiasse tanto, teria achado graça, mas a única coisa que sentiu foi uma alegria doentia por tê-lo surpreendido. Gostava da ideia de mantê-lo em estado de alerta, aparecendo onde ele menos esperava, um fantasma de carne e osso para assombrá-lo pelo resto da vida.

Grace sabia que isso não era possível, mas sentiu que todos na sala pararam de falar quando entrou, os olhares se alternando entre ela e Max. Como se aquela aula de repente fosse um novo episódio de um seriado de TV e a gêmea má que todos pensavam que tinha morrido acabasse de voltar para a cidade.

Ela se sentou no lugar que sempre ocupava, que, infelizmente, era bem na frente de Max. Tinha escolhido aquele lugar no início do ano porque era mais fácil conversar com ele dessa forma. Agora, se amaldiçoava por ter tomado uma decisão tão ruim como aquela no passado. A Grace do passado era, na verdade, uma grande idiota.

— Cara... Cara... — Adam ria e repetia baixinho, como se estivesse contando um segredo.

— Cale a boca — sibilou Max para ele.

Adam era (e Grace supôs que continuasse sendo) burro como uma porta, um daqueles caras que se acha um astro de futebol quando, na verdade, só fica pelas laterais e comemora com os outros quando fazem os *touchdowns*. Grace nunca tinha gostado dele, e Max sabia disso.

Diferente dos outros dois professores anteriores, o sr. Hill ignorou Grace e logo iniciou a aula, e ela gostou disso. Era melhor ser ignorada do que sentirem pena dela.

— Muito bem, caras — começou ele em voz alta. (O sr. Hill sempre se referia aos alunos como "caras", o que era meio desconcertante às vezes, porque Grace imaginava uma sala cheia de rostos sem corpos.) — Vamos começar!

Grace começou a procurar uma caneta na mochila, obrigando-se a nem sequer olhar na direção de Max. Conseguia ver os pés dele, porém, e percebeu que aqueles eram sapatos novos. Isso a deixou pasma. Em algum momento entre o nascimento da filha deles, o encontro com os seus meios-irmãos e a sua volta para a escola, Max tinha ido às compras e agora tinha um novo par de sapatos, como se a sua vida ainda fosse normal; como se nada tivesse mudado.

E a verdade é que não tinha mudado mesmo. Em algum lugar do mundo, um outro casal estava criando a filha biológica de Max. E *ele* tinha um novo par de sapatos.

Quando Grace encontrou a caneta, seu rosto estava vermelho. O impulso de rabiscar os sapatos novos de Max foi tão forte que chegou a doer, mas ela permaneceu sentada olhando para a frente.

— Ei — sussurrou Adam quando o sr. Hill se virou para a lousa. — Ei. Psiu! Grace!

Ela não se virou. Sabia que Adam não ia perguntar como ela estava se sentindo ou se ela precisava de alguma coisa, muito menos desejar que o seu dia fosse bom.

— Grace! Oi! Seu peito ainda está vazando?

Alguém — Grace não sabia quem — riu atrás dela. Sobre os sons de pedido de silêncio ao redor da sala, ouviu Max dizer:

— Fala sério, cara. — Grace teria preferido se Max incorporasse a filosofia de *Game of Thrones* e empalasse a cabeça do amigo em um bastão, mas o garoto só repetiu aquilo. — Fala sério, cara.

Grace agarrou a caneta e ficou tentando imaginar quando Max tinha se tornado tão fraco, frágil feito algodão-doce. Talvez tivesse acontecido enquanto eles esperavam na fila da farmácia naquele dia para pagar os testes de gravidez, ou talvez tenha sido quando o pai dele falou sobre a "boa moça" que Max estava namorando em vez de Grace. Ou talvez tenha acontecido no baile de boas-vindas, enquanto Grace fazia força para expulsar o bebê do seu corpo e ele dançava usando uma coroa de plástico ridícula na cabeça.

Aquela versão de Max não era a que Grace tinha namorado, com quem tinha dormido e a quem amara. E parecia uma loucura que, em algum lugar lá fora, existisse uma criança que era metade dele e metade dela, quando ela de repente não conseguia mais suportar estar na mesma sala que ele.

— Grace! — chamou Adam novamente.

O sr. Hill ainda estava de frente para a lousa, aparentemente escrevendo um solilóquio inteiro, então Grace se virou para olhar para Max. Até o seu rosto parecia fraco. Como foi que ela conseguiu namorar alguém com aquele maxilar? Graças a Deus Pesseguinha não tinha herdado essa característica.

— Será que você pode pedir para o seu amigo calar a porra da boca? — sibilou Grace. Ela percebeu que ele não estava muito confortável, estava evidente em todo o rosto (patético) de Max, e ela se virou para a frente de novo, com as bochechas queimando como se estivesse com febre.

Foi quando Adam colocou um som no telefone. Era o choro de um bebê — de um recém-nascido. Era como o choro de Pesseguinha, como o primeiro som que Grace a ouviu fazer, aquele choro desesperado que anunciou a sua chegada ao mundo.

Grace não sabia o que tinha se movido primeiro, o seu corpo ou a sua mão, mas ela voou sobre a carteira como se estivesse em uma corrida de obstáculos na aula de educação física, seu punho fechado e estendido para acertar a cara de Adam. Ele soltou um som como se alguém tivesse roubado todo o ar do seu corpo e, quando caiu para trás, sua mesa tombando por cima dele e prendendo-o no chão, Grace subiu em cima de Adam e lhe deu mais um soco. Não tinha sentido tanta adrenalina desde o nascimento de Pesseguinha. A sensação foi boa. Ela até sorriu quando acertou o terceiro soco no garoto.

Acabou que foi necessário Max, o sr. Hill e um cara chamado José (que realmente *estava* no time de futebol americano) para tirá-la de cima de Adam. José meio que levantou Grace no ar e a colocou no chão com tanta força que os dentes de baixo bateram nos de cima e, então, Grace saiu, deixando sua mochila, Adam, Max e a aula de história americana para trás.

Cambaleou até o banheiro da quadra, aquele que ninguém nunca usava porque era próximo do laboratório de biologia e tinha um cheiro de formol que passava pela ventilação. Era nojento, mas Grace não se importava. Só precisava de um lugar onde pudesse conter o furacão que tinha se formado dentro do seu peito quando ele finalmente explodisse para fora dela.

O choro de Pesseguinha cortava seus tímpanos enquanto ela gritava.

Escorregou pela parede até se sentar no chão embaixo da pia mais distante da porta, encolhendo os joelhos até o peito. O piso estava frio, o que era bom, porque Grace tinha quase certeza de que sua pele estava em chamas e a mão latejava. Ao que tudo indicava, socar a cara de alguém doía pra caramba, e ela pressionou os nós dos dedos contra os azulejos, sibilando um pouco.

Era difícil recuperar o fôlego. Sentia-se como quando Pesseguinha estava nascendo, como se seu corpo estivesse funcionando de forma separada do seu cérebro, e fechou os olhos, tentando respirar. O banheiro estava frio e quieto e devia haver umas vinte pessoas procurando por ela naquele momento, mas Grace não se importava.

Só queria ficar quieta em seu canto.

Depois de alguns minutos, a porta se abriu e um garoto entrou. Grace nunca o tinha visto antes, mas não era como se tivesse estado superpresente nos últimos meses na escola.

De qualquer jeito, ficou bastante óbvio que o cara não esperava vê-la sentada ali no chão.

— Ah, desculpe, eu não sabia que tinha alguém... — disse ele, então olhou de volta para a porta. — Espere, este é o banheiro das meninas ou...?

Grace negou com a cabeça, ainda chorando. Ela nem tinha percebido que estava chorando, mas seu rosto estava molhado e o seu cabelo grudou na pele quando mexeu a cabeça.

— Está tudo...? — O garoto deu um passo para trás, depois um para a frente em uma dança em câmera lenta. — Merda, sinto muito. Sou péssimo em ajudar quando tem alguém chorando. Está tudo... bem?

— Tudo bem — disse Grace, e aparentemente ela estava no dia da mentira na sua cabeça, porque *bem* definitivamente não era a palavra para descrevê-la naquele momento.

Ele continuou parado perto da porta.

— Não estou chamando você de mentirosa, nem nada, mas você não parece nada bem.

Grace começou a chorar de novo.

— O que aconteceu com a sua mão?

— Eu soquei a cara de Adam Dupane três vezes — contou ela.

Não havia uma forma melhor de dizer aquilo, então Grace nem se preocupou em tentar. Não era como se ele não fosse descobrir sozinho. Na verdade, já devia até existir algum vídeo on-line. Grace percebeu que seria expulsa, e ficou surpresa com como essa ideia parecia boa.

— Uau! — Os olhos do garoto se arregalaram. — Bem, não sei quem Adam Dupane é, mas você parece ser uma pessoa legal, então ele deve ter merecido.

— Ele é um babaca — declarou Grace.

— Um babaca completo — concordou o garoto.

Ela não sabia se ele estava tentando diverti-la ou provocá-la, mas Grace não se importava.

— Hum, talvez seja melhor você colocar alguma coisa aí — disse ele, gesticulando para a mão inchada de Grace. Colocou a mochila no chão, pegou algumas toalhas de papel e as encharcou com água fria. — Aqui. — Ele as entregou para Grace. — Não é exatamente uma bolsa de gelo, mas vai ajudar.

Grace só ficou olhando para o garoto.

— Quem é você? — perguntou, enfim.

Seu nariz estava começando a escorrer, e ela se sentiu nojenta e ranhosa. Além de constrangida por se sentir nojenta e ranhosa.

— Ah, desculpe. Sou Raphael. Raphael Martinez. Mas pode me chamar de Rafe... Você não precisa ser, tipo, formal nem nada. Eu sou muito inofensivo, não se preocupe. Bem, o que quero dizer é que já que foi você quem acabou de socar alguém, talvez nem esteja preocupada. Talvez *eu* devesse estar preocupado. Mas pode acreditar em mim, sou um fracote. — Ele molhou outra toalha de papel enquanto falava, então a entregou para Grace. — Tipo, eu desmaio quando vejo sangue. Sério mesmo. Não estou exagerando. Ei, posso fazer uma pergunta?

Esse tal de Rafe a estava deixando tonta.

— Pode?

— Que cheiro *horrível* é esse?

— Formol. — Grace não sabia quando tinha parado de formar frases completas. — Gatos mortos. Ao lado.

— Sala de anatomia?

Ela concordou com a cabeça.

— Entendi.

Grace fez careta quando sua mão latejou sob as toalhas frias. Tudo doía agora — sua cabeça, seu braço, a lombar — e ela tentava segurar as lágrimas, mas sem muito sucesso.

E Rafe, o herói do dia, trancou a porta e se sentou ao lado dela. Grace percebeu que ele estava tomando muito cuidado para não tocá-la e, por algum motivo, isso a entristeceu.

— Então — começou ele em tom de bate-papo, como se fossem falar sobre o tempo. — Adam é um babaca.

— Max ficou sentado do lado dele o tempo todo e não disse nada — desabafou Grace. Ela não estava mais chorando, não exatamente. Seu rosto só estava molhado e havia um nó de alguma coisa horrível presa na sua garganta.

— Eu sei — disse Rafe com um suspiro. — Que idiota.

— Você nem sabe de quem estou falando! — exclamou Grace. — Por que você está *concordando comigo*?

— Bem, você está triste — explicou Rafe, parecendo um pouco confuso. — Você quer que eu discuta com você? Porque posso discutir se isso fizer você parar de chorar. Aqui, que tal assim... — Ele pigarreou. — Você está *completamente* errada. Adam é muito gente boa.

— Não — fungou Grace. — Eu só quero... Eu só quero ficar quieta, ok?

— Saquei — disse ele. — Tudo que você quiser.

Mas Grace não conseguia parar de ouvir aquele som de bebê, o primeiro som que Pesseguinha fez na vida, um grito de guerra de algo que, de alguma forma, triunfara sobre todo o resto, incluindo o seu coração. Quando Grace começou a chorar de novo, Rafe cuidadosamente se inclinou para ela e seus ombros se tocaram.

Ele ficou em silêncio.

Grace perdeu a noção de quanto tempo ficou sentada ali no chão chorando, mas, depois de alguns minutos, ouviu uma batida na porta e alguém chamando:

— Gracie?

— É a minha mãe — explicou Grace, enxugando os olhos.

— A coisa vai ficar feia? — perguntou Rafe. — Posso escondê-la em uma das cabines se quiser.

Grace de repente percebeu que queria tanto a mãe que chegava a doer.

— Não, pode deixar ela entrar — respondeu. — Está tudo bem.

— Ah, querida — disse sua mãe quando a viu. — Vamos para casa.

E aquele foi o último dia de Grace no segundo ano do ensino médio.

MAYA

Depois de conhecer Joaquin, Maya teve dificuldade para dormir. *Nossa acolhedora descobriu que ela era gay e a devolveu.*

Eles sempre escolhem os filhos biológicos no lugar dos acolhidos.

E sim, Maya sabia que era adotada, não acolhida, que tinha sido adotada diretamente do hospital, que os seus pais a tinham escolhido e desejado. Isso foi o que sempre disseram, pelo menos, que *ela tinha sido escolhida porque era especial.*

Ainda assim, ela não era Lauren.

O relógio logo marcaria três horas da manhã e Maya ainda estava acordada na cama observando os faróis dos carros passarem, iluminando o seu quarto antes de tudo escurecer de novo. Ela pegaria o celular e começaria a navegar pela Internet. (Já tinha feito o teste de "A que casa de Hogwarts você pertence?" pelo menos três vezes, e sempre acabava na Lufa-Lufa, o que a enfurecia.)

Então, ficava passando por antigas mensagens de Claire e via os *emojis,* beijos e observações que eram tão particulares que Maya seria capaz de jogar o celular na privada para evitar que alguém lesse. Ela olhava para o fim da conversa e desejava que bolinhas aparecessem indicando que Claire estava digitando uma mensagem para ela, que ela, de alguma forma, sentiria que Maya estava sozinha no mundo e que o meio da noite parecia ainda mais solitário do que qualquer outro momento do dia.

Mas é claro que Claire estava dormindo, e era burrice ficar chateada por causa disso. Claire precisava dormir. *Maya* precisava dormir. Conseguia sentir o sono começar a desfiar o seu cérebro como um gatinho com um cobertor, puxando os fios mais importantes até que parassem de funcionar. Ela cochilara duas vezes durante a aula de história naquela semana e, para ser justa, isso provavelmente tinha mais a ver com a voz nasalada e monótona do professor do que com sua exaustão.

Pelo menos foi isso que disse para si mesma.

Na hora do almoço, deitou a cabeça no colo de Claire e deixou que a namorada acariciasse o seu cabelo enquanto estavam no gramado pegando sol. Maya achava que, já que todo mundo morreria um dia, aquela não seria uma forma ruim de partir, com o sol no rosto e a cabeça deitada no colo de alguém que você ama.

— Quê? — perguntou Claire.

— Eu não disse nada — respondeu Maya, os olhos fechados. O sol tingia o espaço atrás das suas pálpebras de vermelho-sangue, o que a fazia pensar sobre linhagens e dinastias, sobre os lugares de direito nas famílias.

Ela abriu os olhos e se virou para que pudesse enterrar o rosto na coxa de Claire.

— Não, você não *disse* nada — concordou Claire. — Mas você está pensando.

— Eu estou sempre pensando — argumentou Maya. — Sou inteligente o bastante para pensar sempre, é por isso que você me ama.

— Hum, ainda não há conclusões definidas sobre isso — brincou Claire, mas colocou a mão na parte de trás da camisa de Maya e pressionou a palma contra a pele da garota, como se a ancorasse à Terra. — Volte, volte logo, onde quer que você esteja — sussurrou ela.

Qualquer que fosse o lugar ao qual Maya pertencia, ela estava ali naquele momento.

Isso era o suficiente.

Maya encontrou a garrafa de vinho alguns dias mais tarde.

Tinha trocado algumas mensagens com Grace, na maior parte das vezes respondendo às perguntas entediantes da irmã. "Oi! Como foi na escola?"

"Uma droga", escreveu Maya e depois se arrependeu porque Grace não respondeu por alguns dias.

Não mandou nenhuma mensagem para Joaquin, mas não porque não quisesse. Maya simplesmente não sabia o que escrever. Era difícil encontrar palavras quando você sabia que tinha sido adotada e seu irmão não. Era burrice se sentir culpada, dizia Maya para si mesma quando o relógio já passava das três da manhã e os faróis dos carros não diminuíam. Mas, então, ela ficava imaginando Joaquin quando era bebê, esperando por alguém, por uma família, por uma pessoa, e aquela sensação terrível abria caminho pelo seu coração e subia pela sua garganta, sufocando-a.

A pior parte dela, o canto mais sombrio de sua mente, não queria que a mesma coisa tivesse acontecido com ela, e, assim como Joaquin, não sabia como evitaria aquilo.

Na aula de história europeia de Maya, estavam fazendo uma peça sobre a Revolução Francesa (o que Maya achava extremamente adequado, considerando o número de pessoas naquela aula que ela mesma adoraria degolar), e como ela não conseguia atuar, ficou encarregada de cuidar do figurino. *Fácil demais*, tinha pensado, e, então, foi procurar roupas no armário da mãe.

A garrafa de vinho (ou *garrafas*, na verdade, mas uma delas não tinha sido aberta ainda, então Maya decidiu que ela não contava) estava escondida no fundo do armário, aninhada dentro de um par de botas antigas que Maya achou que ficariam espetaculares em quem quer que representasse Maria Antonieta. Estavam pesadas quando as puxou para fora, muito mais pesadas do que deveriam, e quando as puxou com força, uma garrafa de *merlot* caiu.

Maya olhou para aquela garrafa por um minuto antes de pegar a outra bota e tirar uma pela metade de *zinfandel* tinto. Era um vinho barato — Maya percebeu pelo rótulo —, o que, por algum motivo, a aborreceu ainda mais. Se sua mãe ia esconder vinho no armário, poderia pelo menos comprar um vinho bom em vez dessa merda de loja de conveniência.

— Oi. — Maya se virou tão rapidamente que quase deixou a garrafa cair. Lauren estava parada na porta, puxando o lábio inferior. Maya *odiava* quando ela fazia isso. — O que você está fazendo?

— Nada — respondeu, o que foi a coisa mais idiota que poderia ter dito, considerando que estava parada no meio do quarto dos pais, mexendo no armário da mãe sem permissão e segurando uma garrafa de vinho pela metade. — Não é nada — acrescentou ela de forma um pouco mais convincente.

— Por que você está segurando uma garrafa de vinho? — perguntou Lauren. — Você está *bebendo*?

Elas tinham 13 meses de diferença de idade, mas Lauren era mais nova. Maya sabia disso, do mesmo jeito que sabia que Grace e Joaquin eram mais velhos do que ela. Não importava que elas não tivessem o mesmo sangue: Maya era responsável pela irmã caçula e precisava protegê-la.

— Saia daqui — ordenou. — *Saia* agora, Lauren. Estou falando sério.

— Mas por que você...

— Saia — repetiu Maya, gesticulando com a garrafa de vinho (péssima ideia) em direção à porta. — Isso não tem nada a ver com *você*, mesmo que isso seja uma novidade na sua vida.

Maya se lembraria da expressão no rosto de Lauren por muito tempo depois disso. Três da manhã seria uma hora ainda mais solitária da próxima vez que fechasse os olhos e visse aquela cena se repetir em seus pensamentos.

— Isso é... da mamãe? — perguntou Lauren.

Maya segurou a garrafa com mais força e não disse nada.

— Você achou no armário dela? — insistiu Lauren antes de soltar a bomba. — Porque eu encontrei uma garrafa na garagem.

Maya se sentiu idiota parada ali, ouvindo a irmã e segurando a evidência que queria esconder ao mesmo tempo. Lauren terminou:

— Estava em uma sacola velha de compras. Acho que ela tomou quase tudo ontem.

As duas irmãs ficaram se olhando por alguns instantes antes de Lauren finalmente entrar no quarto.

— Tem outra garrafa lá embaixo, dentro daquele vaso velho — revelou ela.

Maya se sentou na cama porque não tinha certeza de que os joelhos aguentariam o seu peso.

— Há quanto tempo você sabe que ela...?

— Um mês, acho. Talvez um pouco mais. Não sei ao certo.

— Por que não me contou?

Lauren encolheu os ombros.

— Porque eu sabia que você ia conhecer a Grace e depois o Joaquin e... sei lá... Eu não queria sobrecarregar você. Tem muita coisa acontecendo na sua vida.

Lauren se sentou ao lado dela, seus ombros curvados lado a lado.

— Você devia ter me contado — reclamou Maya depois de um minuto.

— Por quê? — quis saber Lauren, e Maya não tinha uma resposta para essa pergunta.

— Você acha que papai sabe? — perguntou Maya.

— Não — respondeu Lauren. — O papai viaja. Ele não fica olhando as botas da mamãe no seu tempo livre.

— Será que ela dirige? Sabe, depois de beber? — Maya sacudiu a garrafa que ainda segurava.

Ela não estava acostumada a fazer esse tipo de pergunta para Lauren. Em geral, ela era a irmã que sabia de tudo, a que estava no comando, a que criava as regras dos jogos e decidia quem ganhava e quem perdia.

— Não sei — respondeu Lauren. — Acho que não. Ela me pegou ontem na escola e parecia bem.

Mas ela poderia ter bebido na hora do almoço, pensou Maya. Duas taças de vinho com uma salada e um pouco de pão que pegou no cesto. Seria bem fácil de esconder.

Ela ainda estava segurando a garrafa de *zinfandel,* então a colocou cuidadosamente no chão, como se pudesse quebrar e manchar o tapete com os seus segredos.

— Será que deveríamos colocar no lugar?

— Deixe comigo — disse Lauren, e Maya entregou a garrafa para a irmã.

Quando a garota desceu e não voltou, Maya decidiu segui-la e a encontrou na cozinha, segurando a rolha em uma das mãos enquanto a outra despejava o conteúdo no ralo.

— O que você está... — começou Maya.

— O que ela vai fazer? Ficar zangada com a gente por ter acabado com esse contrabando? Ela não vai fazer nada. Ela *não pode.* Porque senão ela vai ter que admitir o que está fazendo.

Maya a observou por um tempo, depois subiu e pegou a segunda garrafa. Lauren a abriu e despejou o vinho no ralo da pia também, observando o rodamoinho antes de abrir a torneira e lavar tudo.

Quando seus pais finalmente fizeram o grande anúncio, realmente não foi uma surpresa. Maya depois achou que tinha sido mais como arrancar um grande curativo — inevitável, mas mesmo assim você sabia que ia doer pra caramba.

Ela estava fazendo dever de casa de física quando ouviu a batida na porta. Tinha sido uma noite tranquila, tranquila demais, e Maya tinha feito o mesmo exercício quatro vezes e ainda não tinha chegado ao resultado. Ficou pensando que mundo horrível era aquele em que ela funcionava melhor nos estudos quando os pais estavam brigando. Se ela um dia fosse além do ensino médio, provavelmente precisaria de uma explosão nuclear todas as noites.

Ótimo.

Quando disse "pode entrar", seus pais estavam ali, parecendo apreensivos e nervosos. Feito crianças. Maya nunca tinha visto aquela expressão no rosto deles, e não precisava olhar no espelho (nem na certidão de nascimento, na verdade) para saber que a expressão no próprio rosto era idêntica à da sua irmã.

— Seu pai e eu queremos conversar com vocês — declarou a mãe delas, e Lauren imediatamente passou pelos dois e foi se sentar na cama de Maya.

Maya, que na verdade estava fazendo o dever na escrivaninha para variar, levantou-se da cadeira e foi se sentar ao lado da irmã. Percebeu de repente que queria que a *outra* irmã estivesse ali também, e seu irmão. E Claire. Ela queria que um exército de pessoas estivesse ali para apoiá-la com espadas em punho.

É claro que ninguém apareceu de verdade.

— Podemos conversar lá embaixo? — A voz da mãe parecia um pouco estrangulada, e Maya sentiu que algo também apertava a sua garganta. Aquela sensação das três horas da manhã tinha voltado para assombrá-la. — Está tudo bem — acrescentou a mãe rapidamente. — Nós só queremos ter uma reunião de família.

Eles não tinham uma reunião de família desde que Maya tinha oito anos e Lauren, com sete, a acusara de matar seu peixinho dourado. (Maya ainda jurava sobre a Bíblia que não tinha tocado naquela coisa esquisita e escamosa. Lauren estava sendo paranoica e era uma péssima mãe de peixe, simples assim.)

— Eu tenho dever de casa — começou Maya.

Ela de repente rezou pela inércia. *Um objeto em movimento continua em movimento até que uma força externa aja sobre ele,* eram as palavras escritas no seu livro de física. Ela queria que as coisas continuassem seguindo do mesmo jeito de sempre. Por mais terríveis que as brigas fossem, eram familiares. Maya não estava pronta para uma mudança, não estava pronta para a nova realidade.

— Maya, por favor — pediu sua mãe.

Ela não precisou dizer mais nada.

No andar inferior, Maya e Lauren se sentaram uma do lado da outra no sofá enquanto os pais explicavam tudo.

Vocês sabem que a gente não tem se dado bem.

Vai ser bem melhor assim.

Vocês vão passar os fins de semana com o papai agora, só vocês e ele.

Vocês vão ser muito mais felizes.

Lauren chorou, é claro. Ela sempre foi a mais emotiva (imagina: uma reunião de família por causa de um *peixinho* morto), a que tinha que ser retirada do cinema nas cenas tristes porque chorava tão alto que atrapalhava as outras pessoas.

Maya, porém, ficou ali sentada por um tempo enquanto os pais explicavam que o pai ia sair de casa, que eles amavam muito, muito as duas filhas e que aquilo não tinha nada a ver com elas, que não era culpa dela nem de Lauren.

— É claro que não é — resmungou Maya, porque aquela foi a coisa mais idiota que tinha ouvido em muito tempo. — Não fomos *nós* que ficamos brigando nos últimos dez anos.

E escondendo vinho no armário, ela quase acrescentou, mas pensou melhor sobre isso. Lauren ainda estava chorando e Maya não queria magoar ainda mais a irmã.

Sua mãe piscou enquanto o pai pigarreava.

— Isso... é verdade — concordou ele, por fim. — Isso é verdade mesmo.

— Vocês vão ficar aqui em casa comigo — continuou a mãe. — Mas podem visitar o pai de vocês sempre que quiserem.

— E se a gente quiser morar com o papai? — perguntou Maya.

Ela nem sabia se era isso que queria, mas sentiu uma vontade devastadora de se colocar entre eles, para ver qual dos dois a puxaria mais para si. Saber qual deles lutaria para ficar com ela depois de se esforçarem tanto, quinze anos antes, para consegui-la.

— Podemos resolver isso depois — respondeu o pai.

A mãe de Maya não conseguiu responder; estava ocupada demais tentando controlar as lágrimas e abraçando Lauren. Tentou abraçar Maya também, mas a garota se afastou. Não queria que ninguém a tocasse.

— Vamos tentar facilitar as coisas ao máximo para vocês duas. Não se preocupem — acrescentou o pai.

Maya deu uma risada curta, aguda e amarga. Não conseguiu se segurar.

— Acho que já passamos do ponto de *facilitar* as coisas há muito tempo — declarou.

— Maya — começou o pai, mas ela ergueu uma das mãos.

— Não. Não fale nada...

As palavras de repente ficaram presas em sua garganta, as paredes começaram a se fechar à sua volta e o ar pareceu sumir. Sentiu-se como um personagem em um filme, fugindo de uma explosão enquanto a estrada se desfazia em cinzas alguns passos atrás dela, enquanto lutava para ficar à frente do abismo que a puxava para trás como mãos, sugando-a para um buraco negro que só queria absorver a luz.

— Eu tenho que ir — informou e, então, agarrou o celular e saiu correndo pela porta da frente, atravessando o gramado da garagem. Foi só quando chegou ao fim da rua que percebeu que estava descalça e que os pés já latejavam por ter andado aquela curta distância, mas não importava.

Mandou uma mensagem para Claire. Me *encontra no parque? Preciso de você.*

Seu coração batia forte enquanto ela esperava a resposta aparecer, então Claire estava lá, firme e segura como sempre. *Estou a caminho. Está tudo bem?*

Maya não perdeu tempo para responder. Só correu. Quando chegou ao parque, parecia que tudo estava verde, agudo e cortante contra as solas dos seus pés. Seus pulmões queimavam como uma fumaça que ela não conseguia expelir.

Correu ainda mais rápido.

Claire estava saindo do carro quando Maya contornou a esquina e entrou no estacionamento.

— Oi — cumprimentou Claire, e quando Maya correu para os seus braços, ela teve que dar um passo para trás. Era o impulso de Maya tirando o equilíbrio das duas.

— Oi, ei... *ei* — Claire tentou novamente.

Maya começou a chorar e não conseguiu dizer nada, não porque não soubesse o que dizer, mas porque tinha coisas demais na cabeça. Ela poderia saber de cor todos os dicionários do mundo e não seria suficiente para começar a explicar a escuridão daquele espaço, o medo de ficar sozinha como Grace ou de ser indesejada como Joaquin.

Claire a abraçou por vários minutos no estacionamento.

— Não vá embora — foi a primeira coisa que Maya conseguiu sussurrar.

— Não vou para lugar nenhum — respondeu Claire, baixinho.

Sua voz estava suave como uma oração.

JOAQUIN

A primeira consulta de Joaquin com a terapeuta depois de se mudar para a casa de Mark e Linda não correu muito bem.

O consultório ficava em um arranha-céu, tão alto que Joaquin conseguia ver o mar. Isso já o deixou um pouco tonto, mas o lugar em si era limpo, claro e moderno. A única cor além do branco no aposento era uma orquídea roxa (em um vaso branco, é claro) na mesa da terapeuta. Ana e todo aquele branco intenso despertaram lembranças em Joaquin, de lençóis brancos em catres sem cobertas, de contenções e esfoladuras nos seus pulsos, daquela sonolência induzida por drogas que fazia com que sentisse que não estava dormindo de verdade. O consultório era tão silencioso que ele conseguia ouvir o som do ar-condicionado funcionando.

Joaquin conseguiu ficar lá dentro por dois minutos, o suor brotando na raiz dos cabelos, as mãos trêmulas.

— Não vou voltar lá — declarou ele para Linda e Mark na época. Foi a primeira vez que ele tinha ativamente dito qualquer coisa que eles não queriam ouvir. Ele se esforçava para deixá-los felizes, para fazer com que *quisessem* ficar com ele, mas não conseguiria pisar novamente naquele consultório.

Eles ficaram sentados com Joaquin no meio-fio até a respiração ofegante normalizar, a mão de Mark descansando cuidadosamente no seu ombro enquanto seu coração voltava ao ritmo normal. Ficaram sentados ali com ele por quase vinte minutos, esperando, em silêncio, que ele explicasse o que tinha acontecido. Quando Joaquin não explicou — não *conseguiu* explicar —, eles começaram a fazer perguntas. Às vezes ele gostava quando faziam isso, outras vezes não. Às vezes achava que eles se preocupavam demais, outras vezes parecia que eles queriam *saber* demais.

— Parece muito com o hospital — conseguiu dizer por fim. As perguntas não o incomodaram daquela vez.

— Ah — suspirou Linda.

— Entendi — disse Mark.

Na semana seguinte, ele e Ana se encontraram em uma lanchonete perto da casa de Mark e Linda (Joaquin ainda não pensava na casa deles como "minha casa" nem mesmo como "nossa casa", apenas "a casa deles". Mas não tinha problema, porque ainda era uma casa boa. Não tinha que ser dele para ele morar lá).

— Aqui está bom? — perguntou Ana, escorregando no assento acolchoado da mesa em frente a Joaquin. — Ouvi dizer que o meu consultório tem uma aparência antisséptica demais.

— Estou bem aqui — respondeu Joaquin.

— Você sabe que as palavras *bem* e *bom* são basicamente criptonita para os ouvidos de um terapeuta, não sabe? — comentou Ana antes de fazer um sinal para o garçom para pedir uma limonada. — Ferrado, inseguro, neurótico, emotivo — recitou ela, contando nos dedos. — Introdução à Terapia.

Joaquin sabia disso, é claro. Um dos seus irmãos mais velhos de acolhimento tinha feito uma tatuagem com as palavras "Estou bem" nas costas. Joaquin sabia que aquela declaração tinha significados complexos em potencial.

— Bem, isso foi muito preciso — respondeu para Ana, que sorriu.

Joaquin não queria vê-la, mesmo que ela fosse legal e não tivesse contado para Linda que ele tinha tomado três Coca-Colas seguidas (o refil era grátis). Mas então ele descobriu que Mark e Linda estavam pagando Ana com o próprio dinheiro e achou que o mínimo que poderia fazer por eles era aparecer. Acolhedores nem sempre estavam dispostos a gastar o próprio dinheiro com os acolhidos. Joaquin não queria abusar da sorte.

Dezoito meses depois, Ana e Joaquin ainda se encontravam na lanchonete toda sexta-feira depois da escola. Sempre pediam a mesma coisa — salada e limonada para Ana; hambúrguer vegetariano, fritas e Coca-Cola para Joaquin — e se sentavam à mesma mesa nos fundos do restaurante, onde a acústica fazia com que o lugar parecesse muito mais barulhento do que de fato era.

— Então — começou Ana enquanto escorregava pelo assento em frente a ele na sexta-feira depois do seu primeiro encontro com Maya e Grace. — Como foi?

Joaquin tinha demorado um pouco para entender a abordagem direta de Ana à terapia. Ela também soltava uns palavrões de vez em quando, e ele gostava disso. A maioria dos terapeutas o tratava como se Joaquin estivesse prestes a explodir, o que, para ser justo, era como ele se sentia a maior parte da sua vida.

Ainda assim...

— Foi bom — respondeu Joaquin, e abriu um sorriso quando ela o fulminou com o olhar. — Estou brincando. Foi legal.

Se *bom* era a palavra que merecia a medalha de ouro de Ana, então *legal* ganhava a de prata.

— Elas têm a pele mais clara. São brancas — acrescentou Joaquin, tirando o canudo da embalagem enquanto a garçonete trazia as bebidas. Ela já sabia os pedidos de cor agora; Ana e Joaquin não olhavam o cardápio havia três meses.

— Você já desconfiava disso — comentou Ana. — E quanto a elas? Foram *legais*?

Joaquin sorriu.

— Elas são engraçadas e já se dão muito bem. E isso fez com que eu me sentisse... — continuou ele, sendo mais rápido do que a pergunta de Ana. — ... *bem*. Fico feliz que elas gostem uma da outra.

— E elas gostaram de você?

Joaquin encolheu os ombros e tomou um gole da Coca-Cola.

— Acho que sim. Fizemos um grupo para trocarmos mensagens Vamos nos encontrar de novo no domingo.

— Isso é bom — comentou Ana. *Bom, bem, legal.* Ana estava tentando pavimentar uma estrada esburacada, percebeu Joaquin.

— É só que... — começou ele antes de pegar o copo novamente.

Ana levantou uma das sobrancelhas.

— É só...? — estimulou ela.

Joaquin passou o polegar pelo copo, deixando uma marca seca no centro da condensação.

— As duas foram adotadas, sabe? Os pais pagaram uma grana preta para ficarem com elas.

Ana assentiu.

— Provavelmente sim.

Quando Joaquin não respondeu, ela acrescentou:

— Isso incomoda você?

— Não fico incomodado por serem elas — respondeu ele, fazendo outra linha no copo. — É só que... as pessoas *foram pagas* para ficarem comigo, e mesmo assim não foi o suficiente.

Ana olhou para ele.

— E como você se sente com isso?

Joaquin encolheu os ombros. Não queria mais falar sobre as irmãs. Ainda estava em busca de palavras para descrever como tinha se sentido em relação a elas, e sabia que Ana esperaria até que as encontrasse.

— Terminei com a Birdie — revelou, em vez de responder. Não tinha abordado esse assunto na última sessão por causa da decisão de se encontrar com Maya e Grace. E também porque não queria conversar sobre Birdie. Descobrir duas irmãs tinha sido *realmente* útil para evitar assuntos difíceis.

Ana piscou para ele. Era necessário muito esforço para surpreendê-la. Joaquin já vira o seu rosto neutro muitas vezes desde que começaram as sessões; surpreendê-la era uma grande vitória, de certa forma.

— Uau! — exclamou ela depois de quase dez segundos, nove dos quais Joaquin se questionou se tinha sido inteligente trazer Birdie para a conversa.

— Você quer me contar o motivo? — A expressão de surpresa tinha desaparecido e ela voltou ao modo neutro de terapeuta. — Achei que você gostasse dela.

— Eu gosto — confirmou Joaquin. — E foi justamente por isso que terminei com ela.

Ana inclinou a cabeça para o lado.

— Isso parece uma coisa que o Joaquin que conheci há 18 meses diria.

— Eu sou a mesma pessoa — argumentou Joaquin. Ele odiava quando Ana tentava separar o seu eu do passado do seu eu do presente. Joaquin sabia que isso era impossível, que ele sempre estaria ligado às coisas que tinha feito, às famílias que o tinham acolhido. Sabia disso porque tinha passado anos tentando superar tudo. — Eu só percebi que não era uma boa ideia continuar com o namoro.

— Você me disse no mês passado que Birdie, mais do que qualquer outra pessoa na sua vida inteira, deixava você feliz.

Joaquin às vezes desejava que Ana não tivesse uma memória tão boa.

— Ela faz... *fazia* — corrigiu-se ele. — Eu só... Ela tem um monte de fotos de quando era bebê.

Ana se recostou e pegou o copo de limonada.

— E você não.

Joaquin se remexeu um pouco no banco e ficou se perguntando onde estava a comida. Estava morrendo de fome. Estava sempre morrendo de fome. Mark e Linda costumavam brincar sobre a quantidade de comida que ele comia, então ele começou a comer menos. Quando eles perceberam o que Joaquin estava fazendo, ficaram horrorizados. Ninguém mais brincou sobre a quantidade de comida. Eles ainda mantinham um pacote extra de pão no freezer para ele.

— Joaquin — começou Ana. — Só porque você não tem fotos de quando era bebê, não significa que não tenha um passado.

— Eu sei disso — afirmou Joaquin. — Você acha que eu não sei disso? A gente se encontra toda semana por causa do meu passado. Eu só não quero isso para Birdie.

Ana esperou um pouco antes de perguntar:

— E quanto ao que você quer para você?

— Isso não é importante. Ela é mais importante.

— Vocês *dois* são importantes, Joaquin. Você alguma vez contou para Birdie sobre o que aconteceu com você antes de vir morar com Mark e Linda?

Joaquin debochou, revirando os olhos.

— Com certeza — respondeu ele em tom sarcástico. — Eu contei a ela que me internaram em uma ala psiquiátrica quando eu tinha 12 anos. As garotas *amam* essa história. Principalmente as bonitas.

— E quanto...

— Birdie tem muitos sonhos, tá legal?! — declarou Joaquin, interrompendo-a. Às vezes era tão frustrante conversar com Ana, porque ela se recusava a ver as coisas a partir da perspectiva dele. Se alguém era um *expert* na vida de Joaquin, esse alguém deveria ser o próprio Joaquin. — Ela planeja uma *vida*... Eu nunca poderia dar a ela o que ela quer.

— Ela disse isso? — devolveu Ana. — Ou foi *você* que disse?

Joaquin afastou o olhar. Eles dois já sabiam a resposta.

— E quanto a Maya e Grace? — retomou Ana. — Vai contar para elas o que aconteceu?

— Não — respondeu ele, olhando pela janela.

Uma van com algumas pranchas aparecendo na traseira e cheia de adolescentes passou por eles. Joaquin tinha quase certeza de que alguns deles frequentavam a mesma escola que ele. Ele os invejava, mas, ao mesmo tempo, nunca quis ser parte daquele grupo.

— Você acha que elas não entenderiam? — insistiu Ana, trazendo a atenção dele de volta para o restaurante, para a garçonete que estava colocando a comida na mesa.

— É claro que elas não vão entender! — exclamou Joaquin assim que ela se afastou. — Elas vivem com famílias perfeitas, elas vivem vidas perfeitas. O que eu vou dizer? Que o irmão mais velho que não tem nada a ver com elas é *louco*?

Ana levantou uma das sobrancelhas. Ela odiava aquela palavra.

— Desculpe.

— Eu não conheço nenhuma das duas, mas posso dizer com toda a certeza do mundo que a vida delas não é perfeita — disse Ana em tom suave. — Os seus problemas podem não ser os mesmos, mas elas têm as próprias merdas com as quais precisam lidar, posso garantir isso.

Joaquin cruzou os braços.

— Você está chateado porque suas irmãs foram adotadas e você não?

— Por que elas deveriam ter vidas ruins só porque eu tive? Isso é burrice. Elas deveriam ter famílias boas. E é *exatamente* isso que elas *têm*. — Ele fez uma pausa antes de acrescentar: — Grace, a mais velha, quer que a gente procure a nossa mãe biológica.

— E o que você acha disso?

— Eu disse "não, obrigado". Maya também. Na verdade, o que ela disse foi "Ela entregou Joaquin para *estranhos*". — Joaquin tentou imitar a indignação de Maya, o jeito como ela tinha praticamente cuspido a palavra como se fosse um palavrão, como se fosse a pior coisa do mundo não conhecer a sua família. — Grace está sozinha nessa.

— Grace falou por que queria procurar por ela?

Joaquin encolheu os ombros.

— Eu não sei. Ela pode conversar com o próprio terapeuta sobre essa merda.

Ana sorriu para ele e Joaquin retribuiu o sorriso.

— Se incomoda de voltar para Birdie por um minuto? — perguntou Ana.

— Pode ser. Desde que seja apenas nessa conversa.

— *Touché.* Você sente saudade dela?

Joaquin sentia saudade de tudo em Birdie. Do cheiro da pele dela, da forma como o seu cabelo caía pelo braço de Joaquin sempre que ela apoiava a cabeça no seu ombro. Sentia falta do riso dela, da raiva furiosa quando alguém fazia algo de que ela discordava.

— Um pouco — respondeu ele. — Às vezes.

Ele sentia falta dela a cada minuto do dia.

— E quanto às suas irmãs? — perguntou Ana. — Você também vai afastá-las quando começar a conhecê-las melhor? Vai fugir como fugiu de Birdie porque acha que não é bom o suficiente para elas?

Joaquin comeu uma batata frita e não respondeu. Batatas fritas ficavam horríveis quando esfriavam, mas essas estavam quentinhas e crocantes. Ele comeu outra.

— Porque eu tenho novidades para você — continuou Ana. — Não dá para simplesmente mandar a sua família embora. Você sempre estará ligado a elas.

Joaquin passou o dedo pela marca de condensação do seu copo na mesa.

— Sério? — perguntou ele. — Diga isso para a minha mãe.

— Joaquin — disse Ana, e agora sua voz estava gentil. — Você merece ter essas pessoas na sua vida. Mark e Linda também. Você precisa se perdoar pelo que aconteceu.

— Não consigo — respondeu ele, sem conseguir se conter. — Eu não consigo me perdoar porque não sei quem eu era quando fiz aquilo. Eu não conheço aquele garoto. Ele era a porra de um idiota que ferrou com tudo.

Os olhos de Ana se entristeceram um pouco ao olhar para ele. Ela sabia a verdade, é claro. Tinha visto os registros da hospitalização, os relatórios policiais, as declarações da família adotiva de Joaquin, as garrafas de uísque.

— Eu só quero fingir que aquilo não aconteceu — confessou ele depois de um minuto.

— Ah, é? — perguntou Ana. — E como você está se saindo?

— Uma merda — respondeu ele, depois não conseguiu segurar o riso. — Mas pelo menos eu sou o único a sofrer dessa vez.

— Tem certeza disso? — perguntou Ana.

Joaquin olhou pela janela e não respondeu.

O pesadelo o acordou mais tarde naquela noite, os lençóis e a camiseta estavam encharcados de suor, o sangue pulsava com tanta força dentro dele que parecia que estava fervendo sob a pele.

— Filho, filho. Ei, está tudo bem. — A mão de Mark estava quente nas suas costas, seus dedos pressionando Joaquin e lhe dando segurança. — Está tudo bem, você só precisa acordar.

— Estou bem — conseguiu dizer Joaquin. As cores atrás das suas pálpebras estavam vívidas demais, agudas demais, como se pudessem rasgar seus olhos.

Linda estava ao lado de Mark, e ela lhe entregou um copo d'água. Ela sempre parecia mais amena no meio da noite, com o cabelo solto e sem maquiagem.

— Desculpe — pediu Joaquin. — Sinto muito. Eu estou bem. Desculpem por ter acordado vocês.

Mark e Linda se sentaram na cama dele, um de cada lado. Joaquin deveria saber que eles não o deixariam. Ele tinha passado 17 anos tentando fazer alguém ficar e, agora que tinha isso, só queria que eles fossem embora.

— Quer falar sobre o assunto? — perguntou Mark.

No início, Joaquin nem conseguia lidar com Mark estando no quarto com ele depois de um pesadelo. Achava que isso era o que Ana chamaria de *progresso*.

— Só... Eu não me lembro — respondeu Joaquin, esfregando a mão no rosto. Ele precisava colocar uma camiseta limpa e seca. Precisava de um cérebro novinho em folha. — O pesadelo só me acordou.

Isso não era verdade, é claro. Ele tinha visto as irmãs no sonho, Maya e Grace no meio do mar, gritando por ele enquanto as ondas quebravam com mais força na areia. Ele tentou alcançá-las, mas seus pés estavam presos no chão, e Joaquin só conseguia observar enquanto elas eram puxadas pelo mar.

— Você estava gritando por Grace e Maya — contou Linda, a voz gentil. — Sonhou com elas?

Joaquin encolheu os ombros.

— Sei lá.

Ele não precisava levantar o rosto para saber que Mark e Linda estavam trocando um olhar por sobre sua cabeça. Se ganhasse um dólar para cada vez que faziam isso, ele poderia se mudar e ter uma casa só dele. E um carro.

Mais duas pessoas deixadas de lado.

— Você acha que consegue voltar a dormir? — perguntou Mark depois de um minuto de silêncio. Sua mão ainda estava firme nas costas de Joaquin. O garoto gostava deles dois, mas gostava da capacidade de Mark de ficar em silêncio, de não precisar de uma resposta na hora. Mark às vezes percebia que Joaquin conseguia dizer muito mais sem usar as palavras.

— Acho que sim. Estou bem — afirmou ele, tomando mais um gole de água. — Desculpem por ter acordado vocês.

— Não se preocupe — disse Linda. — Mark ainda estava acordado. Lendo alguma bobeira na Internet, tenho certeza.

Joaquin sorriu — mais porque Linda esperava que ele sorrisse do que por querer de fato sorrir.

GRACE

A mãe de Adam decidiu não dar queixa contra Grace, o que foi legal da parte dela. A escola tinha uma política de tolerância zero para casos de violência, mas também tinha uma política de tolerância zero para *bullying,* e já que Adam tinha começado todo o drama, a escola decidiu que ele era tecnicamente responsável. (Além disso, a mãe de Adam era mãe solo e ficou muito chateada com ele por ter provocado Grace com o som de um bebê chorando. Deve ter havido alguns gritos vindos da diretoria logo depois que ela chegou à escola. Grace pode tê-los ouvido ou não enquanto sua mãe assinava a liberação para levá-la de volta para casa.)

É claro que a escola não ficou nada satisfeita com a atitude de Grace também, mas ouviu a mãe dizer alguma coisa sobre "hormônios" e "bebê" no telefone para eles enquanto ela estava do lado de fora do quarto de Grace. Aparentemente, aquelas palavras aterrorizaram os administradores da escola. Grace tinha quase certeza de que tinha sido a primeira aluna grávida na história da escola, e também sabia que as instituições de ensino não melhoravam sua classificação por ter altos índices de gravidez na adolescência.

No final, chegaram a um acordo. Grace estudaria de casa pelo resto do ano letivo e voltaria para a escola para terminar o ensino médio no outono seguinte. Sinceramente, parecia menos um acordo e mais um presente. Grace ficaria muito satisfeita se nunca mais precisasse colocar os pés naqueles corredores de novo. Quase desejou que os pais a mandassem para um dos colégios internos da Costa Leste que ela sempre via nos filmes. Ela poderia recomeçar, esquecer o seu antigo eu, apagar cada decisão errada que tomou e se tornar outra pessoa.

Mas sabia que não poderia escapar do próprio passado. Ou de Pesseguinha. Nunca seria capaz de esquecer Pesseguinha.

A mãe chamou Grace e pediu que ela descesse por volta das onze horas daquela manhã de sábado. Grace tinha quase certeza de que a mãe tinha chegado ao limite da paciência em relação ao hábito da filha de ficar debaixo das cobertas assistindo a maratonas na TV. No dia anterior, ela a obrigara a trocar os lençóis, tomar banho e abrir a janela — "está com cheiro de toca de *hobbit* aqui". (A mãe de Grace escreveu uma tese sobre a obra de Tolkien na faculdade, então ela usava um monte de expressões como, por exemplo, "toca de *hobbits*". Grace e seu pai tinham aprendido a aceitar isso.)

— Aqui — disse ela quando Grace desceu. — Preciso que você devolva isto para mim. — Ela entregou uma sacola da Whisked Away, uma loja de utensílios de cozinha.

Grace soltou o corrimão, olhando dentro da sacola e equilibrando-se para não cair antes de descer o último degrau.

— O que é isso?

— Algo que precisa ser devolvido.

Grace espiou pelo papel de seda, ignorando a mãe.

— O que é isso?

— Você faz muitas perguntas.

Grace continuou ignorando a mãe. Era um minúsculo ovo frito de cerâmica aninhado em uma frigideira igualmente minúscula de cerâmica.

— Isso aqui é...? Um conjunto de saleiro e pimenteiro?! — Grace pegou o ovo. — Não sei dizer se isto é horrível ou incrível.

— Isso aí é o resultado de uma compra em um momento de insônia — explicou a mãe. Sua insônia fazia com que ela comprasse um monte de coisas pela Internet, coisas que costumavam ser devolvidas assim que chegavam, quando eram analisadas sob a luz fria e dura do dia. (Grace suspeitava de que aquela insônia também foi o que fez sua mãe ler todos aqueles livros do Tolkien.)

— São horríveis — decidiu Grace por fim. — Papai vai odiar.

— Seu pai *já* odeia! — gritou ele da cozinha.

A mãe levantou uma das sobrancelhas como se perguntasse: *Está vendo com o que estou lidando aqui?*

— Por favor, só vá até lá e devolva isso — irritou-se ela, entregando uma nota de vinte dólares para Grace. — Pode comprar um café elegante gigante ou um frozen yogurt ou algo assim.

A mãe de Grace tinha sorte, porque era fácil subornar a filha. Ela pegou a sacola. E o dinheiro. E as chaves do carro.

Quando parou na frente do shopping, porém, percebeu que tinha cometido um erro enorme, muito maior do que a compra do saleiro e do pimenteiro. Era sábado, também conhecido como um dia em que não tinha aula. O estacionamento não estava lotado demais, e ela não reconheceu nenhum dos carros da escola, mas isso não a tranquilizou nem desfez o nó que sentiu no estômago. Afinal de contas, da última vez em que Grace vira os seus colegas, acabou socando um deles na cara. Ela não queria repetir a experiência.

Se a mãe tinha feito aquilo de propósito só para obrigá-la a sair de casa, Grace ia matá-la.

Ela colocou os óculos de sol e atravessou o estacionamento, preferindo entrar pelos fundos da loja em vez de passar pelas bonitas fontes de água e parques infantis. Achava que não conseguiria ver crianças agora, ouvi-las gritar sobre a água, sem pensar em como Pesseguinha seria naquela idade. Apenas ver a imagem de um bebê na TV era o suficiente para fazê-la trocar de canal. Era como se o seu coração estivesse sendo apunhalado pelo mais imenso amor e, independentemente da origem, a dor era demais para aguentar.

A Whisked Away estava bem vazia quando Grace finalmente chegou lá (achou que ficar procurando utensílios de cozinha não era o programa ideal para uma manhã de sábado). Entrou na fila atrás de uma mulher que estava pagando com cheque. Com *cheque*.

Grace se perguntou se a carroça da mulher estaria esperando lá fora.

Quando estava quase chegando a sua vez, porém, viu algumas pessoas entrando. Não sabia o nome delas, mas as reconheceu da escola. Eram duas garotas que pareciam legais, mas Grace de repente sentiu vontade de desaparecer em um buraco, exatamente como Alice desapareceu e chegou ao País das Maravilhas, antes de qualquer pessoa vê-la. Seu coração começou a bater feito uma arma disparando para indicar o início de uma corrida, repetidas vezes, alertando-a de que deveria começar a correr.

Ela não correu, mas saiu da fila com uma rapidez ridícula e seguiu para o fundo da loja, perto da seção de liquidação, onde aconteciam as aulas de culinária. A área estava deserta e mais fria também, e ela ficou parada embaixo de uma saída de ar enquanto tentava recuperar o fôlego.

Aquilo era burrice. Elas provavelmente nem a conheciam, e mesmo que conhecessem, quem se importava? Não era como se a tivessem flagrado roubando a loja à mão armada.

Grace *sabia* de tudo isso, é claro, mas o seu coração estava demorando um pouco mais para acompanhar o seu cérebro.

— Posso... Ah. Oi.

Grace se virou, pronta para falar para o vendedor que estava bem, que não precisava de ajuda, que só estava dando uma olhada, qualquer coisa para se livrar dele, quando percebeu quem era: Rafe, o cara do banheiro com cheiro de formol.

Claro que é você, pensou Grace. *Claro que é.*

— Ah, oi — cumprimentou ela. — Oi. Eu só estou... hum... eu vim devolver um produto.

— Tranquilo — respondeu ele, sem se mexer. O avental verde que usava realçava o tom castanho dos seus olhos, mas talvez fosse só a luz. Ou um reflexo das panelas de teflon na vitrine. Devia ser isso.

— É — disse Grace de novo. Ela parecia superinteligente. Essa facilmente era a sua melhor conversa. — Hum, você trabalha aqui? — Medalha de ouro para perspicácia, com certeza!

— Não, eu só gosto muito de usar avental — retrucou Rafe, com tanta seriedade que ela piscou, perguntando-se se talvez tivesse acidentalmente começado a conversar com um psicopata que gostava de cozinhar. Mas, então, ele riu. — Brincadeirinha! Desculpe, ninguém entende o meu senso de humor. Estou brincando. Eu trabalho aqui. Mas eu gosto mesmo do avental. Só não conte para ninguém.

Grace assentiu, tentando descobrir uma forma de fugir da conversa e da loja o mais rápido possível.

— Tem bolsos — comentou Grace. — Isso é sempre legal.

— Não é? — concordou Rafe, enfiando a mão no bolso da frente e remexendo um pouco. — Tem lugar para todos os meus segredos. Desculpe, é a minha tentativa de ser engraçado de novo, se você não percebeu.

Ele estava em algum ponto entre o constrangedor e o charmoso. Grace não conseguia se decidir se gostava ou sentia pena dele.

— Dessa vez eu percebi — comentou ela.

— Então, você quer devolver alguma coisa?

Tudo bem, Grace tinha que dar o braço a torcer, não devia ser nada fácil conversar com a garota que ele tinha conhecido quando ela estava se debulhando em lágrimas no chão de um banheiro porque tinha acabado de socar a cara de um garoto, em um lugar bem ao lado de onde animais estavam sendo dissecados em nome da ciência.

— Quero, sim — confirmou Grace, e ergueu a sacola. — Para a minha mãe. Ela tem insônia e compra um monte de coisas pela Internet, depois devolve.

— Ah, eu posso ajudar com isso. Com a devolução. Não com a insônia.

Grace lançou um olhar para a frente da loja.

— Será que a gente poderia fazer isso aqui atrás? — pediu.

Rafe seguiu o seu olhar.

— Tem algum tipo de cliente horrível lá? Alguém fedendo ou algo assim?

— Não, é só... sabe? Um pessoal da escola.

— Ah, entendi. Sei como é, já são cinco dias seguidos com eles, e agora estamos no fim de semana e *mesmo assim* não dá para se livrar deles.

— Tipo isso — concordou Grace, mas Rafe sorriu para ela de um jeito que a fez se perguntar se ele sabia o verdadeiro motivo de ela não querer ir até lá.

— Estou feliz por vê-la de novo — declarou ele, enquanto a levava até a registradora dos fundos da loja. — Dessa vez sem, você sabe, aquele fedor de formol.

— Tentei te avisar — respondeu ela. — Mas você não quis ouvir.

— É, aquilo foi só uma experiência interessante. — Ele pegou a sacola da mão de Grace sem olhar para ela. — Mas o que é *isso*?

— É um conjunto de saleiro e pimenteiro — esclareceu ela. — Eu disse: insônia. Ela faz umas escolhas estranhas às três horas da manhã.

— Não sei dizer se isso é horrível ou incrível.

— Foi exatamente o que eu disse! — exclamou Grace. — Meu pai votou por horrível, então eu...

Grace sentiu o telefone vibrar no bolso de trás, mas decidiu ignorar.

— Então — disse Rafe enquanto começava o procedimento de devolução. — Quem você anda socando agora? Tem que se manter em forma, sabe? Uma ninja nunca descansa.

— Não sou uma ninja de verdade.

Rafe digitou os números no teclado diante dele.

— Como você sabe que não?

— Você não precisa de algum tipo de... certificado? Tipo um distintivo ou um diploma?

— Sei lá. Eles nunca ficam por perto tempo o suficiente para eu poder perguntar.

Grace sorriu mesmo sem querer.

— Não soquei mais ninguém desde aquele dia — admitiu. — Foi um lance único.

— Os seus pais colocaram você de castigo pelo resto da sua vida?

— Não. — Ela observou enquanto ele pendurava a devolução, virando o ovinho na frigideira como se estivesse realmente fritando--o. — Meus pais estão meio que pisando em ovos quando ficam perto de mim agora.

— Ah, é? — Ele olhou para ela. — Por quê? Eles têm medo de levar um soco também?

— Você não ficou sabendo? — perguntou Grace por fim. — Sério?
— Seu telefone vibrou de novo. Ela o ignorou, *de novo*.

— Sabendo de quê? — Rafe lhe entregou o recibo. — Acabei de creditar o valor na conta da sua mãe.

— Espere um pouco, você não sabe por que eu soquei aquele cara e...?

— Veja bem, esse é o ruim de ser o aluno novo. Você não tem amigos que contem para você todos os segredos sujos.

Grace sentiu o coração afundar no peito. Não era de estranhar que ele estivesse sendo tão legal com ela. Ele não fazia ideia.

— Considere isso uma sorte.

— Vou fazer melhor. Está na hora do meu intervalo. Você quer tomar um frozen yogurt comigo ou algo assim? Você pode me contar tudo o que devo saber. E ser a minha fonte de notícias.

Grace não tomava frozen yogurt desde antes de Pesseguinha. Só de pensar no sabor ácido de fruta, o seu estômago se revirava de enjoo, mas agora não parecia tão ruim.

Tomar frozen yogurt *acompanhada,* por outro lado, era outra história. Uma história ruim. Uma história que parecia *muito* ruim.

— Olha só, eu preciso te contar uma coisa — começou Grace, olhando para ele. Ela realmente tinha dificuldade de olhar as pessoas nos olhos nos últimos tempos. Era quase como se isso fizesse sua cabeça pesar, como se tivesse que desviar o olhar para manter o próprio equilíbrio.

— Bem, *essa* frase nunca leva a nada bom.

— Eu só... Eu realmente não estou querendo ficar nem namorar ninguém no momento, está bem? Eu não quero isso.

— Opa! Calma aí. — Rafe ergueu as mãos e olhou em volta como se Grace tivesse acabado de ameaçá-lo com uma arma e mandado esvaziar a caixa registradora. — Quem disse qualquer coisa sobre ficar ou *namorar*? Eu disse *frozen yogurt*. As palavras nem rimam!

Grace riu, apesar de tudo. Max tinha feito a mesma coisa também, muito tempo antes.

— Eu só gosto de frozen yogurt e achei que *você* talvez gostasse também — continuou ele. — E o meu intervalo é de apenas 15 minu-

123

tos, então seria um encontro muito ordinário. Você *não deveria* me namorar. Eu obviamente sou péssimo nisso.

— Você é muito estranho — comentou Grace depois de um minuto.

Ele deu de ombros.

— Meus irmãos são muito mais velhos do que eu. Então eu sou basicamente filho único. Passo muito tempo falando sozinho.

— Eu também sou — disse Grace, antes de perceber, de repente, que ela meio que não *era* filha única. Não mais. — Bem, mais ou menos. Longa história.

Rafe arqueou uma das sobrancelhas, mas não perguntou mais nada.

— Frozen yogurt?

— Tudo bem — concordou Grace. — Mas eu pago o meu.

— Dã. Eu trabalho em uma loja de utensílios de cozinha. Quanto você acha que eu ganho?

Não tinha fila na sorveteria, o que foi bom. Grace não tinha certeza do que faria se fosse reconhecida por alguém da escola. Ou se encontrasse Janie. Ou Max. Esse pensamento a deixava nervosa, e ela sentiu o suor escorrer pelas costas.

Na frente dela, Rafe apertou os olhos diante das coberturas.

— O que você acha? Crocante?

Grace negou com a cabeça.

— Não. Isso gruda no dente.

— Garota esperta, tão esperta.

Ele estendeu a mão para pegar balinhas de fruta, colocando algumas no seu frozen, e depois seguiu para os ursinhos de gelatina. Grace pegou sementes de romã e morangos antes de se dar conta de que estava escolhendo itens que seriam saudáveis para Pesseguinha. Quando as coisas fugiram do seu controle, tudo que Grace conseguiu fazer foi se certificar de se manter saudável, então ela aprendeu tudo sobre antioxidantes, ômega 3 e ácido fólico.

Grace desistiu dos morangos e pegou massa crua de biscoito.

— Você sabe que isso leva ovo cru, que pode causar salmonela e...

Grace olhou diretamente para os olhos de Rafe e enfiou um pouco da massa na boca.

— Tudo bem, então — disse ele. — Vamos em frente.

Quando chegaram ao caixa, ela entregou o dinheiro que sua mãe tinha lhe dado.

— Espere um pouco, achei que isso não era um encontro nem nada! — reclamou Rafe. — Você não pode pagar.

— Cortesia da minha mãe — informou Grace. — E da insônia dela.

— Legal — concordou Rafe. — Agradeça a ela por mim. E agora eu queria ter colocado mais alguns ursinhos.

— Você não se importa? — Grace pegou o troco. — O meu último namorado sempre pagava por tudo. — Ela os levou para uma mesa bem longe das janelas da loja.

— Cara elegante. Ele estuda na nossa escola?

Grace concordou com a cabeça.

— E ele é seu ex?

Grace concordou de novo.

— Estou realmente gostando desse jogo de perguntas. Mas acho legal você falar alguma coisa.

Grace sorriu e tirou a colher da boca.

— O cara que eu soquei? Era o melhor amigo dele.

Rafe arregalou os olhos.

— Uau. Você é fria.

— Ele mereceu. — Grace viu uma mulher empurrando um carrinho de bebê passar pela janela, apressada para chegar aonde quer que estivesse indo.

Rafe começou a misturar as balinhas de fruta no frozen, fazendo as cores se mesclarem em um arco-íris espiral.

— Então, você vai me contar por que socou a cara do melhor amigo do seu ex-namorado, por que seus pais não a colocaram de castigo por causa disso e por que você não vai mais para a escola?

— Como você sabe que eu não vou mais à escola? — O telefone de Grace vibrou de novo, um lembrete.

Rafe deu de ombros.

— Eu noto as coisas.

— Você *realmente* quer saber?

Ele assentiu.

Grace respirou fundo, olhando pela janela de novo. A mãe e o carrinho tinham desaparecido.

— Porque eu engravidei. E tive um bebê no mês passado. — As palavras escaparam da sua boca como se estivessem ali, esperando para sair, o tempo todo.

Rafe piscou.

— Você tem um bebê?

— Eu *tive* um bebê. E a entreguei para adoção. — Grace teve que forçar as palavras a saírem. — E agora ela está com uma família muito boa.

Sentiu aquela punhalada cortante e aguda de amor bem no meio das costelas.

Rafe assentiu. Ainda estava misturando o frozen, e ele estava ficando em um tom de rosa acinzentado.

— Uau. Tudo bem. Uau.

— O cara que eu soquei? O nome dele é Adam, o melhor amigo do meu ex, Max. No dia que voltei para a escola, ele colocou o som de um bebê chorando no celular. — Grace encolheu os ombros, como se o que tinha acontecido fosse normal, o tipo de coisas que pessoas boas faziam todos os dias. — E eu fiquei puta da vida.

— Qual era o nome dela?

Grace ergueu o olhar. Nunca ninguém tinha feito essa pergunta a ela. Ninguém tinha perguntado nada sobre Pesseguinha desde o dia que ela nasceu.

— Milly — respondeu. — Amelía. Mas eu sempre a chamei de, hum... Pesseguinha. Na minha cabeça, é assim que eu a chamo.

— Você sente saudade dela?

Grace assentiu e tomou uma colherada do sorvete antes que Rafe percebesse o tremor no seu queixo.

— Todos os dias.

— E o seu ex?

— Ele não quis saber dela. Os pais dele praticamente o proibiram. Ele assinou um documento abrindo mão dos seus direitos, tipo, dois segundos depois que descobriu sobre ela.

— Esse é o mesmo cara que pagava tudo nos encontros? — Quando Grace assentiu, Rafe se recostou na cadeira e soltou um longo suspiro. — Bem, o cavalheirismo está *oficialmente* morto? Quem vai querer um cara que pode comprar um frozen yogurt, mas não assume o próprio filho?

— *Você* nem comprou um frozen yogurt para mim — argumentou ela.

— Exatamente. Não dá para contar com mais ninguém nessa vida.

Grace sabia que ele não estava sendo cruel. Já tinha ficado boa em interpretar as diferenças no tom de voz das pessoas, aquelas que diziam "Ah, você está grávida!" E as que diziam "Ah. Você está grávida."

Rafe pegou um pouco da massa de biscoito do sorvete de Grace.

— Bem, agora estou feliz por você ter socado aquele cara. Deveria ter socado o seu ex também.

Grace levantou a colher de plástico.

— É isso aí — disse ela, e ele bateu com a colher dele contra a dela. — Da próxima vez, sem dúvida.

— Então, é esquisito para você agora? Tipo, depois que tudo aconteceu? Grace baixou a colher.

— Você sempre faz esse tipo de pergunta para estranhos?

Nem os próprios pais tinham feito aquela pergunta para ela. Parando para pensar, ninguém tinha perguntado absolutamente nada. Embora ela achasse que isso era o certo a se fazer. Rafe estava basicamente abrindo um buraco nos muros de uma represa enorme, e tinha muita água ali esperando para sair.

Ele apenas deu de ombros.

— Você sempre responde a perguntas desse tipo para estranhos?

Naquele ponto, Grace teria respondido perguntas sobre a secadora de roupas da atendente da loja de maquiagem. Estava doida para ter uma boa conversa.

— Não é esquisito, na verdade. É só que tudo está muito diferente. Tipo, eu não tenho mais amigos, meus pais ficam pisando em ovos para falar comigo, ninguém mais me manda mensagem no celular...

— Sério? Porque seu telefone não para de vibrar.

— Ah, deve ser só a minha mãe. Ou Maya. Ela é minha... — *Irmã.* Outra palavra que soava estranha na sua boca. — É uma longa história.

Rafe parou a colher antes de chegar à boca.

— Meu tipo favorito.

— Ela é a minha irmã biológica. A gente acabou de se conhecer. E também encontramos o nosso irmão biológico, Joaquin.

— Sua irmã bio... Uau. — Rafe começou a rir. — Grace, eu não sei o que você planeja fazer no ano que vem para superar este ano, mas tem que ser bizarro. Tipo, voo livre enquanto está sendo devorada por piranhas.

— Acho que vou deixar essa experiência passar. — O iogurte de Grace ainda não estava descendo bem, mesmo agora que Pesseguinha tinha ido embora. Ela empurrou o copo em direção a Rafe. — Mas Maya é basicamente a única pessoa que me manda mensagem agora.

— Sem amigos, sem mensagens. Sua vida se parece muito com a minha.

— Bem patética.

— Pois é. — Ele mordeu a cabeça do seu ursinho de gelatina e suspirou. — E a gente nem pode ter encontros. Terrível.

Grace sorriu, apesar de tudo.

— Bem — disse Rafe, olhando para o próprio telefone. — Tenho exatamente quatro minutos antes de ter que voltar ao trabalho e bater o cartão. Quer me acompanhar?

Grace fingiu pensar no assunto.

— Deixo você usar o avental se quiser.

— Não precisa — respondeu ela, mas se levantou e o seguiu.

Rafe segurou a porta para ela. Max tinha feito isso uma vez para Grace também.

Ela esperou para olhar o telefone só quando estivesse no carro, com as portas trancadas e as janelas fechadas. Estava calor ali, o ar muito parado, os sons das pessoas do lado de fora abafados pelo vidro completamente fechado.

Grace quase não conseguia respirar.

Era uma mensagem de sua mãe.

Chegou uma correspondência para você.

Grace dirigiu de volta para casa no ritmo de uma lesma, se uma lesma pudesse tirar carteira de motorista. Sabia que tipo de correspondência aguardava por ela na caixa de correio, simplesmente sabia, do mesmo jeito que soubera que Pesseguinha não devia ficar com ela.

Quando chegou em casa, sua mãe estava na cozinha. Havia um pequeno envelope de papel pardo na bancada, bem evidente em contraste com os ladrilhos brancos, e Grace olhou para ele antes de encarar a mãe.

— É para você — informou ela, e Grace sabia que a mãe estava completamente ciente do endereço do remetente no envelope. Era da agência de adoção. Daniel e Catalina tinham prometido mandar notícias sobre o desenvolvimento de Pesseguinha todos os meses do primeiro ano por e-mail e fotos, e Grace não ficou surpresa de receber esse primeiro contato.

Grace ignorou a expressão da mãe, pegou o envelope e subiu para o quarto. Sabia que ela queria que a filha abrisse na cozinha, que queria ver tudo que havia no envelope, mas Grace temia desmoronar no chão assim que o abrisse, e preferia estar sozinha se isso acontecesse.

Passaram-se trinta dias desde que entregara Pesseguinha para Daniel e Catalina. Trinta dias para pegar Pesseguinha de volta, contestar a adoção, agarrar a filha e trazê-la de volta para os seus braços. No trigésimo dia, Grace tinha ficado deitada na cama e observado os segundos passando no relógio. Quando o seu telefone marcou meia-noite e um minuto, algo dentro dela murchou.

Trinta dias tinham se passado. A adoção era oficial. Pesseguinha tinha partido para sempre.

Ao chegar no quarto, Grace abriu espaço na bagunça espalhada pelo chão — roupas sujas que não tinha lavado ainda, livros e revistas que não tinha lido — e, então, se sentou com as pernas cruzadas e abriu o envelope com o polegar, ignorando o corte inevitável que o papel deixaria em seu dedo.

Uma carta e duas fotos escorregaram, e Grace conseguiu pegar uma das imagens antes que caísse no chão. Era a foto de um bebê, gordinho e não tão avermelhado e enrugado quanto Grace se lembrava.

Era Pesseguinha, seus olhos estavam claros e tranquilos enquanto olhava para a câmera. Ela era perfeita.

Grace ficou olhando para a foto por um minuto antes de pegar o papel de carta que tinha caído no chão. Era personalizado, *Milly Johnson* escrito com uma fonte cor-de-rosa no alto, e Grace demorou um segundo antes de perceber quem Milly Johnson era.

Pesseguinha tinha um papel de carta com o seu nome. Grace nunca teria pensado em lhe dar algo assim. Ela se perguntava de quantas coisas teria se esquecido, tanto grandes quanto pequenas, coisas que ela nem saberia que Pesseguinha precisava até ser tarde demais.

Querida Grace, começava a carta.

Sei que decidimos enviar e-mails regularmente, mas achamos que este primeiro contato deveria ser uma carta escrita à mão para você. Qualquer outra coisa nos pareceu um pouco impessoal demais.

Do fundo de nosso coração, não sabemos nem como começar a agradecê-la pelo lindo e precioso presente que permitiu que trouxéssemos para as nossas vidas. Milly é uma alegria desde o primeiro momento que nossos olhos pousaram nela, e o nosso amor só fica mais profundo e maior à medida que os dias passam. Mal podemos esperar para ver quem ela se tornará e como mudará. Nossos corações estão repletos de amor e transbordando de alegria.

Com isso tudo, existe também um imenso sentimento de gratidão pelo amor que você deu a Milly e pelo sacrifício que você fez pela nossa família. Vamos dizer a Milly todos os dias que sua mãe biológica era corajosa e bonita e que a amava de formas que nunca seremos capazes de descrever, e que nosso desejo é de que ela conheça você e saiba coisas sobre a sua vida e o modo altruísta como a trouxe para este mundo.

Só podemos imaginar as emoções conflitantes que você deve ter sentido nesses trinta dias, mas saiba que nós amamos e adoramos Milly mais do que tudo no universo, que ela é a

*nossa bebezinha, mas que ela um dia foi sua também e que a
bondade do seu presente jamais será esquecida.*

Com nossos sinceros votos de felicidade e profunda gratidão,

Daniel, Catalina e Amelía (Milly)

Grace leu de novo e mais uma vez. Cada palavra parecia estar sendo entalhada no seu coração, cortando sua pele, queimando, e ela pegou a segunda foto e a virou. As palavras "Amelía Johnson, quatro semanas de vida" tinham sido manuscritas com letra caprichosa no verso. Na frente, Pesseguinha estava usando uma roupa tipo marinheiro, com chapéu e sapato de barquinho. Grace pegou as duas fotos e cuidadosamente as enfiou por baixo da blusa, pressionando-as contra a barriga, onde Pesseguinha um dia estivera.

Sabia que aquilo era ridículo, que eram apenas fotos, que Pesseguinha nunca mais estaria ancorada a Grace daquela forma, mas tentou senti-la novamente, tentou se lembrar da pressão dos pezinhos contra suas costelas, do jeito como ela tamborilava os punhos às três da manhã.

No fim, porém, eram apenas fotos, e Grace finalmente as tirou e as guardou na gaveta, sentindo-se tola. Queria olhar para elas para sempre e não queria vê-las nunca mais. Dobrou a carta e a enfiou no fundo da gaveta de suéteres, bem onde ficava o seu favorito, aquele que tinha usado durante a gravidez, de lã macia e quentinha.

Grace sabia que não podia voltar atrás, mas, de pé no meio do quarto bagunçado, com uma das mãos na barriga, como se quisesse manter Pesseguinha ali, também percebeu que não fazia ideia de como, exatamente, poderia seguir com a vida.

MAYA

O pai de Maya se mudou no domingo de manhã.

No início, ele tinha prometido que não se mudaria logo de cara, que ainda estavam começando a fase do "arquitetar a separação", o que fez Maya achar que seus pais estavam prestes a construir um prédio em vez de se divorciarem.

Mas, então, ele encontrou um apartamento em um bairro que ficava a dez minutos de distância. O preço do aluguel era bom, ele assinou os documentos e voltou para casa uma noite com um monte de caixas de papelão debaixo do braço, desaparecendo no andar de cima sem dizer nada.

Era um apartamento de dois quartos, então Maya achou que a conversa sobre ela e Lauren terem quartos separados estava fora de questão.

— Eles aceitam cachorro no prédio? — perguntou ela uma noite, apoiando-se no batente da porta enquanto o pai guardava livros em uma caixa.

Maya sempre quis ter um cachorro, mas sua mãe dizia que eles sujavam tudo, babavam e vomitavam no tapete. "A Lauren também fazia isso e você ficou com ela", argumentara Maya mais de uma vez, mas a piada já tinha perdido a graça agora e ela tinha parado de pedir um cachorro.

— Nada de animais de estimação, sinto muito — respondeu o pai.

— Talvez um peixinho?

— Peixinhos não trazem boas lembranças à nossa família — assinalou Maya, depois viu seu pai ficar na ponta dos pés para pegar livros na prateleira mais alta. Quando era pequena, achava que ele era o homem mais alto do mundo. Quando acordava no meio da noite agora, ela sempre pensava que pelo menos o pai estava em casa, que ele sempre seria capaz de assustar qualquer ladrão, urso ou monstro.

Não estava acostumada a vê-lo parecer tão pequeno, esticando-se todo para que a ponta dos dedos pudesse alcançar os livros no alto da prateleira. Isso a fez odiá-lo de repente. Odiá-lo por ir embora tão rápido e tão prontamente, como se não pudesse esperar nem mais um minuto para se afastar delas.

Maya se perguntou se ele sabia que havia uma garrafa de *sauvignon blanc* em uma das gavetas da cômoda. Ela se perguntou se devia contar para o pai. Será que mesmo assim ele se mudaria? Será que levaria Lauren e ela com ele? Quem iria cuidar da mãe delas se isso acontecesse?

No dia em que foi embora, Maya tinha planejado se encontrar com Grace e Joaquin. Eles tinham combinado de se ver todos os domingos — esse era o plano. Maya não conseguiu deixar de imaginar quanto tempo aquilo ia durar até que um deles não conseguisse ir, até que alguém tivesse algo melhor para fazer, pessoas mais legais para ver. Ela se perguntou quando a novidade de ter novos irmãos ia perder a graça. E, então, eles se separariam tão facilmente quanto tinham se unido.

Apostava que Grace ia ser a primeira. Aquela garota parecia nervosa *o tempo todo*. A típica filha única, pensou Maya. Acostumada a ter tudo só para ela, sem querer compartilhar. Depois se sentiu péssima por pensar uma coisa daquelas de uma pessoa que sempre tinha sido legal com ela.

Maya não sabia o motivo, mas conseguia sentir a espiral de escuridão começar a envolver as pessoas que ela amava. Lauren lhe dava nos nervos, com certeza, mas agora tinha uma beira de irritação, como a beira de um envelope que corta seus dedos quando você o abre, ferindo cada vez mais fundo. Sua mãe — Maya mal conseguia olhar para ela sem se lembrar de todas as garrafas de vinho que havia na casa, tanto as óbvias quanto as ocultas, o conteúdo de todas elas diminuindo em um ritmo constante e rápido. Seu pai — ele era um fraco por ir embora e por obrigar Maya e Lauren a catar os cacos que deixaria para trás.

O pior, porém, era Claire. Maya a amava com todo o seu coração, amava cada célula do corpo de Claire, como se cada uma delas fosse a pecinha de um quebra-cabeça feito exclusivamente para que ela pudesse montar. Mas Maya estava começando a sentir que poderia facilmente montar as peças de forma diferente também, dar um soco na imagem completa e espalhar todos os cacos ao vento, deixando nada além de restos do que Claire fora quando estavam juntas.

Maya nunca tinha percebido quanto poder havia no ato de amar alguém. No início, achara que era uma fonte de força, mas agora estava começando a perceber que, nas mãos erradas, no dia errado, era uma força com potência suficiente para destruir tudo que tinha construído aquele amor. Maya olhou para Claire e ficou com vontade de dizer: "Fuja, saia dessa enquanto pode". Em vez disso, não disse nada, e sentiu a vinha escura envolvê-la, prendendo suas pernas, mantendo-a no mesmo lugar enquanto todo mundo parecia cada vez mais longe.

Quando o pai de Maya se mudou, ela achou que fosse chorar.

Não chorou.

Mas Lauren sim, com soluços intensos iguais aos de quando eram pequenas e Maya não queria brincar com ela. Lauren era o bebê da casa, no fim das contas. Estava acostumada a ter tudo o que queria.

Apesar do choro, o pai simplesmente colocou suas roupas, caixas e livros no carro, voltou, deu um abraço apertado em Lauren e cochichou algo contra o seu cabelo antes de soltá-la e abraçar Maya. As vinhas a mantiveram de pé, tranquila e imóvel, enquanto seu pai também sussurrava contra o seu cabelo:

— Amo tanto você. A gente vai se ver logo. Eu ligo hoje à noite. Amo você. Amo você.

Maya sentiu que assentia contra o peito dele antes de se afastar. Aquilo tudo parecia forçado e cafona. Ela meio que se perguntou se estava estrelando um filme, ou sonhando, talvez até mesmo sonhando em estrelar um filme. Atrás dela, sentia a presença da mãe de pé na varanda, observando a cena com o seu roupão de banho amarrado firme na cintura. Maya sabia que ela estava de ressaca pelo jeito como franzia a testa contra a luz do sol, pelo jeito como seus ombros pareciam empertigados demais embaixo do roupão.

Ela se perguntou se o *sauvignon blanc* ainda estava na gaveta ou se já tinha acabado.

O pai de Maya tentou manter o abraço por mais tempo, mas ela começou a andar para trás até os pés chegarem ao primeiro degrau que levava à varanda da entrada. Ao seu lado, Lauren ficava enxugando o rosto com a manga do moletom, e tudo que Maya conseguia pensar era *que nojo*.

— Cuide da sua irmã — orientou o pai e, então, ela viu o queixo dele estremecer.

Já tinha visto o pai chorar antes, é claro, mas só durante filmes ou comerciais de TV muito tristes, não com a vida real. Ela se perguntou se ele tinha chorado quando vira Maya, ou Lauren, ou mesmo a mãe delas pela primeira vez. Provavelmente não em relação à mãe. Seria muito estranho namorar um cara que chorou quando a viu pela primeira vez. Maya acreditava que a mãe teria bom senso se aquele fosse o caso.

— Maya — chamou Lauren, arrancando-a dos seus pensamentos.

— O quê?

Lauren apontou para o pai, que estava entregando um pacote para elas.

— Ah — disse Maya, pegando-o.

— Vocês podem abrir depois que eu for embora — disse ele. — Só quero que se lembrem de mim, só isso.

— Você não está *morrendo* — declarou Maya. Sua intenção era fazer graça, diminuir a tensão, mas as palavras soaram afiadas, como se não morrer fosse uma acusação em vez de algo bom. — Você só está se mudando para outro lugar. A gente pode até jantar com você hoje.

Ficou esperando que ele convidasse. *Querem jantar comigo hoje?*

Ele não convidou.

Em vez disso, deu mais um beijo de despedida, a barba por fazer arranhando o rosto de Maya, e, então, entrou no carro e foi embora. Lauren acenou, Maya, não. Uma trilha feita de azul flutuou pela sua mente quando o carro virou a esquina, afastando-se até desaparecer de vista, exatamente como ele.

— Meninas — começou a mãe, mas Maya passou direto por ela e entrou. Não queria ouvir um discurso agora. Nem agora, nem nunca.

— Então — disse Maya para Joaquin e Grace, que estavam sentados de frente para ela em uma cafeteria. — Meus pais estão se divorciando.

Ficou ensaiando essa frase no banho naquela manhã. A princípio, tinha sido difícil colocar as palavras para fora, mas então fechou o registro da água quente, e a fria arrancou as palavras de dentro dela. Quando conseguiu dizer a frase inteira, estava batendo os dentes e seus lábios estavam azulados.

— Nossa — respondeu Joaquin, sem parecer impressionado.

Maya pensou objetivamente que seu meio-irmão era um cara bem bonito, mas que seus olhos analisavam tudo ao redor, passando de uma pessoa para o lugar para uma coisa. Isso a fazia pensar no jeito como os gatos seguiam o ponto de laser no chão, tentando aprisionar a luz entre suas patas, mas não disse nada disso para Joaquin. Não sabia se ele acharia graça.

— Uau, sério? — perguntou Grace, e tudo bem, ela parecia bastante impressionada. Não tinha parado de morder o canudo do café gelado, manchado com o brilho labial cor-de-rosa, que agora começava a se desfazer. — Quando eles contaram para você?

— Na semana passada — admitiu Maya. — Meu pai se mudou hoje de manhã.

Ela deu de ombros e pegou um pedaço do biscoito que, na teoria, deveriam compartilhar, mas que Maya já tinha comido quase todo.

— Ele alugou um apartamento que fica a uns dez minutos daqui. Pelo menos foi o que nos disse. Acho que estava muito ansioso para ir embora.

136

Também tinha ensaiado dizer aquelas palavras em voz alta, mas nem a água congelante tinha conseguido arrancá-las de dentro dela. Mesmo agora, feriam ao sair.

— Sua mãe está nervosa? — quis saber Joaquin, na mesma hora que Grace perguntou:

— Isso afeta a sua adoção de alguma forma?

— O quê? — gritou Maya. — Por que isso afetaria a adoção? Pelo amor de Deus, eu já tenho 15 anos! O negócio já foi *fechado* há muito tempo!

— O que eu quis dizer... — Grace estava com os olhos arregalados de culpa, não de inocência. — Tipo, isso não invalida o processo, não é? Os seus pais podem se divorciar e isso não significa nada para você no longo prazo.

Maya revirou os olhos com intensidade.

— Joaquin, será que você pode me dar uma mãozinha aqui — pediu ela, apontando para Grace. — Diga para ela que isso não afeta a adoção.

Joaquin olhou de uma para outra.

— Isso não afeta a adoção — disse ele. — Pelo menos, acho que não. Mas não sou exatamente a melhor pessoa para responder a essa pergunta.

Tanto Maya quanto Grace afastaram o olhar. Era fácil esquecer que Joaquin nem sempre morou com Mark e Linda, seus acolhedores. Foram eles que deixaram Joaquin na cafeteria naquela tarde. Disseram que precisavam fazer compras ali por perto, mas Maya tinha 99% de certeza de que queriam avaliar as irmãs de Joaquin com os próprios olhos.

Mesmo assim, tinham sido simpáticos. Mark era alto, bem mais alto que Maya jamais tinha imaginado o seu pai quando pequena. Ele trocou um aperto de mão com as duas e sorriu como alguém esperaria que o pai orgulhoso de alguém sorrisse, apertando um pouco o braço de Joaquin antes de irem embora, deixando os três sozinhos. "Fique o tempo que quiser", dissera Linda, e Joaquin apenas assentiu. Pareciam pais de verdade. Joaquin parecia filho deles.

Agora, porém, ele estava rasgando metodicamente o seu guardanapo em pedacinhos iguais. Maya se perguntou se ela era a única que tinha escapado desses hábitos horríveis. *Devo ter escapado por pouco,* pensou, enquanto Grace enfiava o canudo na boca e o mordia distraidamente.

— Sinto muito — desculpou-se e, para ser justa, ela realmente parecia triste. — Eu só queria me certificar de que você estava bem, isso é tudo.

— Estou bem — afirmou Maya, e observou enquanto Joaquin erguia o olhar e arqueava uma das sobrancelhas. — Sério mesmo — insistiu ela. — Eles brigavam o tempo todo. Vai ser bom ter noites sem pessoas gritando tão alto a ponto de fazer as paredes tremerem. Talvez eu volte a dormir.

Grace assentiu, mas não pareceu convencida, e Maya lançou um olhar para Joaquin, desesperada para mudar de assunto.

— Então, como está a sua vida? — perguntou. — Quais são as novidades?

— Mark e Linda querem me adotar.

Maya engasgou com o biscoito.

— O quê? — perguntou Grace, arrancando o canudo da boca. — É sério? Joaquin, isso é incrível!

Mas ele simplesmente deu de ombros.

— É. Eles são gente boa. São legais.

— Eles são *muito* legais — concordou Maya, inclinando-se um pouco para a frente.

Tinha vontade de enrolar Joaquin em um cobertor por algum motivo. Ele sempre parecia estar com frio, encolhido. Ela se perguntava como tinha sido para ele antes de Mark e Linda, mas rapidamente percebeu que preferia não saber.

— Sério, Joaquin, eles são incrivelmente legais — repetiu Maya.

— Você gosta deles, não é? — quis saber Grace. — Tipo, eles são legais com você e tudo mais? — Parecia que o destino do mundo inteiro dependia da resposta dele.

— Não é isso. Eles são ótimos — respondeu Joaquin. — É só que...
É um pouco demais. Ainda estou tentando processar tudo.

— Realmente, 17 anos é tempo demais para esperar por uma família — concluiu Maya, tentando parecer encorajadora, como Claire sempre fazia quando Maya estava chateada ou irritada. A boca de Joaquin deu um ligeiro sorriso que não o fazia parecer feliz nem triste.

— É mesmo — concordou ele, depois riu. — É tempo demais.

— Então, você tem que preencher um monte de documentos? — perguntou Grace. — A gente pode ir à cerimônia?

— Grace, dá um tempo — disse Maya.

— Desculpa.

— Eu não sei se vou aceitar — admitiu Joaquin. — Eles perguntaram há um mês, mas a decisão é minha.

Grace e Maya trocaram um olhar.

— Por que... você não ia querer? — Maya se atreveu a perguntar.
— Você acabou de dizer que eles são ótimos.

Joaquin se virou no banco, abriu a boca, fechou de novo e voltou a abrir:

— Não tenho certeza. Tenho muita coisa para pensar.

Maya se perguntou se deveria sacudir Joaquin para ver se todos os pensamentos que ele estava guardando no peito cairiam como peças de um brinquedo. Era uma imagem tentadora.

Grace foi a primeira a falar.

— Por que você não quer que eles adotem você? Não é... Você pode dizer qualquer coisa. Não estou julgando. Só estou curiosa.

Joaquin parecia desejar que um carro entrasse pela janela da cafeteria e interrompesse a conversa.

— É difícil de explicar — começou ele. — É muita coisa. Muita mesmo.

Maya percebeu que Grace estava começando a abrir a boca de novo, então a beliscou, do mesmo jeito que fazia com Lauren quando eram crianças.

— Ai! — gritou Grace.

— Minha mão escorregou — explicou Maya.

— Escorregou nada. Você me beliscou!

Maya encolheu os ombros.

— Você estava assediando Joaquin verbalmente. Deixe-o em paz.

— Ah — disse Grace. — Desculpe.

Mas ela ainda mordia o lábio, e Maya sabia que estava prestes a dizer alguma coisa... Alguma coisa igualmente agradável.

— Acho que devemos procurar a nossa mãe biológica — declarou ela.

Ah, pronto, pensou Maya.

— Merda. Não — respondeu. — Não mesmo. Pare de ficar pedindo isso. É ridículo.

— Não é ridículo — retrucou Grace. — É totalmente razoável.

Maya olhou para Joaquin, que parecia preferir estar preso em um carro quebrado na autoestrada a ficar entre as duas.

— Por favor, eu preciso de ajuda com isso — pediu ela.

Joaquin só ficou olhando para Grace enquanto apontava para Maya.

— Concordo com o que ela disse.

— *Valeu* — suspirou Maya, recostando-se na cadeira e pegando a sua bebida.

— Nada disso, Joaquin. — Grace parecia irritada agora. — Você precisa me dizer *por que* não quer encontrar a nossa mãe. Não pode simplesmente dizer "concordo com Maya". Não é justo. Ela é sua mãe também.

— Não é, não — discordou Joaquin. — Ela parou de ser a minha mãe há muito tempo.

Maya arqueou uma das sobrancelhas para Grace, como se perguntasse: *viu só?*

— Se você quiser fazer isso, Grace, faça isso — começou Joaquin. — Não estou impedindo você de fazer. Eu não me importo, mas não quero fazer parte de nada disso. Não quero saber nada sobre ela. Eu sei quando não sou desejado, ok?

— Grace, por que você não nos conta algo sobre a *sua* semana? — sugeriu Maya. — Os meus pais estão se divorciando, os pais de Joaquin querem adotá-lo, então é melhor você ter uma boa história.

E não diga "quero encontrar a minha mãe biológica" ou vou dar um beliscão mais forte dessa vez.

A expressão no rosto de Grace mudou de irritada para pensativa antes de finalmente contar:

— Dei um soco na cara de um garoto na escola e agora vou ter que estudar em casa até o final do ano letivo.

Se Grace tivesse dito que tinha sido presa por administrar um programa de criação de elefantes no seu quintal, Maya teria ficado menos surpresa.

— Você *o quê?* — perguntou Maya, sem conseguir se conter. — Claro que você não fez isso. Não acredito em você. Joaquin também não.

— Mas eu acredito — retrucou ele com voz gentil e, depois, apontou para a mão direita de Grace. O polegar dela estava roxo, Maya notou de repente, e um dos dedos estava com uma ferida já com casca. — Você não enfiou o polegar entre os outros dedos. Mandou bem.

Grace apenas encolheu os ombros.

— Tudo aconteceu rápido demais.

— Você realmente socou um cara? — Maya gostaria de ter essa informação antes de tê-la beliscado. — O que é enfiar o polegar? Grace agora é uma lutadora de boxe em segredo ou algo assim?

Grace riu com um jeito de quem não parecia ter achado graça e esfregou os olhos.

— Definitivamente não seria segredo.

— Quando você soca alguém, precisa colocar o polegar sobre os dois primeiros nós dos dedos. Bem assim. — Joaquin ergueu o punho para mostrar para Maya. — Você consegue bater melhor e aproveitar melhor o impacto sem se machucar.

— Não vai ter uma próxima vez — insistiu Grace, mas, ao seu lado, Maya assentiu, satisfeita por receber esse novo tipo de informação.

Maya ficou impressionada por Joaquin saber de tudo isso. Ficou se perguntando se teria sido assim crescer com ele, tendo um irmão mais velho para protegê-la, para ensiná-la a se proteger, uma outra pessoa para carregar o fardo e descobrir as garrafas vazias embaixo da cama e dentro da geladeira. Maya tinha encontrado mais uma em um balde de produtos de limpeza debaixo da pia do banheiro. Não tinha contado para Lauren.

— Por que você fez isso? — perguntou Maya. — Ele tentou alguma coisa com você, te tocou? — Se fosse esse o caso, Maya não sabia se poderia se conter para não ir atrás do cara e socá-lo de novo em nome de Grace (e ela ainda se lembraria do truque do polegar).

— Ele só... — Grace pareceu tão constrangida quanto Joaquin ficara antes, remexendo-se e mordendo o lábio inferior. — Ele disse umas coisas horríveis sobre a minha família. Isso é tudo. Eu não consegui deixar aquilo passar batido.

— Família é importante.

Maya assentiu. Ela se perguntou o quanto essa afirmação era verdadeira, porém, uma vez que a dela parecia estar se estilhaçando.

Naquela noite, deitou-se na cama, o bendito silêncio pairando na casa. Lauren já tinha ido dormir. Ela e Maya ficaram assistindo à TV enquanto a mãe estava no quarto ao telefone. Maya conseguia ouvir a sua voz, mas não as suas palavras, o que dificultava saber se estava falando arrastado ou não. Lauren tinha se acomodado ao seu lado no sofá e não discutiu quando Maya tirou do programa sobre casamento e colocou em um filme de amor, uma comédia romântica a que as duas já tinham assistido pelo menos umas cinquenta vezes.

Tentou enviar uma mensagem para Claire também, mas ela não respondeu, e Maya sentiu a vinha de escuridão subir pelo seu telefone, quase como se estivesse impedindo a resposta de Claire de chegar. Sabia que havia um milhão de bons motivos que poderiam explicar por que Claire não tinha respondido — ela tinha dever de casa, estava de castigo, o telefone estava sem bateria, estava no cinema com a avó, qualquer coisa —, mas Maya ficava olhando o tempo todo, sentindo-se mais zangada a cada vez que lia a própria mensagem: meu pai se mudou hoje.

Quando sua cabeça finalmente pousou no travesseiro, Maya estava exausta. *Que bom*, pensou ela, *conseguir dormir sem os sons abafados de uma briga*. Mas depois de uma hora se revirando na cama de um lado para o outro, percebeu que o silêncio da casa era pesado demais, parado demais. Agora que tudo estava quieto, Maya conseguia *ouvir* quase tudo, inclusive os barulhinhos que soavam como se alguém estivesse invadindo a casa. Isso era ridículo, é claro. Elas moravam praticamente no bairro mais seguro (alguma pessoas — como Maya, por exemplo — talvez dissessem que era o *mais chato*) dos Estados Unidos. Ninguém nunca invadia casas. Maya também nunca tinha se preocupado com esse tipo de ameaça potencial. O pai sempre estivera lá para protegê-la. Mesmo quando estava viajando a negócios, sabia que ele ia acabar voltando.

E agora?

Ela nunca achou que o silêncio poderia ser tão assustador.

Acabou caindo em um sono agitado e foi acordada ao receber uma mensagem no celular. Era Claire. Sinto muito, dizia. Eu estava acampando com a minha família. Acabamos de voltar à civilização. Você está bem?

Maya tinha esquecido completamente do acampamento e se sentiu idiota por ter ficado tão chateada com a ausência de Claire. Ficou com o polegar parado no teclado por muito tempo. Parecia que não existiam letras suficientes no alfabeto para expressar tudo que precisava, para escrever todas as palavras que queriam sair de dentro dela.

Onde você estava?

Eu precisava de você.

Eu preciso de você.

Estou com medo do tanto que preciso de você.

Em vez disso, ela respondeu Tudo bem. Indo para a cama agora. A gente conversa amanhã. Então, encontrou uma música no celular que não escutava havia muito tempo, desde antes de conhecer Claire. Dormiu ouvindo a letra da música preencher o silêncio do seu quarto, o buraco repentino que parecia crescer constantemente abrindo caminho em seu coração.

JOAQUIN

—Então, como Maya e Grace estão? — quis saber Mark do banco do motorista.

Linda não gostava de dirigir em autoestradas, se pudesse evitar. Dizia que ficava muito nervosa. Joaquin achava que todo mundo ficava nervoso quando Linda dirigia.

— Estão bem — respondeu Joaquin e, depois, acrescentou: — Os pais de Maya estão se divorciando. — Ele sabia que *bem* não seria suficiente, não com Mark e Linda. Eles esperavam mais daquela conversa.

— Isso não parece nada bom — comentou Linda, se virando para ele no assento. Joaquin não sabia como ela conseguia fazer aquilo. Sempre ficava enjoado quando olhava para trás no carro.

— Não estou dizendo bem de tudo bem — esclareceu Joaquin. — Só que estão inteiras, com todos os braços e pernas no lugar.

— Os seus padrões para tudo bem são bem baixos. — Mark riu enquanto trocava de faixa.

— E Grace socou um cara — continuou Joaquin.

— Tem certeza de que não quer rever a sua declaração inicial de que elas estão bem? — brincou Linda.

E Mark perguntou ao mesmo tempo:

— Grace *socou* um cara? Ela parece o equivalente humano de um gatinho.

Joaquin não entendeu o que ele quis dizer, mas decidiu não perguntar. Às vezes o cérebro de Mark funcionava de forma estranha e criativa.

— Acho que alguém da escola falou mal da família dela, e ela o acertou em cheio.

Mais tarde naquela noite, porém, quando estava no seu quarto, Joaquin se arrependeu do que tinha dito. Não a parte sobre Grace, mas a parte em que revelou para as irmãs que sabia socar. Talvez Linda e Mark acabassem descobrindo e achassem que ele era violento. Talvez começassem a se perguntar por que ele tinha aprendido a socar alguém.

Joaquin nunca tinha entrado em um briga com socos. Mas tinha morado com essa família quando tinha dez anos — duas irmãs de acolhimento, uma filha biológica e Joaquin. A acolhedora era assistente-executiva em Long Beach e o pai, um lutador de boxe amador. No início, Joaquin tinha se preocupado com as possíveis consequências de ter um lutador na família, mas o acolhedor era muito legal. Ele até mostrava a Joaquin como socar o saco de areia pendurado na garagem, que estava sempre tão entulhada de coisas que não dava para estacionar o carro lá dentro.

— Assim — dissera ele para o garoto numa tarde, e colocou o polegar de Joaquin cuidadosamente sobre os outros dedos para formar um punho fechado e forte. — Agora soque o saco. Soque com força.

Foi o que Joaquin fez, socou com força. Achava que o acolhedor só gostava de ter um garoto com quem passar o tempo — aparentemente as garotas não tinham o menor interesse em socar um saco de areia em uma garagem poeirenta. A casa era muito boa também, uma das melhores, mas então uma das assistentes sociais achou que os acolhedores tinham crianças demais por metro quadrado e, como Joaquin fora o último a chegar, acabou sendo o primeiro a sair.

Foi quando acabou acolhido pelos Buchanan.

Joaquin tinha aprendido muita coisa ao longo de seus 17 anos. Uma das habilidades que desenvolveu depois de ter passado de família em família foi a de se adaptar, de mudar suas cores como se fosse um camaleão para que pudesse desaparecer no ambiente. Esperava que, se fizesse tudo certo, dissesse as coisas certas, ninguém perceberia que ele era uma criança acolhida. Todo mundo — os vizinhos, as pessoas na escola, o empacotador do mercado —, todos achariam que ele era apenas mais um filho biológico, tão permanente quanto os de sangue, alguém que nunca seria acolhido, trocado ou mandado embora.

Então, ele aprendeu a socar com um boxeador em uma família. Também sabia fazer ótimos biscoitos com gotas de chocolate e pãezinhos, receitas de um acolhedor que era *chef* confeiteiro em um restaurante chique de Los Angeles. Uma outra acolhedora lhe ensinou caligrafia, e teve um irmão de acolhimento que adorava música *punk* e costumava receber Joaquin na porta segurando um disco e dizendo "Espere até ouvir *isto*". Ele adorava a atenção, mas não tanto a música. Ficava nervoso.

Joaquin não se importava de ter que se adaptar assim. Parecia que estava saltando de pedra em pedra, aprendendo truques ao longo do caminho, elevando seu nível até chegar à batalha final. Ele observava as famílias para ver se rezavam antes da refeição, se colocavam os guardanapos no colo e se mantinham os cotovelos fora da mesa. O que eles faziam, Joaquin tratava de fazer também.

Era quando as pessoas presumiam que ele *não* sabia alguma coisa que Joaquin ficava chateado. Ainda se lembrava de uma acolhedora, uma mulher mais velha, que tinha um cheiro forte e adocicado de talco, como se alguém tivesse pulverizado pétalas de rosa e jogado em suas roupas. Ela se ajoelhou diante de Joaquin assim que ele chegou à casa, dando um sorriso com os dentes amarelados.

— Você sabe o que é *chá*, querido? — perguntou.

Joaquin percebeu na hora que ela tinha perguntado isso porque ele parecia ser mexicano. Conhecia aquele tom de voz e a forma lenta de falar, como se ele não compreendesse inglês — como se falar mais devagar tornasse a fala, de alguma forma, mais eficaz. O pressuposto por trás da pergunta era que ele nunca tinha provado algo tão básico quanto *a porra de um chá*. Ele concordou com a cabeça e reforçou:

— Sei, sim.

Ela pareceu quase decepcionada, como se alguém tivesse fincado sua bandeira em Joaquin antes que ela tivesse a chance.

Desde aquele dia, Joaquin odiava chá.

No jantar daquela noite, tanto Mark quanto Linda ficavam trocando olhares. Joaquin se sentiu em um jogo de tênis observando aquilo.

Por fim, não suportou mais.

— O que houve? — perguntou, cravando o garfo em um pedaço de brócolis. (Na casa de Mark e Linda, Joaquin tinha se adaptado a comer legumes e verduras em todas as refeições. Brócolis e espinafre eram aceitáveis; couve-de-bruxelas era a morte, mesmo quando preparavam na manteiga.)

— O que houve com o quê? — retrucou Mark, mais porque essa era a rotina que seguiam.

— Vocês ficam se olhando — explicou Joaquin, usando o garfo para apontar para eles. — Tem alguma coisa acontecendo.

Mark e Linda trocaram outro olhar.

— Viram só?

Linda sorriu ao ouvir o comentário.

— A gente só quer falar com você sobre o que discutimos no mês passado.

Joaquin colocou o garfo no prato e arrumou o guardanapo (no colo).

— Ah — suspirou ele.

Mark pigarreou. E foi assim que Joaquin soube que ele estava nervoso. Mark dava vários tipos de sinais, mas esse era o maior.

— A gente só queria saber se você teve tempo para pensar sobre o assunto. Sabemos que este foi um mês intenso para você, com seu encontro com Maya e Grace e a chance de conhecê-las melhor.

— Mas — acrescentou Linda rapidamente — aceitamos esperar se você precisar de mais tempo para pensar sobre isso. Não queremos pressioná-lo, querido.

Joaquin tinha pensado tanto sobre o assunto que achava que não existia nenhum meio possível de pensar qualquer coisa nova.

— Ainda estou pensando — respondeu. — Não se preocupem.

Mark pigarreou de novo. Linda tentou não parecer esperançosa, mas não foi muito bem-sucedida em esconder a expressão que passou pelo seu rosto.

Joaquin pensou em Grace defendendo sua família, na separação dos pais de Maya e na mudança do pai dela.

— Tenho uma pergunta.

Mark e Linda se empertigaram ao mesmo tempo, como dois coelhos nervosos erguendo as orelhas.

— Claro — respondeu Mark. — Nós imaginamos que teria mesmo. Saiba que estamos sempre aqui para responder a todas as suas dúvidas.

— E vamos sempre respondê-las de forma honesta e sincera — acrescentou Linda. Ela sabia como isso era importante para ele.

— Tá legal — começou Joaquin, devagar, recostando-se. — Então, se eu responder que não, que eu não quero ser adotado, isso significa que vou ter que ir embora?

Linda pareceu desanimar, e Mark parecia um daqueles balões cheios de gás hélio que Joaquin ganhara em uma festa quando completou sete anos. Ele ficou tão animado por poder levá-lo para casa e ficar com o balão, mas no dia seguinte ele estava murcho e quase no chão. Ver Mark daquele jeito fez Joaquin se sentir tão mal quanto se sentira quando acordou e viu o balão da festa.

— Tipo assim, não estou dizendo que não — acrescentou. — Mas eu só queria... hm... Eu só queria saber. — Agora era Joaquin quem estava pigarreando.

— Joaquin — começou Linda, e sua voz estava no mesmo tom suave de quando ele tinha um pesadelo, como se pudesse ser uma barreira protetora entre ele e qualquer coisa ruim que pudesse acontecer. — Não importa o que você decida, não importa o que aconteça daqui para a frente, sempre haverá um lugar para você na nossa casa.

— Você conversou sobre isso na terapia? — quis saber Mark.

Joaquin assentiu.

Não tinha conversado ainda. Sabia que Ana seria cem por cento a favor da adoção, e não queria que ela o influenciasse. Joaquin tinha descoberto bem cedo que ele precisava entender as coisas na sua cabeça primeiro antes de abordá-las com Ana. Caso contrário, ela só confundia seus pensamentos até ele não ter mais certeza de como se sentia.

— Disse para ela que eu precisava pensar mais um pouco sobre o assunto — respondeu Joaquin, o que ele considerava ser uma meia-verdade e, desse modo, não uma mentira. — Mas eu só queria saber o que aconteceria se eu dissesse não, só isso.

Mark ficou em silêncio por alguns segundos antes de perguntar:

— Você tem medo do que vai acontecer se disser sim?

Uma das coisas sobre se adaptar que Joaquin aprendeu é que você pode ficar tão confortável em uma família que os sinais deles se transformam nos *seus* sinais também e, então, eles sabem as coisas que você teme mesmo antes de *você* saber.

— Tipo, é uma mudança de qualquer jeito, não é? — retrucou Joaquin, começando a se levantar. — Posso ir para o meu quarto agora?

— Joaquin — disse Linda, e ele parou de se levantar. — Não temos medo de adotar você, se é com isso que está preocupado. Mark e eu amamos você. Nós conhecemos você. Nós *confiamos* em você. *Completamente.*

Joaquin se perguntou se Linda estava pensando sobre os Buchanan, os relatórios do hospital, os exames de raio-X do seu braço quebrado.

— Não estou com medo — declarou ele e, então, pigarreou. *Droga.*

— Não tem problema se tiver.

— Nós realmente queremos você.

— Eu sei — respondeu Joaquin para ambos. — Eu sei disso.

Ele *sabia*. E era isso que o assustava tanto.

Joaquin viu Birdie no dia seguinte na escola.

Para dizer a verdade, a possibilidade de vê-la na escola existia *todos* os dias; Joaquin até cogitou a ideia de talvez ir para uma escola diferente depois que terminou com ela, mas Mark e Linda vetaram a ideia na hora. Em vez disso, ele tinha mudado sua rotina, passando por corredores diferentes, pegando o caminho mais longo para a aula de inglês em vez do atalho pelo pátio, onde costumava ficar de mãos dadas com Birdie antes de um beijo de despedida.

— Gutierrez — repreendia o vice-diretor às vezes, quando via os dois se beijando, então lançava um olhar de aviso para Joaquin.

— Por que você nunca diz o *meu* sobrenome? — perguntou Birdie certa vez.

O vice-diretor os deixou em paz depois disso.

Joaquin achou que estava muito bom em evitar que seu caminho cruzasse com o de Birdie, mas naquela manhã, durante o intervalo, passou pela lateral do ginásio a fim de chegar mais cedo à aula de cálculo para não ver Birdie enquanto ela seguia para sua aula de educação cívica avançada. (Ele quase desejava ter um dispositivo de localização geográfica para saber, a qualquer momento, onde ela estava. Joaquin teria desejado isso se não tivesse percebido na hora como era sinistro.)

Birdie aparentemente também estava adiantada para a aula ou tinha saído atrasada de onde estivera antes, porque Joaquin contornou o ginásio bem no momento em que ela fazia o mesmo. Eles não se esbarraram — isso teria sido perfeito demais, fofo demais —, mas os dois pararam quando se viram.

— Oi — cumprimentou Birdie.

— Oi — respondeu Joaquin, enfiando as mãos no bolso do casaco de moletom tipo canguru e olhando para o chão.

Olhar para Birdie era difícil demais. Era *demais*. Ela ainda parecia querer assassiná-lo, o que o deixava nervoso. Mas não podia culpá-la. Às vezes, ele também queria se matar por ter feito uma coisa daquelas com ela.

Birdie não se mexeu, e Joaquin começou a dar meia-volta.

— Espere, Joaquin — pediu ela, colocando a mão no seu braço. Suas mãos estavam sempre frias; ele conseguiu sentir mesmo através da manga do casaco.

Joaquin congelou quando ela o tocou, mas Birdie não afastou a mão. Na primeira vez que ela o beijara, ele tinha ficado em pânico ao sentir como ela era suave, a sensação da sua boca na dele, e Joaquin não conseguiu entender como alguém com mãos tão frias poderia ter um coração tão quente.

— Eu tenho que... — começou ele, mas não tinha nada para fazer.

— Espere — pediu ela novamente. — É só... Sinto tanta saudade de você, Joaquin. Eu realmente... — A voz dela começou a falhar. Quando Joaquin se atreveu a erguer o olhar, viu que ela estava chorando.

Em quase dez meses de namoro, Joaquin nunca tinha visto Birdie chorar, nenhuma vez.

— Também sinto saudade — respondeu.

— Você pode pelo menos me dizer o motivo? Por favor? — pediu ela, esforçando-se para se controlar. — Por favor, a gente nunca mentiu um para o outro. Eu não quero que isso termine com uma mentira *agora*.

Joaquin desceu o olhar novamente. Odiava essa sensação, a de que todas as palavras que queria dizer tinham simplesmente se embolado em uma bola gigante de forma tão intensa que nada conseguia escapar. As palavras apenas ficavam presas no seu peito, pressionando seus pulmões, roubando todo o seu ar.

— Eu não menti — disse ele por fim. Queria muito tocá-la, puxá-la para seus braços, fazê-la parar de chorar. Afinal de contas, sabia como era chorar sozinho. E não queria isso para Birdie.

— Então, por quê? Eu fico repassando isso diversas vezes na minha cabeça e não consigo entender o motivo!

Agora ela estava ficando com raiva. Joaquin já tinha visto Birdie com raiva várias vezes. As coisas raramente acabavam bem para a pessoa que era alvo dessa raiva.

— Porque eu acho que você *mentiu* para mim! — gritou ela. — Acho que mentiu e disse que queria terminar tudo, mas acho que você só ficou com medo, que fugiu porque isso é mais fácil do que ser abandonado de novo.

Joaquin manteve os olhos no chão, deixando as palavras baterem no escudo do seu peito. Nada poderia atingi-lo, nem mesmo Birdie, que sempre parecia capaz de desembolar as palavras que ele lutava para encontrar.

— Foi isso que aconteceu? — insistiu ela, dando um passo na direção dele. — Eu estou certa, não estou? Você terminou porque ficou com medo.

— Não é... — começou ele, dando um passo para trás.

— Eu não me importo que você esteja com medo! — exclamou ela, e agora estava chorando de novo.

Joaquin esperava que nenhuma das amigas de Birdie descobrisse sobre isso. Elas o matariam no corredor depois da aula, sem fazer perguntas.

— Você pode ficar com medo! — Birdie ainda estava gritando. — Será que não entende? É isso que acontece quando você ama alguém: a pessoa é corajosa quando você não consegue! Eu posso ser corajosa. Por você, por nós dois!

— Não pode — negou Joaquin, rindo um pouco. Mas a situação não era engraçada. Nada daquilo tinha a menor graça.

— Claro que posso! — Birdie diminuiu o espaço entre eles, pegando as mãos dele de dentro do bolso e segurando-as. Ela estava gelada. — Você pode confiar em mim. Você sabe disso, não sabe?

Joaquin assentiu. Tentou se obrigar a largar a mão de Birdie, mas ela segurou firme e ele deu outro passo para trás.

Birdie parecia esperançosa pela primeira vez durante a conversa.

— Então o que foi? O que aconteceu, Joaquin?

As palavras de repente forçaram a saída dos pulmões de Joaquin, fazendo com que ele se sentisse mais leve e livre.

— Eu não confio em mim mesmo — confessou. — E não há nada que você possa fazer para consertar isso, Birdie. Então me deixe em paz.

Ela ainda estava chorando quando finalmente soltou as mãos dele e se afastou.

GRACE

Durante dias depois do encontro com Maya e Joaquin, Grace ficou um caco.

Sentia-se nervosa, não conseguia dormir e passou a tomar muito café. Não parava de sonhar com Pesseguinha e sua roupinha de marinheiro partindo em um barco, a menina chorando a plenos pulmões, como fizera no dia que nasceu. Grace não conseguia chegar até ela, não conseguia alcançá-la, não conseguia segurar a filha.

Acordava ofegante e com os braços estendidos, o som de Pesseguinha ainda ecoando em seus ouvidos.

Grace sabia o que era, é claro. Estava convencida de que tinha escolhido os pais errados para Pesseguinha, que Daniel e Catalina não iam ficar juntos, que eles iam se divorciar, exatamente como os pais de Maya. Ainda se sentia mal por ter perguntado para Maya se a adoção seria invalidada ou não. Tinha sido uma coisa idiota de se dizer e Grace sabia disso, mas não conseguiu se segurar na hora. A ideia de que tinha escolhido os pais errados, a casa errada, para Pesseguinha fazia com que sentisse o pânico subir pelas suas costas sempre que estava sozinha — sempre que sua mente estava quieta. *Você fez tudo errado*, dizia uma voz e Grace estremecia. *Você tinha uma única obrigação como mãe e fez tudo completamente errado.*

Antes de Pesseguinha, Grace realmente não tinha pensado muito sobre a mãe biológica, mas agora aquela mulher estranha dominava sua mente. Ela se perguntava se a mãe biológica tinha se preocupado com ela, com Maya ou Joaquin. Devia ter se preocupado, certo? Mesmo que Maya e Joaquin discordassem dela, Grace sabia mais do que eles. Ela tinha vivido aquilo. Eles não tinham como compreender o impulso que Grace sentia.

Gostaria de poder perguntar para a mãe sobre isso, ou até mesmo para o pai. Eles sempre tiveram um acordo de que, se Grace quisesse saber qualquer coisa, tudo que precisava fazer era perguntar, mas aquilo colocava toda a pressão, toda a responsabilidade nos ombros dela. Existiam perguntas que ela nem sabia como fazer e, às vezes, sentia que, caso seus pais realmente quisessem que ela soubesse das coisas, simplesmente contariam. Por que era Grace quem tinha que fazer as perguntas? Não eram *eles* os pais? Não era *ela* a filha?

Agora, porém, Grace também era, de certa forma, mãe. E ela ainda não sabia como diferenciar esses dois papéis.

Mas de uma coisa sabia: estava enlouquecendo lentamente naquela casa com os pais.

Grace sabia que eles estavam tentando mantê-la distraída, fazer com que não se sentisse completamente abandonada pelos amigos que nunca ligavam (achava que eles simplesmente não sabiam o que dizer, e ela não teria sabido o que responder). Mas eles eram os *pais* dela no fim das contas. Eram chatos e, além disso, tinham seus respectivos empregos. Grace ficava em casa de manhã, assistindo a programas matinais de entrevista com o livro de história aberto e intocado à sua frente. Ela adorava os programas de tribunais. Os problemas daquelas pessoas sempre pareciam muito piores, mas, mesmo assim, muito mais fáceis de resolver do que os dela.

Quando os pais estavam em casa, tentavam mantê-la ocupada. "Por que você não vem para a ioga comigo?", sugeriu a mãe certa manhã, e Grace apenas virou para o lado na cama e cobriu a cabeça com o edredom. "Quer aprender a jogar golfe?", perguntou o pai, e Grace nem deu uma resposta porque aquilo era ridículo demais (depois, porém, ele a obrigou a ajudar a lavar os carros, e Grace meio que desejou ter aceitado o convite para o golfe).

Um dos motivos para ter desistido de Pesseguinha foi não querer que sua vida parasse — "Você é *tão* nova", repetiam seus pais em tom de súplica —, mas ninguém disse a Grace que sua vida ia parar de qualquer jeito, que ela ficaria presa no limbo da sua gravidez, de Pesseguinha, enquanto o resto do mundo continuaria a mudar.

Certa tarde, quando sua mãe estava trabalhando de casa, Grace enfiou a cabeça pela fresta da porta do escritório e perguntou:

— Posso pegar o carro?

— Posso saber para quê? — retrucou a mãe sem erguer os olhos do laptop.

Grace pensou rápido.

— Hum, Janie ligou. Pra saber se eu quero ir ao shopping com ela.

A mãe levantou os olhos do laptop.

Quinze minutos depois, Grace estava dirigindo para o shopping com as janelas abertas para sentir o ar fresco de novo. Sua mãe não fez muitas perguntas depois daquela mentira e Grace não se preocupou em dar mais explicações além do básico. Ninguém precisava saber que ela não conversava com Janie desde aquele fatídico dia de volta às aulas, que a amiga não tinha mandado sequer uma mensagem depois que Grace socou a cara do amigo de Max. No entanto, nem conseguia ficar muito zangada com Janie. Grace não tinha sido uma boa amiga. Tinha parado de ligar e enviar mensagens. Ignorava as ligações de Janie porque não sabia explicar como se sentia, nem a crueldade deste novo mundo. Se a situação fosse ao contrário, talvez Janie não tivesse ligado nem enviado mensagens também. Grace não tinha como saber. Só sabia quem ela era agora, e era uma garota que não tinha mais amigos.

Mas tinha Rafe.

— Oi! — disse ele quando a viu vagando pela Whisked Away. — Deixe-me adivinhar! Sua mãe teve insônia de novo e comprou aquele negócio que cozinha salmão no micro-ondas?

155

— Espero que não — respondeu Grace, franzindo o nariz.

— Ah, que bom, porque não funciona. Eu não queria dizer nada — acrescentou ele, enquanto Grace sorria. — Porque trabalho aqui. Não devia falar mal dos nossos incríveis utensílios e apetrechos, mas esse negócio é muito ruim. O seu micro-ondas nunca mais vai se recuperar.

Grace riu.

— Bem, a gente não tem micro-ondas. Meus pais não acreditam nesse tipo de tecnologia.

Rafe arregalou os olhos, se aproximou e colocou as mãos cuidadosamente nos ombros dela.

— Grace — disse, baixinho. — Isso é um pedido de ajuda? Pisque se precisar que eu ligue para a polícia.

Ela riu de novo.

— Está com fome?

— Estou. — Rafe tirou as mãos do ombro de Grace e levou aquele calor embora. — Faminto. Tive que fazer um simulado na hora do almoço. Você já almoçou? Por favor, me diga que seus pais acreditam pelo menos em almoçar. Caso contrário eu talvez tenha que realmente ligar para o Conselho Tutelar.

Grace riu menos dessa vez. Não era mais tão engraçado agora que conhecia Joaquin.

— Eu pago — disse ela. — Mas só tenho dinheiro suficiente para mim.

— Você é boa em convencer as pessoas — comentou Rafe, tirando o avental. — Só preciso de dois minutos.

Eles acabaram em uma lanchonete perto da loja — Grace quis ficar nas redondezas. A última coisa de que precisava era encontrar algum conhecido da escola.

— Posso fazer uma pergunta? — pediu enquanto comiam seus sanduíches.

— Não, eu não vou deixar você pegar nenhum dos meus Doritos — respondeu Rafe. — Se quiser, compre um pacote para você.

Grace franziu o nariz. Nunca mais seria capaz de comer Doritos novamente, não depois de tudo que tinha lido sobre conservantes e corantes quando estava grávida de Pesseguinha.

— Eu não quero Doritos. Pode ficar com essa imitação de queijo todinha para você.

— E daí que não é de verdade? — perguntou Rafe. — Pode fazer sua pergunta.

— Os seus pais são divorciados?

— São — respondeu ele antes de colocar um Doritos na boca e mastigar. — Minha mutação por causa de queijo falso já começou?

Grace jogou um pedaço de alface nele, que Rafe pegou antes de atingir a mesa.

— Reflexos de um mestre — comentou o garoto. — Só para você saber.

— Vamos falar sobre seus pais? — insistiu Grace.

— Sim, senhora. Eles se separaram quando eu tinha cinco anos. Tenho quase certeza de que o mundo só continua girando porque se separaram. Caso contrário, a briga deles faria o planeta inteiro implodir.

A ideia de briga entre os pais era muito estranha para Grace. Seus pais sempre discutiram atrás de portas fechadas; seja lá qual fosse a questão, eles sempre tinham resolvido tudo quando o sol nascia no dia seguinte. Ela nunca tinha presenciado um gritando com o outro.

— E os seus? — perguntou Rafe.

— Não. Eles ainda são casados.

— Deus os abençoe.

— Mas Maya, ela...

— Essa é a sua irmã?

Grace parou de falar.

— Tipo, mais ou menos irmã? — corrigiu-se Rafe.

— Não, ela é minha irmã de verdade — retrucou Grace, surpresa com a irritação na própria voz. — Maya não é "mais ou menos" nada.

— Desculpe — pediu Rafe, e sua voz e expressão eram de arrependimento. — Foi uma coisa idiota para dizer. Continue, por favor.

Grace revirou os olhos.

— Deixa pra lá.

— Não, não. Merda — praguejou ele, largando os Doritos. — Tudo bem, foi mal mesmo. Você estava me contando uma coisa séria e eu estraguei tudo. Vamos voltar e refazer a cena de novo, está bem? — Ele fingiu bater uma claquete imaginária. — Eeeeeee ação!

Grace lhe deu pontos pelo esforço.

— Tudo bem — concordou. — Então, os pais de Maya...

— Os pais da sua irmã de verdade, verdadeira e cem por cento sua? Sim, continue.

— ... estão se divorciando.

— Nossa, que droga. Ela está chateada?

— É sempre difícil saber como ela está se sentindo — respondeu Grace, pegando um pedaço de maçã. — Ela meio que sempre age como se não se importasse.

— Parece saudável — comentou Rafe. — Ela provavelmente está superchateada por dentro. Você devia conversar com ela.

— Eu ainda estou tentando descobrir *como* conversar. Com ela e com Joaquin. Eles dois são... eles são diferentes.

— É assim mesmo. Bem-vinda ao mundo dos irmãos — disse Rafe. — Meu pai, na verdade, teve dois filhos bem antes de conhecer a minha mãe. Então, meu irmão e minha irmã já têm mais de vinte anos. É como ter quatro pais. Por sinal, não recomendo.

— Mas você acha... — Grace tentou escolher suas palavras com o maior cuidado possível. — Você acha que... tipo, tudo bem, quando seus pais se divorciaram, isso... Você...

— Se isso acabou completamente comigo? — perguntou Rafe. — É isso que você quer saber?

— É — concordou Grace com um grande suspiro de alívio. — Exatamente.

— Bem, vamos esperar que não, já que você que me convidou para almoçar e eu passo a imagem de um cara bacana. — Rafe estendeu a mão e pegou uma das fatias de maçã. — Relaxe, só estou tentando contrabalançar os Doritos.

— Acho que não é assim que a ciência funciona — argumentou Grace.

— Tanto faz, doutora sabe-tudo. — Rafe enfiou a fatia de maçã na boca e mastigou. — E, para responder à sua pergunta, não, isso não acabou comigo. Tornou as coisas mais difíceis, é claro, e eu ainda tenho duas festas de Natal, dois aniversários, todas as coisas legais, mas não fiquei acabado.

— Mas você acha que poderia ter tido uma experiência *melhor*?

Rafe a observou cuidadosamente.

— Por que tenho a sensação de que você quer que eu diga o que você quer ouvir?

— Porque talvez eu queira — admitiu ela, antes de perceber que tinha mastigado tanto o canudo que o tinha partido em dois.

— Espera, deixa eu ver se entendi a sua linha de raciocínio — disse Rafe, recostando-se na cadeira. — Estou fazendo aula de psicologia na escola, então não se preocupe, você está em boas mãos.

— Que ótimo — retrucou Grace. — Meu cérebro está muito seguro agora.

Rafe apenas fez um gesto com as mãos para afastar as suas preocupações e ficou olhando para ela por uns trinta segundos. Grace não sabia que trinta segundos demoravam tanto para passar.

— Você está preocupada que os pais adotivos que escolheu para Pesseguinha se separem — declarou Rafe por fim. — É por isso que está fazendo todas essas perguntas. Você não está preocupada com Maya, a sua maior preocupação é com a sua filha. Meu Deus, vou tirar dez na prova! Vou *gabaritar*.

Só de ouvir o nome da filha ser pronunciado por Rafe os olhos de Grace já se encheram de lágrimas.

— É exatamente isso — respondeu ela, a voz trêmula.

A expressão de Rafe, no entanto, passou de triunfante para completamente aterrorizado.

— Ah, merda — praguejou ele. — Eu fiz você chorar. Ah, merda, isso não é bom. Isso não é nada bom.

— Não, não, está tudo bem. Tudo bem — garantiu Grace, fazendo um gesto com a mão para indicar que não tinha sido nada de mais, mas ele já estava saindo do seu sofá e indo para o dela. — Está tudo bem, é só que... nunca ninguém disse esse nome em voz alta. Só eu a chamo de Pesseguinha.

Ela usou um dos guardanapos de papel para enxugar os olhos, sentindo-se, de repente, mortificada. Era provavelmente por isso que tinha dificuldade de manter o contato com os amigos. Não queria que eles presenciassem os seus constantes ataques de choro.

Rafe estava sentado ao seu lado agora, sua coxa pressionando a dela. Nenhum outro garoto estivera tão próximo de Grace desde a noite que ela e Max transaram e fizeram Pesseguinha, mas ela não se afastou.

— Sei que eu já disse antes — começou Rafe, a voz gentil —, mas sou *péssimo* quando garotas começam a chorar. Sou terrível. Eu realmente vou estragar tudo, então o que você acha de parar de chorar antes que eu estrague a nossa bonita amizade?

Grace começou a rir, mesmo enquanto enxugava os olhos.

— Não, tudo bem, eu só fiquei um pouco emocionada. Só isso. Eu estou bem, de verdade.

Rafe pareceu duvidar, mas deixou passar e entregou mais guardanapos para ela.

— Está se sentindo melhor?

Grace assentiu.

— É só que eu tinha basicamente uma obrigação como mãe dela, sabe? Precisava escolher os pais adotivos, e achei que tivesse mandado muito bem, mas... e se não foi bem assim? E se, daqui a 15 anos, Daniel e Catalina se separarem e isso arruinar a vida dela?

— Por que isso precisa arruinar a vida dela? — perguntou Rafe. — Meus pais se separaram. Isso não arruinou a minha vida.

— Eu não quero que nada de ruim aconteça com ela — admitiu Grace. — Só quero saber que eu fiz uma coisa certa, isso é tudo.

— E você fez — afirmou Rafe. — Você *sabe* que fez. E a vida de ninguém é fácil, Grace. Nem a minha e definitivamente não a sua. Tipo, você teve uma filha com 16 anos, não é? Mas a sua vida não está *arruinada*.

— Eu não tenho amigos — contou Grace, chorando novamente. — Ninguém me manda mensagem nem me liga ou vem me visitar. Eu não sou mais do time de *cross-country* com Janie...

— Você era do time de *cross-country*?

Grace fez que sim com a cabeça.

— Time titular. Mas agora eu passo o dia inteiro com os meus pais e eles agem como se eu fosse me despedaçar se eles disserem a coisa errada...

— Tipo assim, para ser justo, você *está* meio que se despedaçando porque eu disse a coisa errada.

— ... e eu tive que escolher pais para a minha filha e eu fiz tudo errado e Max foi a porra do rei do baile de boas-vindas!

As pessoas estavam começando a virar para olhar para ela.

— Está tudo bem — Grace ouviu Rafe dizer. — Lentes de contato. São *terríveis,* não é?

Ele se inclinou para bloquear a visão das pessoas.

— Olha só — disse. — Você sabe que ninguém mais liga para isso no dia seguinte do baile, não é? Quem foi o rei do baile? Tipo, você conhece alguém que se apresenta como o "rei do baile de boas-vindas"? Em segundo lugar, o baile foi uma droga, então não se preocupe com isso. — Ele fez uma pausa. — Max era o pai, não é?

Grace assentiu, pegando mais um guardanapo.

— Tudo bem, então resolvemos um dos problemas. E quanto ao bebê...

— Tudo bem se você disser Pesseguinha...

Rafe pareceu duvidar.

— Quanto a ela, a vida não vai ser fácil. Enquanto estiver vivendo de forma correta, vão existir momentos difíceis para ela. E qualquer pessoa que se preocupa tanto com os pais adotivos escolhidos provavelmente fez a melhor escolha possível de casal.

"Agora, em termos de amigos, pode contar comigo, está bem? Tipo, a gente está almoçando juntos. Tenho certeza de que é isso que os amigos fazem. E o único motivo para eu não mandar mensagem nem ligar é porque eu não tenho seu número."

Rafe ergueu uma das sobrancelhas.

— Você *tem* um celular, não tem? Ou os seus pais também não acreditam neste tipo de tecnologia e te obrigam a se comunicar por pombo-correio? Porque talvez este seja o motivo para ninguém estar te ligando.

Grace sorriu, olhando para o sanduíche pela metade em cima da mesa.

— A gente usa celular mesmo. Não estamos isolados do mundo.

— Que bom. Então é só me dar o seu número e eu mando uma mensagem para você e você manda uma resposta. Pá-pum, muito obrigado, madame. Metaforicamente, quero dizer, não quero pá-pum com você.

Grace olhou para ele.

— Você fala muito quando fica nervoso?

— Eu não calo a porra da boca quando estou nervoso. — Rafe deu um sorriso para ela. — O que me denunciou?

— Tive um pressentimento. E é só que... Eu não sei se quero sair com alguém no momento.

Rafe fingiu estar horrorizado.

— Tá legal, Grace. Sinceramente, não entendo por que você fica insistindo que eu estou tentando ficar com você. Isso é assédio, isso sim. Estamos perto do meu local de *trabalho*.

Grace estava dando risada agora. Não conseguia se lembrar da última vez que tinha feito isso.

— Troca platônica de mensagens? — perguntou ela. — Apenas?

Rafe ergueu uma das mãos.

— Palavra de escoteiro — disse. — Mesmo nunca tendo sido escoteiro. Você pode confiar em mim. Mas vai ter que parar de me assediar no trabalho, ou serei obrigado a abrir uma queixa no departamento de recursos humanos e você vai afundar com toda a burocracia e documentos.

Grace estendeu a mão pedindo o telefone dele e inseriu o seu número.

— Vocês têm um departamento de recursos humanos na Whisked Away? — perguntou ela.

— Você bem que gostaria de saber — provocou Rafe, pegando o telefone de volta. — Ainda está triste? Consegui resolver o seu problema?

— Vai com calma, soldado — pediu Grace, e Rafe bagunçou o cabelo dela antes de voltar para o seu lado da mesa.

Ela chegou em casa uma hora mais tarde, a outra metade do seu sanduíche embrulhada em um saco de papel.

— É você, filha? — gritou a mãe do escritório.

— Não! — berrou Grace em resposta. — É um assassino em série!

— Você pode pedir para o assassino ver se eu desliguei a cafeteira?

— E se for uma assassina?

— A maioria é homem, filha.

Grace verificou a cafeteira.

— Tudo certo aqui!

Tentou passar sorrateiramente pela porta do escritório, mas a mãe a chamou.

— Espere — pediu, e Grace deu um passo para trás. — Você andou chorando?

— Ah, não, nada disso — respondeu Grace, seguindo para a escada. — Lentes de contato. São *terríveis*, não é?

MAYA

Não é que Maya quisesse terminar com Claire.

Foi uma coisa que meio que... aconteceu.

Ela não conseguia superar a raiva que sentia da namorada por não ter respondido as mensagens que tinha enviado no dia que seu pai se mudou. Sabia que era babaquice dela, é claro, mas mesmo assim aquilo pairava sobre ela como uma nuvem de tempestade que nunca ia embora.

Não ajudou muito o fato de Claire não entender por que Maya estava tão chateada.

— Eu já disse — começou Claire no dia seguinte, na hora do almoço. Maya não estava com a cabeça deitada no colo dela dessa vez; na verdade, estava sentada de frente para ela, a comida espalhada como um muro entre as duas, uma barreira feita de migalhas de pão e cascas de laranja. — Eu estava acampando e não levei o celular, eu...

— E quem é que sai sem o celular hoje em dia? — questionou Maya, exasperada. — Tenho quase certeza de que eu tenho a marca do meu na mão. Como você pode sair *sem* o seu telefone?

— Tudo bem, digamos que eu estivesse com o celular — sugeriu Claire, empertigando-se um pouco. — Acampando com a minha família, o sinal basicamente inexistente, e você me mandasse uma mensagem contando que seu pai se mudou. O que eu deveria fazer?

Maya sentiu como se o sol estivesse explodindo atrás dos seus olhos.

— Ah, sei lá — respondeu, ciente de como estava parecendo Lauren naquele momento, falando coisas óbvias e com voz aguda. — Talvez *responder* a minha mensagem? Mas é só uma ideia, nada de mais.

— E depois disso? Eu não tinha como conversar com você, não tinha como ir até você. Na boa, Maya, o seu pai não morreu, ele só se mudou para um apartamento a dez minutos de distância.

Maya pegou sua bolsa.

— Não, espera, Maya, não. — Claire estendeu a mão e pegou o seu punho. — Foi mal. Eu não queria dizer isso.

— Foi *exatamente* o que você quis dizer — retrucou Maya, mas parou de se mexer, segurando a bolsa em uma das mãos.

— Eu só quis dizer que... — Claire suspirou e, em seguida, puxou todo o ar de volta. — Olha só, você sabe que meu pai não faz mais parte da nossa vida. Pelo menos o seu continua presente, tá legal? Você ainda pode vê-lo todos os dias se quiser. Pode mandar mensagem agora mesmo e ele provavelmente vai responder em menos de trinta segundos.

Tudo aquilo era verdade. Maya sempre ficava satisfeita e um pouco constrangida com a velocidade com que seu pai respondia às suas mensagens — a vida dela ficou consideravelmente mais difícil quando ele descobriu os *emojis*. Maya sabia que não tinha muito do que reclamar, que ela ainda tinha uma vida muito melhor do que muitos adolescentes. Olhe só para o Joaquin! Ele nem ao menos tinha pais.

Mas isso não fez com que se sentisse melhor.

— Você só está assim porque é tudo muito novo ainda — continuou Claire, ainda segurando o punho de Maya, ancorando-a na grama. — E me desculpe se eu não estava disponível naquele dia, ok? Se eu pudesse, teria ido para lá em um segundo. Juro. Tá legal? Tá legal? — repetiu quando Maya não respondeu. — Eu deteste brigar com você. Prefiro dar uns beijos a ficar discutindo. É tão mais divertido.

Maya deu um sorrisinho.

— Bem mais divertido — concordou. — Mas ainda estou com raiva.

Claire começou a puxá-la de volta para a grama, e Maya cedeu os joelhos, sua bolsa caindo pesadamente ao seu lado.

— Você quer fazer as pazes com uns beijos? — perguntou Claire, sorrindo contra os lábios de Maya. — Ouvi dizer que é muito gostoso.

Maya sorriu de novo, seus dentes contra a boca de Claire.

— Porque não existe nada mais gostoso do que trocar uns beijos atrás do ginásio da escola — disse, abraçando Claire.

— Vamos descobrir — respondeu a garota, e elas se deitaram na grama.

O término aconteceu cinco dias depois.

Em retrospecto, Maya percebia que não tinha sido culpa de nenhuma das duas. Era sábado e elas deviam ter saído juntas, mas Claire teve que tomar conta do irmão e Maya estava até o pescoço de dever de casa de física. A pegação no gramado da escola tinha sido incrível, mas não resolveu nada. Maya não conseguia deixar de pensar naquilo como um curativo da Hello Kitty que ela e Lauren usavam quando eram pequenas: superfofos, mas que não adiantavam muito para machucados grandes.

Quando finalmente se encontraram naquela tarde, Maya estava mal-humorada por causa do dever de casa, e Claire, exausta por ter cuidado do irmãozinho. Elas tinham marcado de ir ao cinema, mas os ingressos para o filme que queriam ver estavam esgotados e elas não conseguiram concordar em relação a nenhum outro.

— E aquele ali? — sugeriu Maya, apontando para o quadro de filmes.

— Parece idiota — respondeu Claire, apertando os olhos.

— A gente só está lendo o título. Como você sabe que parece idiota?

— O *nome* parece idiota.

Maya suspirou.

— Tá legal, e quanto a...

— Nada de alienígenas.

— Como você sabe que tem...

— Está escrito *alienígenas* bem no meio do título.

— E se for uma metáfora?

Claire arqueou uma das sobrancelhas para Maya.

166

— Tudo bem — cedeu Maya. — Vamos só tomar um café. Com certeza não vamos ver nenhum alienígena lá.

Mas Claire ficou chateada por não conseguir ver o filme, o dia estava abafado, do jeito que faz a pessoa ficar desconfortável e suada depois de cinco minutos no sol, e o pai de Maya enviou uma mensagem para ela e para Lauren contando que teria que ficar mais dois dias em Nova Orleans, na viagem de negócios, e querendo saber se poderiam transferir o jantar deles de domingo para terça-feira. Que ele as amava e sentia muito, *muito* mesmo.

— Típico — comentou Maya, enfiando o telefone no bolso sem responder.

Ia deixar Lauren lidar com aquilo. Afinal de contas, do que adiantava ter uma irmã mais nova se não pudesse obrigá-la a fazer o trabalho chato?

Claire olhou para ela enquanto tomava um gole da sua bebida. *Tem muito creme nesse copo,* pensou Maya, e começou a se perguntar quando esse tipo de coisa começou a incomodá-la.

— O que é típico? — perguntou Claire, ainda com o canudo na boca. — Quem era?

— Meu pai — contou Maya. — Está preso em Nova Orleans em uma viagem de negócios. Só vai poder jantar comigo e com Lauren na terça-feira.

— Ah, que droga, hein?

Maya olhou para Claire. Sentia o sol tostando seus ombros nus. Não tinha passado protetor solar porque elas deveriam estar no cinema.

— Tudo bem, pode dizer.

— Dizer o quê?

— Dizer o que você realmente está pensando.

Claire fez uma pausa antes de dizer:

— Tipo assim, o que eu quis dizer é que é uma droga, mas pelo menos você vai ver o seu pai na terça-feira, não é? São só mais alguns dias. Talvez vocês consigam passar mais tempo juntos no próximo fim de semana.

Foi uma resposta completamente razoável. Maya sabia disso, mas era exatamente o tipo de resposta que a enfurecia. Claire era muito comedida, muito razoável, muito Claire. Até mesmo a porra do seu nome soava como algo calmo e claro. Maya queria alguém que fosse capaz de ficar tão zangada quanto ela, alguém que estivesse no seu nível, para que ela não se sentisse completamente sozinha no topo do seu vulcão pessoal, a lava vermelha vazando por todos os lugares dentro dela.

— Por que você é assim? — perguntou Maya.

Ela teria tomado um gole de água, mas já tinha bebido tudo havia muito tempo. Além de todo o resto, Claire ainda bebia muito devagar.

— Assim como?

— Sempre calma demais — reclamou Maya. Estavam sentadas em uma mureta perto da fonte, e Maya desceu, agitada demais para ficar parada. — Por que você é tão parecida com a minha mãe?

— A sua mãe? — perguntou Claire, começando a rir. — Você acha que eu pareço a sua *mãe*? Isso é esquisito pra caramba, Maya.

— Por que você não consegue ficar zangada? — continuou. — Eu sinto saudade do meu pai, tá bom? Eu. Sinto. Saudade. Do. Meu. Pai. E sinto muito se você não pode mais ver o seu, mas só porque a minha situação é melhor do que a sua não significa que eu não sofra com tudo isso.

Claire se empertigou, e Maya pensou em uma cobra se preparando para o ataque.

— Porque a sua situação é *melhor* do que a minha? — repetiu ela.

— Não foi o que eu...

— Foi exatamente o que você disse. — Claire também se levantou da mureta, estavam cara a cara agora. — Olha só, Maya, não tente jogar todas as suas merdas em cima de mim, ok? Você realmente passou por uns meses bem difíceis, eu sei disso... Com a mudança do seu pai, Grace e Joaquin e tudo mais...

— Acho que o que você quer dizer é que eu encontrei não apenas um, mas *dois* irmãos biológicos — retrucou Maya. — Isso não é "e tudo mais".

— E eu sei que você está preocupada com a sua mãe...

— *Não* fale da minha mãe! — Agora Maya estava gritando. Queria ter algo para jogar em algum lugar. Algo que pudesse bater em um dos prédios com a força que ela sentia que crescia dentro do seu coração. — Deixe a minha mãe fora disso.

— Mas eu não posso, Maya! Esse é o problema! Você está zangada com todas essas pessoas, mas não pode dizer para elas, então você desconta tudo em cima de mim.

— Ah, foi mal! Eu não tinha percebido que você tinha virado a minha terapeuta em vez de minha namorada. Que surpresa. Você aceita plano de saúde?

Maya não sabia muito sobre terapia nem sobre planos de saúde, mas já tinha ouvido os pais conversando sobre o assunto. Sua mãe sempre dizia que terapia de casal era caro demais porque não aceitava plano de saúde, mas seu pai tinha se oferecido para pagar mesmo assim. Não funcionou.

— Maya! — exclamou Claire. — Meu Deus, como você é *irritante* às vezes! Você age como uma criança!

— E você age como uma sabe-tudo! — retrucou Maya, gritando. — Você não sabe nada sobre a minha família, tá? Então, fique fora disso!

— Eu não sei nada porque você não me conta nada! — reclamou Claire. — Você só fica jogando essas migalhinhas e espera que eu siga a sua trilha, mas você não deixa migalhas suficientes.

Maya piscou.

— Que metáfora horrível.

— Tudo bem, que tal esta? Você me deixa no escuro porque não quer que eu saiba muita coisa a seu respeito. Você acha que, se eu souber muita coisa sobre a sua família, eu vou terminar tudo com você.

Maya começou a rir.

— Você é péssima nisso — comentou. — Sinto muito, mas eu contei tudo sobre meu pai para você. Tudinho! Como pode dizer que eu só deixei migalhas?!

— E sobre a sua mãe? — perguntou Claire, e Maya desviou o olhar. — Exatamente, Maya.

— É um assunto particular dela, não meu.

— Mentira. É tudo sobre você. Você só não percebeu ainda. E quem se importa que seja particular? Eu sou sua *namorada*. Você pode me contar as coisas.

Maya sentiu como se estivesse em um veículo desgovernado, ladeira abaixo, as rodas começando a se soltar do carro à medida que ela ganhava mais velocidade.

— Tudo bem, então, se você acha que eu não te conto o suficiente, então talvez eu não devesse mais ser sua namorada.

Claire estava prestes a gritar alguma coisa de volta, mas as palavras de Maya a impediram de continuar. Na verdade, também impediram Maya de continuar. Ela nem tinha pensado em dizer aquilo.

— Você quer terminar comigo? — perguntou Claire, a voz repentinamente baixa e tranquila.

— Bem, parece mais que você quer terminar comigo.

Não era o que parecia, não para Maya. Quem era a estranha dentro dela que ficava falando coisas em seu nome? Quem quer que fosse, estava realmente ferrando com tudo de uma forma colossal.

— É isso que você faz? — questionou Claire com um tom perigoso na voz. — Você só fica provocando e provocando? — Ela deu um passo em direção a Maya e cutucou o ombro dela. — Você fica agindo de maneira cada vez mais cruel até me obrigar a terminar tudo com você porque não tem coragem de fazer isso *você mesma*?

Maya não tinha o que responder. Em vez disso, só ficou olhando para Claire. Ela aprendera aquele truque havia muito tempo, a arte de ficar em silêncio e deixar a outra pessoa dar corda até se enforcar. Ela só nunca achou que usaria a técnica com Claire.

— Você realmente não vai dizer nada? A gente está praticamente terminando e você não vai falar nada?

Maya deu de ombros. Lauren às vezes fazia isso com ela quando estavam discutindo, sua apatia deixava Maya louca da vida.

— Ai, meu Deus. — Claire começou a rir. — Você é tão infantil. — Ela fez menção de ir embora, mas depois voltou a encarar Maya. — Quer saber? Se você quer terminar comigo, vai ter que dizer na minha cara. Eu não vou fazer isso por você.

Era um desafio, Maya sabia, e ela estava tão furiosa, tão frustrada e se odiando tanto que mordeu a isca.

— Está tudo acabado entre nós — declarou, e foi obrigada a ver Claire se encolher bem na frente dos seus olhos.

— Você está falando sério? — sussurrou a garota. — Que droga, Maya! Por que você precisa atear fogo na casa com todo mundo lá dentro?

Maya não fazia ideia do que Claire estava falando. Estava ocupada demais tentando ficar com a boca calada e com os olhos secos. Poderia chorar quando chegasse em casa, mas não ia desmoronar na frente de Claire.

Não lhe daria esse prazer.

— Quer saber? — continuou Claire. — Encontre uma carona para voltar para casa. Estou indo embora.

— Ótimo — respondeu Maya.

Sua casa ficava a uns três quilômetros de distância. Ela teria voltado dando saltos mortais em cima de cascalhos antes de entrar no carro de Claire.

Claire riu de novo, uma risada cortante e amarga, e se virou para ir embora. Um pouco antes de virar a esquina, jogou o copo vazio de café no lixo com tanta força que Maya meio que esperava que ele fosse quicar de volta, mas o copo ficou imóvel.

Foi Claire quem teve que se mexer.

Maya estava certa, estava mesmo muito queimada de sol.

Seus ombros estavam cor-de-rosa, e o nariz ficou em um tom incandescente de vermelho.

— Oi, Rena do Nariz Vermelho — brincou Lauren mais tarde, quando encontrou Maya olhando o próprio rosto no espelho do banheiro.

— Fica na sua. Será que tem alguma loção pós-sol aqui em casa?

Lauren entrou no banheiro e abriu o armário de remédios.

— Aqui — disse. — Acho que tem pasta d'água no banheiro do papai e da mamãe... Quer dizer, da mamãe.

— Pasta d'água é nojento — comentou Maya, ignorando a escorregada de Lauren.

171

— Por que você está tão queimada? — perguntou Lauren, sentando-se na tampa do vaso sanitário.

— Voei perto demais do sol — resmungou Maya, tentando passar a loção no nariz sem sujar o resto do rosto.

— O quê?

— Nada. Só saí e esqueci de passar protetor solar. Você recebeu a mensagem do papai?

Lauren assentiu, apoiando os cotovelos nos joelhos.

— Pergunta — começou Maya. — Por que você está no banheiro comigo?

— Porque não tem nada de bom na televisão.

Maya olhou para ela pelo espelho.

— Cadê a mamãe?

Lauren encolheu os ombros.

— Lauren — insistiu Maya.

— Ela está dormindo — contou a irmã em voz baixa.

Maya suspirou. Dormindo às cinco e meia da tarde. Devia estar mais para desmaiada. Que ótimo. Ela também estava "dormindo" quando Maya voltou da escola no dia anterior. Elas encontraram mais garrafas vazias do que de costume naquela semana, e Maya e Lauren começaram a reciclá-las sem fazer comentários. A mãe devia ter notado. Certo?

— O que você quer comer no jantar? — perguntou Maya para Lauren.

— Pizza.

— Pizza é chato.

— Você perguntou o que eu queria. E o restaurante grego não faz entregas.

Maya suspirou. Já tinha tido uma briga desastrosa com alguém naquele dia. Não estava no clima de ter outra.

— Vamos lá — disse para Lauren. — Vamos andando até o restaurante grego. Mamãe pode ficar dormindo. A gente traz alguma coisa para ela.

— Você não vai convidar a Claire, não é?

Maya congelou.

— Por quê? — perguntou, a voz soando estrangulada nos próprios ouvidos.

Lauren pareceu não notar.

— Porque vocês ficam cheias de carinho e amor uma com a outra e eu tenho que ficar lá segurando vela, como uma idiota.

— Nada de carinhos. Claire vai ficar com a família hoje. — Nada daquilo era exatamente mentira, pensou Maya.

Lauren foi procurar os sapatos enquanto Maya entrava na ponta dos pés no quarto dos pais — da mãe. O quarto parecia ainda maior agora que o pai não estava mais lá, a cama mais vazia. A mãe estava encolhida no canto do colchão, sua respiração calma e profunda, e Maya a observou por um minuto antes de puxar o cobertor até os ombros dela.

Foi até a cômoda, abriu a primeira gaveta e encontrou um bolo de notas de vinte dólares que sabia que estaria lá. Pegou duas e contou o restante. Presumindo que a mãe planejava ficar dormindo na hora do jantar pelo resto da semana, ela e Lauren poderiam comer pelo menos mais quatro vezes. Cinco, se Maya cedesse à ideia da pizza.

No restaurante grego, ela e Lauren se sentaram uma do lado da outra no balcão de frente para as janelas, comendo *pita* e *tzatziki* e *kebab* — de carne para Maya e frango para Lauren. Nenhuma das duas considerou cordeiro. Parecia crueldade demais comer um filhote de ovelha. Maya se perguntou se algum dia teria isso com Grace e Joaquin, a capacidade de simplesmente se sentar em silêncio lado a lado, com a satisfação de saber que não importava o que acontecesse com seus pais ou com sua namorada, que os seus irmãos sempre estariam ali, como um suporte de livros que o mantém de pé, mesmo quando você sente que vai cair.

Quando chegaram em casa, ainda estava tudo escuro. Maya acendeu as luzes até chegar à cozinha, depois guardou o *souvlaki* de frango que trouxeram para mãe na geladeira.

— Mãe? — gritou. Pelo menos o carro ainda estava na garagem. A mãe não era *tão* burra assim.

— Mãe! — chamou novamente. — Acorde! Trouxemos o seu jantar.

Secretamente, desejava que pensar em comer comida grega deixasse a mãe enjoada por conta de toda a bebida. Depois ela se perguntou quando tinha se tornado uma pessoa tão cruel.

— Mãe!

O andar de cima estava no mais completo silêncio e, então, ela ouviu Lauren gritar:

— Mãe!

Maya subiu correndo as escadas antes de perceber que tinha saído da cozinha.

— Mãe! — Lauren continuava gritando, e Maya seguiu os gritos pelo corredor até o banheiro dos pais. Lauren estava no chão, ao lado da mãe. Ela estava encolhida como um filhote de passarinho caído do ninho, com sangue escorrendo da cabeça e manchando o piso de mármore gelado sob os pés descalços de Maya.

— Eu a encontrei aqui! — exclamou Lauren. — Temos que ligar para o papai!

Maya pegou o telefone que Lauren ainda segurava.

— Temos que ligar para a emergência! — retrucou. — Meu *Deus*, Lauren, o que papai vai poder fazer de Nova Orleans?

Tentou discar três vezes para a emergência porque sua mão estava trêmula demais.

Aos seus pés, sua mãe gemia. Lauren estava pressionando uma toalha contra a cabeça dela, tentando estancar o sangramento. A atendente da emergência prometeu ficar na linha com ela até os para-médicos chegarem e Maya colocou o telefone em viva voz e o colocou na bancada da pia.

— Maya? — gemeu a mãe.

— Estou bem aqui — respondeu Maya, mas não se abaixou. Não queria ficar muito perto da mãe. Não queria quebrá-la. Em vez disso, pegou o próprio telefone no bolso e começou a ligar para Claire, quase completando a ligação antes de se lembrar que provavelmente era a última pessoa com quem Claire ia querer falar no momento. — Merda — resmungou para si mesma.

Lauren estava acariciando o cabelo da mãe e segurando a toalha na lateral de sua testa. Maya se esforçou para pensar de forma clara, não chorar e resolver o problema.

Ela ligou para outra pessoa, então. Primeiro estava com medo de que não fosse atender, mas ela atendeu depois do quarto toque.

— Alô? Maya?

— Grace? — disse Maya e, então, começou a chorar.

JOAQUIN

Joaquin já estava bem acostumado a receber mensagens aleatórias de Grace no celular. Às vezes recebia um "Oi, como foi o seu dia?" ao sair da escola e, no último fim de semana, recebeu um "Você assistiu ao novo filme que saiu?" Não tinha certeza se era porque ela realmente queria saber ou se só queria se certificar de fazer tudo certo para criar um laço com ele, mas era legal de qualquer jeito. Ele geralmente respondia de forma bem padrão — "Tranquilo. E você?" ou "Ainda não" — porque nem sempre sabia o que dizer. Afinal de contas, Grace era basicamente uma estranha. Fossem irmãos biológicos ou não, eles só tinham se encontrado duas vezes, não era exatamente a *situação confusa mais calorosa do mundo*. (Joaquin uma vez teve uma irmã de acolhimento mais nova que dizia isso o tempo todo. Acabou ficando com a expressão na cabeça e se achava idiota só de pensar naquilo.)

Tudo isso mudou no domingo.

Começou com uma mensagem — e o que mais poderia ser? — de Grace, e Joaquin se virou na cama, esfregando os olhos para afastar o sono e conseguir ler. Oi, dizia, e ele percebeu na hora que aquela mensagem era diferente. Sei que a gente ia se encontrar para um café hoje, mas será que você poderia vir à casa de Maya?

Aquilo foi estranho.

Claro. Por quê?

Longa história. Pode vir agora de manhã?

Joaquin pensou um pouco, rolou de volta para ficar deitado de lado e fechou um dos olhos para conseguir enxergar a tela. Tá legal, respondeu ele, vejo vocês às dez?

Ele ficou na cama por mais um ou dois minutos, depois foi até o pé da escada.

— Linda? — gritou ele.

— Hã?

— Posso pegar o carro emprestado?

Linda foi até a escada.

— Mark e eu pensamos em ir à loja enquanto você se encontra com Maya e Grace.

— Grace acabou de me enviar uma mensagem — disse ele, mostrando o telefone. — Ela quer que a gente se encontre na casa de Maya. — Ele fez uma pausa antes de acrescentar: — Acho que aconteceu alguma coisa.

Uma hora mais tarde, Joaquin entrou com o carro no quintal muito, muito espaçoso de Maya. O carro de Grace já estava estacionado. Joaquin suspeitava que poderiam ter parado um caminhão de três eixos ali e ainda teria espaço para jogar basquete.

— Puta merda — murmurou para si mesmo, olhando para a casa pelo para-brisa. Já imaginava que a família da sua irmã caçula tivesse dinheiro e, ao olhar para a porta gigantesca de entrada, as janelas enormes e emolduradas da fachada da casa e a buganvília que subia por uma parede lateral de tijolos, percebeu que estava certo.

Grace abriu a porta da frente antes de Joaquin ter a chance de usar a enorme aldrava de bronze em forma de troféu.

— Oi — cumprimentou ela.

Ela estava com uma aparência péssima.

— Você está...

— ... horrível, eu sei. — Grace deu um passo para trás, fazendo um gesto para ele entrar na casa. — Eu nem moro aqui, mas estou convidando você para entrar mesmo assim. Bem-vindo à casa da Maya.

Joaquin colocou um dos pés no piso de mármore. Tinha uma pilha de sapatos em um dos cantos, então ele tirou o tênis, feliz por ter escolhido um par de meias limpas pelo menos.

— Por que você está aqui? — perguntou ele. — Cadê a Maya?

Grace apontou com o polegar por cima do ombro.

— Está lá fora com a Lauren. A irmã dela — acrescentou quando Joaquin arqueou uma das sobrancelhas, sem reconhecer o nome. — A que nasceu logo depois que eles adotaram Maya.

— Ah, isso mesmo. Lembrei agora — disse ele, mas seus olhos estavam na escadaria impressionante e na quantidade enorme de fotos de família na parede da escada. Era como assistir a uma linha do tempo da vida de Maya, desde fotografias de bebê até as de escola feitas com um fundo falso de floresta. Havia fotos de férias, fotos tiradas em um momento de distração ou posadas, e Joaquin identificava Maya em todas em questão de segundos. Ela era a morena baixinha em um mar de ruivos altos e, pela primeira vez, Joaquin ficou feliz por não ter uma centena de fotos de quando era bebê. Não precisava do constante lembrete de que era diferente de todo mundo.

Grace ficou ao lado dele, seguindo o seu olhar.

— Pois é, né? — comentou ela depois de um minuto. — Imagine passar por *isso aí* todo santo dia? Fiquei meio apavorada quando vi pela primeira vez também.

— Você acha que eles percebem o quanto isso é esquisito? — perguntou Joaquin, cruzando os braços enquanto se inclinava para ver melhor as fotos de bebê, uma Lauren recém-nascida no colo de Maya já maiorzinha, mas ainda bebê. Maya não parecia muito feliz. Joaquin percebeu que ela ainda fazia a mesma expressão quando estava irritada.

Grace encolheu os ombros.

— Sei lá. Talvez eles só queiram que ela ache que é uma deles, independente da aparência.

Joaquin soltou um riso abafado antes de conseguir se controlar. Essa foi uma das primeiras coisas que a sra. Buchanan disse quando ele se mudou para a casa deles. "Não consideramos a cor da pele", dissera ela, abaixando-se para colocar uma das mãos no ombrinho

178

magro de Joaquin na época e com um sorriso tão grande que o menino conseguiu ver seus dentes molares. "Somos todos iguais por dentro."

Ele tinha achado aquilo muito engraçado. Todo mundo parecia considerar, e muito, a cor da pele das pessoas.

— Pode acreditar — disse, por fim. — Maya sabe muito bem que não se parece em nada com nenhum deles.

— Bem, esse é o menor dos problemas dela agora. — Grace suspirou. — Venha, elas estão perto da piscina.

Claro que tem uma piscina, pensou Joaquin enquanto a seguia para o lado de fora. Maya e sua irmã ruiva, Lauren, estavam sentadas uma de frente para a outra perto da borda da piscina. Lauren estava sob um guarda-sol, mas Maya estava esparramada no chão de cimento, com óculos de sol cobrindo o rosto e os pés na água. Ela se empertigou quando os ouviu saindo.

— Oi — cumprimentou, acenando para Joaquin. — Bem-vindo ao mais novo episódio de *The Real Housewives*.

Joaquin olhou para Grace, que esfregava a testa.

— Hã? — perguntou.

— Nada — respondeu Maya. — Obrigada por vir. Quer colocar os pés na água?

Ele meio que queria. O pátio estava quente, mais quente que na casa de Mark e Linda, perto da praia. Mas primeiro ele foi até Lauren e estendeu a mão.

— Oi — cumprimentou. — Sou Joaquin.

— Ah, foi mal — desculpou-se Maya, empertigando-se de novo. — Esta é a minha irmã, Lauren. Lauren, este é o meu... Este é Joaquin. Vocês dois não têm nenhum vínculo de parentesco.

— Oi — respondeu Lauren, apertando sua mão. Joaquin se lembrou que elas tinham um ano de diferença, mas Lauren parecia mais nova, mais frágil. Estava claro que ela tinha chorado também. Joaquin se perguntou se era por isso que Maya estava usando óculos escuros enormes.

— Espere — pediu Maya. — Será que *existe* algum parentesco?

— Não — respondeu Grace, se acomodando na *chaise longue* em frente ao guarda-sol de Lauren.

— Não, mas... — A voz de Maya sumiu enquanto a garota pensava. — Existe alguma relação matemática aplicada a essa situação, não é? Tipo, a relação transitiva? O irmão da minha irmã é meu irmão?

— Acho que não é assim que funciona — opinou Joaquin, tirando as meias.

— Matemática não é biologia — acrescentou Lauren. — E olha que eu sou péssima nas duas matérias.

Maya só fez um movimento com a mão.

— Parabéns pelos seus dois novos amigos, Lauren — disse ela. — E não diga que você é péssima em matemática e ciências. É tão clichê quando garotas dizem isso. Mesmo que seja verdade, minta. — Ela soltou um suspiro profundo, como se Lauren mentir sobre a própria inteligência fosse o maior dos seus problemas.

Joaquin olhou novamente para Grace. Ela simplesmente meneou a cabeça como resposta.

— E então — começou Joaquin, sentando-se ao lado de Maya e colocando os pés na piscina.

Maya fez outro gesto com a mão para ele sem erguer o olhar.

— Como está a água?

— Boa — respondeu o garoto. — Azul.

Ela levantou os olhos para poder olhar para o irmão.

— É o que eu sempre digo — revelou, arregalando os olhos. — Você também sente as cores?

Joaquin não fazia ideia do que ela estava falando.

— Você quer me dizer por que estou sentado no pátio da sua casa em vez de na lanchonete de sempre?

— Porque aqui é bem melhor — respondeu Maya, erguendo a mão para dar uns tapinhas no braço dele. Ninguém tinha tocado em Joaquin dessa forma, não desde Birdie e a briga deles alguns dias antes. — Relaxe e aproveite o azul.

Joaquin não precisava ser convencido.

— Maya — chamou Lauren depois de alguns minutos. — Posso ir de bicicleta até a casa da Melanie?

— Por que você está pedindo para mim? — retrucou Maya, os braços cobrindo os olhos agora. — Eu não sou a mamãe. Graças a Deus — acrescentou.

Lauren parou.

— Isso é um sim?

— É.

Mas então Maya se levantou do chão e foi até Lauren para lhe dar um abraço. Elas ficaram abraçadas um tempão, por mais tempo que Maya já tinha abraçado Joaquin ou Grace, e então a soltou. Maya batia praticamente no ombro de Lauren, que fez um carinho na cabeça da irmã mais velha antes de ir.

— Volto perto das três horas — combinou.

— É melhor mesmo — avisou Maya. — Caso contrário, eu vou passar por cima de você com um caminhão. E isso não é uma metáfora.

— Você nem tem carteira de motorista ainda. — Lauren não pareceu muito ameaçada.

— Eu sei. O que torna tudo muito pior. Imagina os estragos que posso causar. — Mas ela estendeu a mão e apertou o braço da irmã de forma carinhosa antes de soltá-la e voltar para o lado de Joaquin na piscina.

Ele sentiu como se tivesse entrado em uma peça de teatro na metade da apresentação. Não fazia ideia do que estava acontecendo. Estava tentado a puxar Grace de volta para a casa para perguntar, mas ela estava lendo alguma coisa no telefone, seus óculos de sol no alto da cabeça puxando o cabelo para trás enquanto a garota olhava a tela com a testa franzida.

Ah, tudo bem. Pelos menos a água da piscina estava gostosa.

Assim que Lauren saiu pedalando, Maya entrou em casa. Voltou alguns minutos depois com algo na mão.

— Eu amo a Lauren e tudo mais — declarou ela com um suspiro enquanto se acomodava ao lado de Joaquin. — Mas não posso fazer isso na frente dela.

— Isso é... Ah, merda — praguejou Joaquin olhando para o baseado e o isqueiro na mão da irmã. — Você fuma maconha?

— Meu glaucoma — comentou Maya, colocando o baseado entre os lábios. — Relaxa, está tudo bem. Meus pais não fazem ideia.

— Ai, meu Deus. Isso é maconha? — perguntou Grace, se sentando na *chaise longue*.

— Acertou em cheio. Quer um pouco?

Grace hesitou, depois se sentou ao lado de Maya.

— E você? — Maya ofereceu para Joaquin enquanto acendia o cigarro. — Você quer? Domingo de diversão?

— Não, valeu — agradeceu ele. — Tenho que dirigir.

— Verdade — concordou Maya, enquanto Grace mergulhava os pés na água. — Já que o baseado é meu, eu começo.

— Você não tem, tipo, 12 anos? — perguntou Joaquin. — Onde conseguiu isso?

— Com a minha namorada... Ex-namorada, na verdade. Claire.

Joaquin e Grace trocaram um olhar por sobre a cabeça de Maya, e o rapaz se lembrou de Mark e Linda fazendo a mesma coisa com ele.

— Foi você que terminou? — questionou Grace enquanto Maya tragava.

— Sim, senhora. —Maya estava com a voz rouca; ela segurava a fumaça antes de passar o baseado para a irmã.

Grace pegou e ficou segurando por um minuto.

— Já faz, tipo, *muito* tempo desde a última vez que fumei. — Ela estava com um sorriso esquisito no rosto, e Joaquin não conseguiu perceber se ela estava feliz ou triste. — Ah, tanto faz.

— Esquece isso — respondeu Joaquin automaticamente, e ficou feliz quando as duas irmãs sorriram para ele. — Então, será que alguém pode me dizer por que estamos aqui? Ou será que preciso adivinhar?

— Aah, adivinhe! Adivinhe! — exclamou Maya.

— Maya, pare com isso — pediu Grace, devolvendo o baseado para ela. — Uau, esse é forte.

— É, Claire não brinca... não brincava em serviço.

— A gente está aqui porque você terminou com a Claire? — perguntou Joaquin. Se elas iam obrigá-lo a conseguir informações, tudo bem. Ele já tinha feito perguntas difíceis antes. — É por isso?

Pessoalmente, depois que ele terminou com Birdie, tudo que queria era morrer. Não conseguia se imaginar fazendo uma festa da consolação. Talvez garotas fossem diferentes em relação a esse lance de término, unindo-se como pinguins em vez de apenas se encolher embaixo das cobertas e ficar vendo Netflix o dia inteiro.

Maya deu uma risada cortante e curta.

— Quer saber? Eu tinha até esquecido por alguns minutos que Claire e eu tínhamos terminado. Para você ver o nível de terror que vivi ontem.

Joaquin esperou que ela continuasse a explicação. Quando nada saiu, ele suspirou.

— E o que mais aconteceu ontem?

Maya pegou o baseado de Grace.

— Pode contar para ele — pediu ela, fazendo um gesto para Joaquin. — Aposto que você conta a história muito melhor.

— Mas que merda aconteceu ontem? — perguntou ele. — E por que nenhum dos seus pais está aqui? — Joaquin sempre imaginou os pais de Grace e Maya andando atrás delas o tempo todo, cuidando delas, limpando a sujeira, segurando-as em uma eterna rede para que jamais caíssem nem se machucassem. — Você acabou com eles ou algo assim?

Maya deu uma risadinha e depois começou a rir de verdade, mas Grace só lançou um olhar sombrio na direção de Joaquin, e o garoto suspeitou que tinha dito a coisa mais perfeita ou a mais terrível.

Quando Maya começou a chorar, percebeu que era a última opção.

— Ah, merda — xingou, bem na hora que Grace a abraçou. Maya ainda estava segurando o baseado, a fumaça subindo em uma linha comprida que se curvava no alto. Quando Grace mexeu o braço, ele atravessou a fumaça e a espalhou. — Ah, merda, Maya. Foi mal. Eu só estava brincando.

— Pare com isso, está tudo bem — pediu ela, mas ainda estava fungando. Para Joaquin, aquele lance de ter irmãs era uma novidade, mas ele tinha certeza de que fazer a caçula chorar era o primeiro item da lista de coisas que não deveria fazer nunca, jamais, em momento algum.

— Conte logo para ele — pediu Grace, a voz tranquila, mesmo enquanto pressionava o rosto contra o cabelo de Maya.

Maya respirou fundo, depois deu outra tragada no baseado.

— Então — começou ela, rouca por causa do choro e da fumaça. — Talvez você já saiba disso, mas a minha mãe é uma grande alcoólatra.

Joaquin sentiu as costas se esticarem completamente, como a linha de fumaça à sua frente. Ele tinha passado um tempo com uma família na qual um dos acolhedores era alcoólatra. Não tinha sido uma boa experiência. Se alguém machucasse Maya daquela maneira, Joaquin tinha certeza de que teria que fazer alguma coisa a respeito.

Considerando a expressão de Grace, ela se sentia do mesmo jeito.

— Parece que ela não está lidando muito bem com o divórcio. — Seu tom de voz ficava mais agudo no final das frases, como se estivesse questionando se o que dizia era realmente verdade. Joaquin conseguia entender isso. — E ela começou a beber ainda mais esta semana, uma quantidade grande até mesmo para ela. E, então, ontem à noite, Lauren e eu... — Maya fez um gesto para a direção em que Lauren partiu — ... saímos para jantar e, quando voltamos, minha mãe estava... Ela estava caída no chão do banheiro. Ela caiu e bateu com a cabeça. E tinha muito sangue. Ainda deve ter um monte de sangue lá em cima. Talvez a gente tenha que contratar alguém para limpar. Parece uma cena de crime. Você já assistiu a esses programas na TV, aqueles sobre assassinatos em que eles recriam a cena do crime?

— Maya. — Grace estendeu a mão e a colocou no joelho da irmã. — A gente entendeu.

Maya assentiu.

— Enfim, é, ela teve que passar a noite no hospital porque teve uma concussão.

— Onde está o seu pai? — quis saber Joaquin. — Com ela?

— Não. Ele está em Nova Orleans. Bem, na verdade, deve estar no avião voltando para casa. Os pais de Grace ligaram para ele ontem à noite.

— E ele sabe sobre... você sabe...?

— A bebida? — perguntou Maya, e Joaquin concordou com a cabeça. — Bem, acho que ele sabe. Mas acho que não tinha ideia da gravidade. Mas ele sabe agora.

— Maya me ligou ontem à noite — contou Grace. — E nós, ou melhor, meus pais e eu fomos para o hospital.

— Lauren e eu fomos na ambulância — continuou Maya. — As sirenes berrando e as luzes brilhando. Eu achava que o som seria alto dentro da ambulância, mas não é. É mentira o que vemos nos filmes.

Joaquin viu Maya levar o baseado até a boca de novo, mas o baixou sem tragar novamente. Sentiu como se estivesse vendo uma criancinha dirigindo um carro, suas pernas curtas demais para alcançar os pedais, seus olhos baixos demais para ver acima do volante.

— Então, quando ela volta para casa? — perguntou ele.

— Ela não vai voltar — respondeu Maya, com voz entrecortada. — Pelo menos não ainda. Ela vai para a *reabilitação*. Meu pai encontrou uma clínica em Palm Springs e vai levá-la para lá esta noite, assim que ela receber alta do hospital. Ah, e sim, eu e minha namorada terminamos ontem à noite. Então, ainda tem isso. Acho que eu deveria embrulhar Lauren em um monte de plástico bolha, porque acho que as pessoas estão todas desmoronando ao meu redor. — Ela fez um gesto em direção a Grace e Joaquin com a mão que estava segurando o baseado. — É melhor olharem para os dois lados antes de atravessar a rua. Acho que estou dando azar para todo mundo.

— Claro que não — irritou-se Joaquin, e as duas garotas olharam com expressão de surpresa para ele. — Nunca diga uma coisa dessas. Você está passando por um monte de merda agora, mas nada disso é sua culpa.

De repente, Maya pareceu muito acabrunhada (Joaquin tinha lido essa palavra em um livro uma vez e nunca mais esquecera. Ela fazia com que ele pensasse nos órfãos dos livros de Dickens, viúvas idosas e filhotinhos de cachorro abandonados na chuva).

— Não, tenho certeza de que o problema sou eu — afirmou ela, enxugando os olhos novamente. — Na verdade, eu tenho cem por cento de certeza que eu sou completamente culpada pelo término com Claire. Eu a afastei.

— Bem, você acha que vocês podem voltar? — perguntou Joaquin.
— Você pode pedir desculpas?

— Não — respondeu Maya.

— Isso não é verdade — disse Grace.

Maya começou a chorar de novo.

Joaquin e Grace trocaram outro olhar. Joaquin então se aproximou mais dela, até conseguir abraçá-la pela cintura. Ele sabia muito bem o que era chorar sozinho. Era horrível, como se você fosse a única pessoa viva no mundo. Não queria isso para Maya.

— E se ela não ficar na clínica? — Maya soluçou. — E se ela achar que melhorou e pedir alta e depois bater a cabeça de novo?

— Ela vai ficar boa — declarou Grace, a voz calma. — O seu pai vai cuidar para que fique.

— Talvez ela não aceite — interveio Joaquin, ignorando o olhar zangado que Grace lançou para ele. — Tipo assim, é possível, não é? Ela pode não ficar.

— A chuva da tempestade para o sol de Grace. — Maya fungou.
— Vocês formam um ótimo time.

Joaquin nunca tinha pensando em ninguém como parte do seu time, não desde Birdie. Ele se perguntou se Maya estava certa.

— Olha só — começou ele. — Você não tem como controlar o que sua mãe faz. Mas tem como controlar o que *você* faz.

Maya enxugou os olhos no braço antes de olhar para ele.

— Você faz... *terapia,* Joaquin?

Joaquin se sobressaltou um pouco.

— Eu... sim, faço. Mark e Linda pagam para mim. Eu faço, sim.

— Eu estava tentando mantê-la sóbria... Bem, menos bêbada — contou Maya. — Ela tem garrafas de vinho escondidas pela casa inteira. Lauren e eu estávamos tentando dar um jeito nisso.

— O seu pai sabe sobre essa parte? — quis saber Grace. — Talvez você devesse contar para ele.

— Como ele pode não saber? — questionou Maya. — E se ele sabe, obviamente não se importa. Tipo assim, ele simplesmente nos largou aqui com ela. Encontrou um apartamento e se mudou na semana passada. Ele vai ter que voltar agora que a mamãe não está, mas... é. — Ela jogou o baseado na piscina, onde ele rapidamente se apagou e ficou boiando na água azul. — Tudo isso é uma merda tão grande. Minha mãe é uma bêbada e a minha ex-namorada me odeia.

— Bem, a minha ex-namorada também me odeia — admitiu Joaquin, e as duas irmãs se viraram para ele com olhos arregalados. — Se isso serve de consolo.

— Você tinha namorada? — perguntou Grace.

— Por que vocês terminaram?

— Por quanto tempo namoraram?

— Qual é o nome dela?

— Foi você que terminou com ela ou ela com você?

— Eu que terminei tudo — revelou Joaquin. — E o nome dela era Elizabeth, mas todo mundo a chama de Birdie.

— Birdie. — Maya não parecia nada impressionada. — Ela é uma passarinha?

— Era o nome da avó dela — esclareceu ele.

— Por que você terminou com ela?

Joaquin deu uma risada curta e ficou observando enquanto o baseado afundava na piscina.

— O motivo é idiota.

— Não é, não — respondeu ela no tom mais suave que Joaquin já ouvira Maya usar. — É óbvio que você ainda gosta dela.

— Como sabe disso? — perguntou ele.

— Você está vermelho — disseram as duas garotas ao mesmo tempo, e Joaquin percebeu que elas estavam certas.

Merda.

— Beleza — admitiu ele. — Já que estamos no clima de confissões hoje, decidi terminar com ela porque eu não era bom o suficiente para ela.

— Ela *disse* isso? — arfou Grace.

— Vou dar um soco bem na cara idiota dela — avisou Maya.

— Não, não, ela não... ai, meu Deus. — Joaquin ergueu as mãos. — Eu mesmo percebi isso. Ela tem um monte de sonhos e objetivos e tudo isso. E eu quero que ela consiga tudo.

Joaquin viu o rosto das garotas passar de raiva para perplexidade.

— Calma aí — começou Maya depois de alguns segundos de silêncio. — *Você* acha que não é bom o suficiente para ela?

— Ah não, Joaquin — suspirou Grace.

Joaquin já estava acostumado com o jeito como as pessoas pareciam sempre se decepcionar com ele.

— Vocês não entendem — declarou. — Vocês duas cresceram com famílias. Você provavelmente mora aqui desde que nasceu, não é? Não é? — Ele repetiu quando Maya não respondeu, e ela assentiu, mesmo que relutante. — Então, com Birdie também é assim. Aquelas fotos que você tem na parede da escada? Ela também tem isso. E eu não tenho. Não tenho nada que se assemelhe a isso. É como... — Joaquin tentou se lembrar do que Ana uma vez disse para ele. — É como se não houvesse um alicerce para a casa. E você precisa de um alicerce se quiser construir coisas que durem.

Não tinham sido exatamente essas as palavras de Ana, mas foi assim que Joaquin compreendeu.

Maya ficou só olhando para ele.

— Você está de onda com a minha cara? — perguntou. — O meu alicerce está basicamente *ruindo* bem neste momento. Minha mãe está indo para uma clínica de reabilitação, meus pais estão se divorciando. Só porque você não tem uma família perfeita como vemos na TV não significa que você não seja uma pessoa boa.

Foi nesse momento que Joaquin soube que nunca contaria para Grace e Maya o que realmente havia acontecido: por que ele tinha saído da casa dos Buchanan, por que ele *não* era uma pessoa boa de verdade. Em vez disso, ele disse:

— É difícil de explicar. Vocês não conseguiriam compreender. Birdie tem todas essas fotos de quando era bebê.

Grace se empertigou, sua boca formou uma linha fina.

— Você não tem fotos de quando era bebê — declarou ela, baixinho.

Ela pareceu tão triste de repente, e Joaquin queria afastar aquela tristeza. Estava farto de entristecer as pessoas à sua volta quando tudo que queria era mantê-las em segurança.

— Não. E você tem que comprar aquelas fotos de escola, aqueles pacotes que eles vendem. — Joaquin encolheu os ombros. — Birdie tem todas essas fotos. Alguém guardou para ela. Eu vi todas elas e pensei... — A voz de Joaquin falhou enquanto ele se lembrava de como as fotos fizeram o seu estômago se encolher e contrair. — A gente nunca vai ser igual. Ela sempre vai ter mais que eu. Sempre vai precisar de mais coisas que eu. Ela precisa de alguém que veja as coisas da mesma maneira que ela.

— Joaquin. — Maya pousou a mão no braço dele. — Eu acho que você é um completo idiota.

Grace cobriu os olhos com a mão.

— Maya. — Ela suspirou.

Maya manteve a mão no braço dele.

— Não, eu estou falando sério — e Joaquin não sabia se ela estava muito chateada ou muito chapada naquele momento, mas a seriedade no seu rosto provocou um sorriso no dele. — Você *viu* aquelas fotos na escadaria quando você entrou? Você realmente as viu?

Joaquin assentiu.

— Intensas.

Os olhos de Maya começaram a lacrimejar de novo. Ela definitivamente estava chapada.

— Tipo, os meus pais leram todos esses livros sobre adoção e criança adotada e como aceitar e amar essa criança, mas nunca leram nenhum livro sobre a filha biológica deles, sabe? Eles não leram livros sobre *Lauren*. Só sobre mim. Porque eu sou diferente. Eu dou *trabalho*.

"Então, eu só estou dizendo que talvez você não tenha terminado com Birdie só porque você acha que não pode dar coisas para ela. Talvez não seja nem isso que Birdie queira de você, sabe? Talvez ela só queira *você*. As fotos são o passado, isso é tudo. Talvez você seja o futuro dela."

Joaquin sentiu a mesma sensação de quando terminou com Birdie, vendo o rosto da namorada desmoronar e sabendo que a culpa era, como Maya tinha dito mais cedo sobre o próprio término, completamente dele.

— Tá legal — disse ele depois de um minuto. — E quanto a você e Claire?

Maya revirou os olhos.

— Bela jogada.

— Não, estou falando sério — afirmou Joaquin. — Você deveria ligar para ela.

— Ela provavelmente bloqueou o meu número.

— Provavelmente não. Você não acha que eu devo voltar para Birdie? Então, eu acho que *você* tem que voltar com a Claire.

— Faz menos de 24 horas — comentou Grace. — Acho que você devia pelo menos contar para ela o que aconteceu ontem à noite.

O lábio inferior de Maya estremeceu um pouco.

— Ela disse que eu a excluo de tudo e não conto nada porque eu acho que, se disser toda a verdade, ela vai me deixar.

Joaquin soltou o ar que nem sabia que estava prendendo.

— Eeeeeita — disse, pressionando os olhos com as mãos e rindo. — Será que a gente herdou o mesmo defeito de fabricação ou algo assim?

Maya começou a rir também, apesar das lágrimas.

— Por que *você* não liga para Claire e *eu* ligo para Birdie? — perguntou ela. — Talvez a gente tenha sorte.

Joaquin sorriu. Sabia que nunca mais ligaria para Birdie, mas era legal pensar nisso. Às vezes as pessoas sofriam muito e você nunca mais conseguia recuperá-las. Birdie nunca mais sentiria que se encaixava na vida dele como antes, e ele se sentisse ainda pior se ela tentasse e fracassasse.

— E quanto a você, Grace? — perguntou Maya. — Por que você terminou com o seu namorado? Já que estamos fazendo terapia em grupo, você pode confessar agora.

Mas Grace estava com olhar perdido de um jeito que Joaquin reconhecia por ter visto em algumas crianças do programa de acolhimento, aquelas que tinham sido transferidas tantas vezes que agiam como se estivessem à deriva no meio da tempestade. Mas ela piscou e apagou aquele olhar.

— Longa história — respondeu, começando a se levantar. — Estou com fome. Tem comida aqui?

Maya e Joaquin ficaram olhando enquanto ela se afastava. Maya então tirou os pés da água e a seguiu para casa.

— Venha, Joaquin — chamou. — Talvez a gente possa desenhar uns bigodes nas fotos de família.

Ele riu da ideia. Que bom poder se dar a esse luxo.

— Já vou — disse ele enquanto as meninas entravam. Assim que elas sumiram lá dentro, ele pegou a peneira da piscina, passou pelo fundo, apanhou o baseado na redinha e o jogou para o outro lado da cerca antes de se juntar às meninas em casa.

— Ei, vocês têm um minuto? — perguntou Joaquin.

Mark e Linda olharam para ele.

— Claro, cara — respondeu Mark, lavando a louça enquanto Linda juntava o lixo para Joaquin levar para fora. — O que foi?

Joaquin se apoiou na maçaneta da porta, batendo três vezes com os nós dos dedos na madeira para ter um pouco de sorte.

— Eu só queria conversar com vocês... hum... sobre esse lance de adoção?

Ele viu o maxilar de Mark se contrair enquanto o olhar de Linda se enchia de esperança.

— Pois é, eu estava só pensando. Sabe, sobre tudo. E... hum, pois é... acho que talvez seja melhor a gente não fazer isso.

O brilho nos olhos de Linda desapareceu tão rápido que Joaquin poderia jurar que alguém tinha apagado a chama atrás deles.

— Não é que eu não... Eu gosto muito, muito mesmo, de morar aqui.

— E a gente gosta muito que você more aqui também, Joaquin — declarou Linda. — Isso nunca vai mudar, você sabe disso.

Joaquin *sabia* disso. Seu cérebro tinha cem por cento de certeza disso. Era só o resto dele que tinha dificuldade de lidar com a ideia.

— Eu só acho que as coisas estão tão boas agora? Será que a gente tem mesmo que mexer no time que está ganhando? — A voz dele começou a ficar aguda no fim das frases, como a de Maya mais cedo naquele dia, assumindo um tom de pergunta em vez de afirmação.

Linda mordeu o lábio inferior, mas Mark apenas assentiu.

— Claro, cara — aceitou ele. — A gente quer que você sempre se sinta confortável aqui. O que você quiser é o que a gente quer também.

Joaquin sentiu um peso ser retirado do seu coração e até abriu um pequeno sorriso.

— Legal — disse. — Ótimo mesmo. Valeu. E eu quero que vocês saibam que eu realmente estou muito grato. Não estou mentindo.

— Você não é um mentiroso, Joaquin — disse Linda, a voz presa. — Nós nunca pensamos isso.

— Legal — repetiu Joaquin porque não sabia mais o que dizer. — Vou levar o lixo lá para fora, então. Isso é tudo?

Ele quase conseguiu escapar pela porta dos fundos quando a voz de Mark o fez parar.

— Joaquin? — chamou ele, e Joaquin se virou e viu Mark ao lado de Linda, abraçando-a pelos ombros, os nós dos dedos apertados e brancos.

— Hã?

— Os Buchanan... Joaquin, a gente nunca... A gente nunca faria o que eles fizeram. Você sabe disso, não sabe? A gente ama você. Você é nosso, não importa o que aconteça.

Joaquin se obrigou a assentir.

— Sei, com certeza — disse. — Eu já volto.

Ele ficou parado ao lado do lixo um minuto a mais do que o necessário, tentando controlar o próprio coração. *Você controla o que faz,* foi o que ele tinha dito para Maya mais cedo naquele dia, e ele sabia que estava certo. Ele amava Mark e Linda demais para permitir que eles o adotassem, então se a decisão era dele para tomar, era o que faria.

Essa era a coisa certa a se fazer, pensou enquanto voltava para casa.

GRACE

— Então, aqui — disse Rafe alto o suficiente para seus colegas de trabalho ouvirem — temos a nossa maior variedade de utensílios de corte. Eles cortam e fatiam. Só não têm um nome legal. E aqui... eles já foram embora?

Grace deu uma olhada no corredor.

— Hum... sim. Estamos liberados.

— Ufa! — Os olhos de Rafe relaxaram. — Fingir trabalhar é bem mais exaustivo do que trabalhar de verdade.

— Que engraçado isso — comentou Grace, olhando para uma luva térmica na forma de galinha. — São fofas demais.

— Para alguns clientes — respondeu Rafe, tirando o avental. — Valeu por vir me visitar depois do trabalho.

— Bem, valeu por me mandar mensagem — agradeceu Grace. — Foi bom ter um motivo para limpar a poeira do meu celular.

— Ah, fala sério. Sei que sua mãe vive te mandando mensagens — disse ele com uma piscadinha.

Rafe era uma das poucas pessoas que Grace conhecia que conseguia dar uma piscadinha de verdade, em vez de fazer aquela careta meio falsa. Gostava disso nele.

— Onde você quer comer? Presumo que na mesma mesa sombria e escura na lanchonete aqui perto?

Grace assentiu. Não tinha vergonha de Rafe, é claro. Só dela mesma.

— Que bom, porque sanduíches do dia anterior têm um gosto muito melhor quando você os come na penumbra. — Rafe dobrou o avental e fez um gesto para a saída de funcionários. — Vou só bater o cartão e, então, a noite é toda nossa. — Ele balançou as sobrancelhas de forma sugestiva para ela, e Grace lhe deu um soco no ombro como resposta. — Adoro mulheres com um lado violento — comentou ele antes de desaparecer pela porta.

— Então, a mãe de Maya é alcoólatra — contou Grace enquanto caminhavam, ficando entre Rafe e a parede só para que ninguém a visse.

— Uau. Ela contou isso tudo para você?

— A mãe dela caiu e bateu com a cabeça e ela me ligou. Meus pais e eu acabamos no pronto-socorro com elas. — Grace ainda via o rosto pálido de Maya, seus olhos arregalados pelo choque, o jeito como segurava o braço de Lauren, mesmo depois que Grace e seus pais chegaram. — A mãe dela foi para uma clínica de reabilitação no dia seguinte. Foi muito assustador.

— Imagino — respondeu Rafe. — Então, deixe-me adivinhar. Você está preocupada que os pais de Pesseguinha se divorciem *e* se tornem alcoólatras.

Ele estava brincando, e Grace bateu com o quadril no dele sem pensar.

— Não — negou, em tom de reprovação. Pensou novamente na carta e na foto de Pesseguinha com a roupinha de marinheira. — Na verdade, eles me mandaram uma carta na semana passada. Sei que Pesseguinha está em boas mãos.

Rafe ergueu uma das sobrancelhas. Grace nunca tinha conhecido alguém com sobrancelhas tão expressivas. Ela se perguntou se tudo aquilo não seria um tique nervoso.

— Sério? Tipo uma carta de agradecimento?

— Mais ou menos. Eles só disseram o quanto eram agradecidos por eu ter dado Pesseguinha para eles e como a amavam. Eles também mandaram uma foto. Ela estava com uma roupinha de marinheira.

— Parece legal da parte deles.

— É, eles disseram que mandariam cartas e fotos durante o primeiro ano. — Grace percebeu o tom calmo da própria voz. — Isso me fez começar a pensar em procurar a minha mãe. A nossa mãe.

— E Maya e Joaquin também querem procurar por ela?

— Não mesmo — contou Grace. — Eles basicamente disseram que ela os abandonou, então por que deveriam procurá-la? Principalmente Joaquin, que ficou no programa de acolhimento e tudo mais.

Rafe ficou pregado no mesmo lugar, olhando para ela.

— Eles disseram isso para você? — Ele estava boquiaberto. — Mesmo sabendo sobre Pesseguinha?

Grace de repente desejou não ter abordado o assunto.

— Bem... na verdade, eles não sabem sobre Pesseguinha. Eu ainda não contei para eles. Talvez nunca conte.

Rafe fechou os olhos, passando a mão pelo rosto e soltando um gemido.

— Tá legal — disse, abrindo os olhos de novo. Então, pegou o braço de Grace e a fez dar meia-volta. — Vamos cancelar os sanduíches. A gente precisa de batata frita para essa conversa.

— Não é tão ruim assim — argumentou Grace, mas ela se deixou levar, passando pelo chafariz assim mesmo.

— Pode acreditar quando eu digo que isso é péssimo — concluiu Rafe.

— Então, por quanto tempo você acha que vai conseguir manter o segredo sobre a sua filha biológica, que você apelidou com o nome de uma *fruta*, dos seus irmãos biológicos? Estou perguntando como amigo.

Grace revirou os olhos e mergulhou a batata na maionese.

— Isso é nojento, sabia? — comentou Rafe, apontando para a batata dela com a dele. — Maionese é um molho maligno.

— Sobra mais para mim — respondeu Grace, enfiando a batata na boca e dando uma piscadinha para Rafe. Ela não era tão boa nisso quanto ele, mas valia o esforço. — Maya e Joaquin também gostam, só para você saber.

— Deve ser algum gene recessivo — sugeriu Rafe, puxando o potinho de ketchup para mais perto do seu prato.

— Eu gosto do nome Pesseguinha — comentou Grace, ignorando a pergunta de Rafe.

— Você está fugindo da minha pergunta — assinalou ele.

— Todo mundo gosta de pêssego — continuou Grace. — É uma fruta amada universalmente. E ela vai ser assim também.

Rafe abriu a boca e fechou de novo.

— Não tenho como refutar essa afirmação sem insultar a sua filha biológica, então nem vou tentar. Bela jogada.

Grace encolheu os ombros.

— Então você não vai contar para eles?

— Você acha que isso é ruim?

— Acho que é péssimo. Segredos sempre são descobertos.

— Mas isso não tem nada a ver com eles.

— Ela é sobrinha deles.

— Não mais. Ela tem uma nova família agora.

— Tudo bem. Vamos esquecer a Pesseguinha, então. E quanto a *você*? Eles poderiam apoiá-la, e você nem sequer está dando essa chance aos dois.

Grace riu e fez um gesto para a garçonete trazer mais maionese — "Que nojo", resmungou Rafe.

— Bem, considerando que eles acham que a nossa mãe é basicamente um demônio por ter desistido de nós, prefiro não ter a opinião deles sobre como eu fiz o mesmo com Pesseguinha.

— Espere um pouco. Por que mesmo o apelido dela é Pesseguinha? — perguntou Rafe.

— Era o tamanho dela quando descobri que eu estava grávida. Durante a gravidez, eles sempre comparam o tamanho do bebê no útero com comida. Feijão, limão, pêssego, toranja... Pesseguinha acabou pegando.

Ele assentiu, pensativo.

— Eu só acho que se você contar para Maya e Joaquin, eles vão ser muito mais compreensivos. Nenhum de vocês sabe por que a sua mãe...

— Mãe biológica — corrigiu Grace.

— O quê?

— Minha *mãe biológica*. Eu tenho mãe. Ela está em casa, provavelmente se perguntando por que não estou respondendo as mensagens dela.

— Entendi. Nenhum de vocês sabe por que a mãe biológica de vocês fez o que fez, mas Maya e Joaquin provavelmente entenderiam por que você fez isso. Você deveria contar para eles.

— Talvez não seja da conta deles.

— Bem, usando essa lógica, então ninguém deveria contar nada para ninguém.

— Então, se você engravidasse, contaria para a sua irmã?

Rafe deu um sorriso debochado.

— Se eu engravidasse, acho que ia ser muito difícil manter esse segredo de *qualquer pessoa*, ainda mais da minha irmã mais velha.

— Você entendeu o que eu quis dizer — retrucou Grace, fulminando-o com o olhar.

— Eu sei, eu sei, só estou brincando. Mas, sim, eu contaria para a minha irmã. Eu conto tudo para ela. E você simplesmente não pode ficar presumindo qual vai ser a reação deles. Não é justo com os seus irmãos.

Grace olhou para ele por cima das bandejas de hambúrguer e batata frita.

— Eu acabei de conhecê-los, sabe? Não quero que me odeiem antes de terem a chance de me conhecer.

— E como é que eles vão conhecer você se não souberem uma das coisas mais importantes da sua vida?

Grace não tinha resposta para aquela pergunta.

— Então, você conta *tudo* para a sua irmã? — perguntou ela, mudando de assunto. — Sério?

Grace tentou imaginar ter alguém assim na sua vida.

— Tudo — confirmou Rafe, roubando algumas batatas de Grace antes que ela pudesse dar um tapa na mão dele. — E essa sua falta de entusiasmo para dividir as coisas é bem típica de filha única mesmo.

Grace abriu um sorriso, apesar de tudo.

— E ela não julga você nem nada?

— Fala sério! Ela me julga pra caramba às vezes. Mas ainda é a minha irmã. Ela ainda vai falar comigo por uma hora sobre alguma coisa, mesmo que ache que estou sendo idiota em relação a algo. Talvez seja *por isso* que ela converse comigo por tanto tempo, agora que parei para pensar.

— Acho que você foi a única pessoa para quem eu realmente contei sobre Pesseguinha — admitiu Grace. — Todo mundo ou já sabia ou tinha me visto grávida.

— E eu fiz algum julgamento? — perguntou Rafe, com voz inocente. — Não, senhora. Não fiz nada disso.

— Mas foi o que todo mundo fez.

— Grace. — O tom de brincadeira sumiu da voz de Rafe, e ele colocou as batatas de volta na bandeja. — Você não precisa contar para ninguém. Mas seria uma pena se você tivesse todas essas pessoas dispostas a apoiá-la e nunca desse essa chance a elas.

— Mas e se elas não estiverem dispostas?

Rafe sorriu para ela.

— E se estiverem?

Depois que chegou em casa naquela noite, Grace sentou na frente do computador. Seu cabelo ainda estava com cheiro de batata frita, e ela o prendeu enquanto abria a ferramenta de busca.

Esperou quase um minuto antes de digitar a primeira busca. MELISSA TAYLOR.

Era abrangente demais, é claro, e apareceram milhões de fontes, e Grace soube na hora que nenhuma delas era a *sua* Melissa Taylor. Tentou então **MELISSA TAYLOR MÃE BIOLÓGICA**, mas ainda era abrangente demais, vasto demais, e Grace de repente se sentiu novamente como a Alice em *Alice no país das maravilhas,* quando ela ficou tão pequena que caiu dentro de uma garrafa e foi levada para o mar, arrastada por uma corrente que não conseguia controlar, pequena demais para ver além das ondas à sua frente, insignificante demais para fazer diferença.

Fechou o computador e se recostou na cadeira.

— Grace! — chamou seu pai. — Você pode descer, por favor?

Ela sabia que aquele tom não era *nada* bom. Não era tão ruim quanto o tom que eles usaram quando tinha contado que estava grávida, mas tinha quase certeza de que nada jamais seria tão ruim de novo. Todos os que vieram depois foram melhores.

— O que foi? — perguntou.

— Desça agora! — respondeu a mãe.

O pai e a mãe juntos. Nessas horas Grace gostaria de ter um irmão, alguém para equilibrar um pouco a balança. Parecia ser muito mais fácil enfrentar problemas quando você poderia apontar para alguém e dizer "Esperem só até saberem o que *ele* fez". Grace achou que seria bom não ser sempre a única pessoa na casa que ferrava com tudo.

Ela desceu e enfiou a cabeça pela porta da cozinha.

— O que foi?

— Precisamos conversar — declarou a mãe. — A Elaine da rua de baixo me ligou e disse que viu você com um garoto no shopping?

Grace franziu a testa.

— Eu não sabia que a nossa vizinha Elaine era detetive.

O pai de Grace levantou uma das sobrancelhas para ela (Grace não conseguiu evitar pensar que Rafe fazia isso muito melhor que ele, mas achou melhor manter essa informação para si mesma).

— Era o Rafe — respondeu, por fim. — Ele trabalha na Whisked Away.

A mãe de Grace cruzou os braços.

— Vocês estão namorando?

— Não — respondeu Grace. — Somos só amigos.

Os pais de Grace trocaram um olhar, e novamente ela desejou ter um parceiro de crime. Até mesmo um cachorro teria sido suficiente àquela altura.

— Nós realmente achamos que você não deveria namorar agora — disse o pai. — Você precisa de tempo para se concentrar em você mesma.

— Isso é ótimo, porque eu não estou namorando ninguém. Como eu acabei de dizer: Rafe é só um *amigo*.

— Grace — começou o pai —, você precisa entender. Nós só queremos proteger você. Você passou por meses bem difíceis e...

Grace começou a sentir a raiva subir pelas suas costas, fazendo-a se empertigar.

— Não, espere. Deixe-me adivinhar. A Elaine ligou para vocês porque está preocupada de eu estar agindo como uma piranha pela cidade! — O rosto de Grace estava quente demais e o pulso acelerado. — Não é?

— *Olha a boca* — advertiu a mãe.

— Ah, vamos dizer o que Elaine da rua de baixo e todo mundo na cidade está pensando! — explodiu Grace. — Eu engravidei, eu tive um bebê e agora não posso nem olhar para um cara sem todo mundo achar que eu vou parir mais três ratinhos!

— Grace — tentou o pai novamente. — Nós só estamos preocupados com você. Isso é tudo. Nós...

— Porque se não me falha a memória — continuou Grace, ignorando o pai —, o motivo de eu ter desistido de Pe... *Milly* foi para que eu pudesse ter a minha vida de volta, não foi? "Oh, Grace, você tem a vida toda pela frente!" Quantas vezes eu ouvi vocês dizerem isso? E agora todo mundo fica me lembrando o tempo todo que eu tive um bebê, e eu não posso mais ir à escola, não posso mais fazer amizade com um garoto...

— Claro que pode — começou a mãe, mas Grace continuou falando. Sentia que estava soltando fumaça pelas ventas.

— Tudo bem, vamos dizer que não seja amizade — disse Grace. — Vamos imaginar que eu esteja gostando de Rafe. Eu não posso sair com ele? Não posso namorar? Nunca mais vou poder beijar um garoto? Será que eu estraguei a minha grande chance de me apaixonar e ter uma família porque cometi um erro?

— Grace. — Ela conseguia ouvir o tremor na voz da mãe. — Você *não*...

— Que bom! — berrou Grace. — Porque se eu não posso seguir com a minha vida e *gostar* de alguém e fazer uma amizade e, Deus nos livre, me *apaixonar* de novo, então eu não entendo por que eu tive que dar o meu bebê para adoção! A não ser que fosse para melhorar as coisas para *vocês!*

Ela nem tinha percebido que estava chorando até afastar o cabelo do rosto e notar que a bochecha estava molhada. Os pais pareciam chocados e perplexos. Grace achava que eles estariam menos horrorizados se ela os tivesse esbofeteado.

— Acho que precisamos de um terapeuta — declarou o pai de Grace depois de quase 15 segundos de silêncio, a respiração ofegante da filha sendo o único som no aposento. Ela se sentia selvagem, feroz, exatamente como tinha se sentido quando Pesseguinha forçou a saída pelo seu corpo. De repente, ela percebeu que se sentia viva.

— Por mim tudo bem — aceitou. — Pode marcar a consulta. Porque eu tenho muita coisa entalada na garganta e estou farta de guardar tudo para mim. Além disso — acrescentou ela —, pode dizer para a Elaine da rua de baixo que o que eu faço ou deixo de fazer não é da conta dela. Acho que você teria respondido isso a ela no ano passado, não é?

Grace não se preocupou em esperar uma resposta. Em vez disso, subiu correndo as escadas, se trancou no banheiro e ligou a torneira no máximo. Esperou até ter certeza de que ninguém estava ouvindo e começou a chorar.

MAYA

Maya estava tentando encontrar formas de expressar o que sentia por ter o pai de volta em casa o tempo todo agora que a mãe estava na clínica de reabilitação. Tentou pensar em alguma coisa, mas, no fim das contas, tudo que tinha era uma palavra.

Esquisito.

Era esquisito ver o pai preparando o café da manhã, ovos gosmentos demais para comer, mas que Maya e Lauren engoliam assim mesmo. No fim do dia, todos estavam cansados demais para pensar no jantar, o que levava a caixas de pizza na mesinha de centro enquanto os três se esparramavam no sofá, mordendo as bordas enquanto assistiam a reprises de *House Hunting*.

A mãe delas tinha ido para a clínica de reabilitação direto do hospital, com a cabeça enfaixada e as mãos trêmulas. Maya achou que ela mais parecia uma criança assustada com seus olhos grandes e ossos frágeis, e quando ela lhe deu um abraço de despedida, não conseguia decidir se queria que a mãe voltasse logo ou que não voltasse nunca mais.

O terapeuta do hospital disse que seria melhor se ela não voltasse para casa no intervalo entre o hospital e a clínica de reabilitação, que ela poderia ver a casa e, de repente, decidir não ir, concluindo que poderia beber menos em casa e que não precisava de ajuda. "É melhor", concordara Maya quando o terapeuta disse aquilo. Isso foi logo depois que Grace e Joaquin tinham vindo na manhã depois do acidente, quando os três ficaram na beira da piscina com os pés na água e fumaram maconha que, Maya percebeu depois, era uma das únicas coisas de Claire que ela ainda tinha.

A clínica de reabilitação ficava em um lugar que, de acordo com os panfletos, parecia mais um *spa* de férias. Mas o pai tinha assegurado que era uma "clínica maravilhosa" que "finalmente vai dar à sua mãe a ajuda de que ela precisa. Isso é ótimo, não é?". Maya e Lauren ficaram sentadas lado a lado no sofá da sala de espera do hospital e assentiram. O que mais poderiam fazer?

O pai ficou horrorizado ao saber sobre as garrafas de vinho escondidas pela casa, as vazias escondidas no fundo da lixeira de recicláveis do quintal. Ele ficou sentado entre as filhas no sofá da sala enquanto Maya explicava tudo em um tom monótono que nem parecia a sua própria voz.

— Há quanto tempo isso estava acontecendo? — perguntou ele.

— Por um longo tempo, talvez... — ofereceu Lauren por fim, e o pai delas soltou um suspiro baixo antes de apoiar a cabeça nas mãos. Maya não sabia se deveria confortá-lo ou não, então não fez nada.

— Tudo bem — decidiu ele, finalmente. — Vamos fazer algumas mudanças aqui.

E agora eram eles três andando por uma casa que de repente parecia grande demais. Maya nunca tinha percebido como a mãe ocupava espaço. Uma tarde, ela se viu automaticamente subindo as escadas para investigar se havia mais garrafas de vinho escondidas, só para perceber, ao abrir ao armário, que aquilo não era mais um problema.

O pai queria que as duas começassem a fazer terapia também.

— Por quê? — quis saber Maya. — Nós não temos problemas com bebida. — Secretamente, achava que esse era outro resultado do egoísmo da mãe: era ela quem tinha um problema com a bebida, então por que *Maya* precisava perder uma hora da sua semana na terapia?

— O papai está esquisito — declarou Lauren certa noite.

Estavam fazendo o dever de casa no quarto de Maya, Lauren deitada no chão, enquanto Maya estava de pernas cruzadas, como as crianças faziam, na cama. Nenhuma das duas pensava em usar a escrivaninha e, mesmo que quisessem, a roupa suja de Maya estava espalhada lá. Lavar roupa parecia um luxo àquela altura, algo que as pessoas com menos preocupações e mais tempo faziam por si mesmas.

— Papai está esquisito porque está com medo de que a gente tenha sofrido danos emocionais — explicou Maya, a caneta entre os dentes enquanto passava as páginas do livro de física e de ciências. — Além disso, os pais são seres esquisitos por natureza.

— Você vai fazer terapia? — quis saber Lauren. Sentada no chão, ela parecia estar muito distante.

— Não mesmo — respondeu Maya. — É a mamãe quem tem um problema. Ela pode usar o seu tempo precioso para resolver tudo.

Lauren ficou quieta por mais um minuto antes de dizer:

— Por que você está sempre em casa agora?

— Como assim?

Maya fechou o livro de teoria e voltou para o livro de exercícios. Por que eles não podiam colocar todas as informações em apenas um livro, em vez de obrigar as pessoas a terem pelo menos três para cada matéria?

— Onde está Claire?

Maya ignorou a dor que subia pelas suas costas sempre que alguém mencionava a ex-namorada.

— A gente terminou.

— O quê? — Lauren parecia chocada. — Mas por quê? Achei que vocês duas estivessem totalmente apaixonadas.

— Nós *estávamos*. No passado. Amor é uma coisa passageira, as coisas mudam e tal.

— Por quê?

— Porque nós duas tivemos uma briga e dissemos coisas cruéis uma para a outra. — Maya não contou que, na verdade, ela é que tinha falado a maioria das coisas cruéis e que Claire só tinha basicamente dito a verdade.

— Que burrice — opinou Lauren. — Você duas formavam um casal lindo.

— É, Grace e Joaquin já me disseram que eu estou sendo idiota. Você não precisa me dizer também, está bem?

Seguiu-se uma pausa antes de Lauren perguntar:

— Grace e Joaquin? Você contou para eles?

— É claro que eu contei. Quando eles vieram aqui no outro dia, depois que você foi para a casa da sua amiga.

— Achei que vocês só estavam falando sobre a mamãe.

— A gente falou sobre um monte de coisa, tá legal? Por exemplo, o fato de Grace querer procurar a nossa mãe biológica.

Maya estava tentando desviar da conversa sobre Claire, de como ela se sentia mal só em dizer o nome dela, os tons mais sombrios de cinza e preto que sua mente vislumbrava, colunas de fumaça deixadas depois de um show de fogos de artifício. Mas, considerando o silêncio de Lauren no chão, tinha desviado a conversa para o pior assunto possível.

— Então, o que você vai fazer agora? Simplesmente abandonar a sua família?

— O quê? — Maya ergueu o olhar do dever de casa de física. — Do que você está falando?

— A mamãe vai para a clínica de reabilitação e você decide trocá-la por um modelo novo? É isso que você está fazendo com Grace também? Somos problemáticos demais, então você quer encontrar alguma coisa melhor?

— Lauren, do que você está...

— Deixa pra lá. — Lauren se levantou, pegando seu computador e seus livros com tanta pressa que um dos cadernos caiu no chão. Maya se levantou para pegar, mas Lauren entrou na frente, bloqueando a irmã com as costas. — Pode deixar.

— Você está no *meu* quarto — declarou Maya. — Vou ficar muito feliz em deixar pra lá, mas é você quem precisa ir embora, não eu.

Lauren sempre tinha sido assim, explosiva, fazia pirraça quando pequena se não conseguisse as coisas que queria. "É o gene ruivo", explicavam os pais, arrastando-a para fora de restaurantes, cinemas, livrarias, e deixando Maya, a única que não era igual a eles, com um sorriso no rosto quando recebia, inesperadamente, mais um saco de pipoca, mais um sorvete e livros.

Mas quando Lauren saiu, Maya percebeu que ela não tinha deixado nada para trás, e o que costumava fazer com que se sentisse vitoriosa agora só a deixava com uma sensação triste e vazia de perda.

Foi só na quinta-feira que Claire finalmente interpelou Maya quando ela estava seguindo para a aula de história.

— Hum, com licença — pediu Maya. — Você está me atrasando.

Não era isso que planejara dizer para Claire, obviamente. Maya tinha pensando em milhares de coisas para dizer para ela: pedidos de desculpas e confissões, lágrimas e *mea culpas*, explicações detalhadas de como às vezes podia ser idiota e como era teimosa.

Quando viu Claire, porém, sentiu o sofrimento aflorar e se esqueceu de todas as coisas inteligentes que queria dizer e foi tomada por uma fúria esverdeada de ciúme.

— Por que você não me contou que sua mãe foi parar na reabilitação?

Maya congelou. Ninguém deveria saber nada sobre aquilo. Será que todo mundo sabia? Será que todo mundo na escola a estava observando e julgando?

— Como... O quê? Como você...

Claire ergueu o celular. Ela era mais alta do que Maya, mas, pela primeira vez, sua altura pareceu ameaçadora em vez de segura.

— Porque *Lauren* me enviou uma mensagem. É por isso que sei. A sua irmã mais nova que me contou.

Maya sentiu que começava a se recompor, seus sentimentos se aquietando diante da sensação nervosa que agitava o seu estômago.

— Isso não é da sua conta.

— Para de falar merda.

Maya tentou passar pelo lado, mas Claire a impediu dando um passo para bloquear o caminho.

— Você e eu vamos conversar. Agora.

— Eu tenho aula.

— Ah, de repente você é a aluna exemplar que nunca mata aula. Valeu a tentativa, mas vamos logo.

Maya a seguiu de forma hesitante, enquanto contornavam o ginásio e o teatro ao qual todos se referiam como Teatro Menor, apesar de ser o único do campus e ter um tamanho considerável. Por fim, chegaram ao mesmo gramado que Maya sempre considerou ser delas.

Parecia estranho que ainda estivesse tão verdinho e viçoso, apesar de elas terem terminado.

— Beleza — começou Claire. O último sinal já tinha soado e a escola parecia estranhamente vazia, como se elas fossem as únicas pessoas ali. Se estivessem em um filme ou em uma série de TV, Maya pensou com seus botões, seria nesse momento que a invasão zumbi começaria. — Desembucha.

— Não tenho nada para dizer — declarou Maya, sem olhar para Claire. — Você já sabe tudo.

— Só sei o básico e mais nada. — A expressão no rosto de Claire suavizou de repente, e ela pousou as mãos nos ombros de Maya. — Maya. — Sua voz estava tão calma que feria Maya mais do que se estivesse gritando. — O que aconteceu? Lauren me contou que ela teve que ir para o hospital e que vocês foram na ambulância junto.

Maya mordiscou o lábio inferior, olhando para todos os lados, exceto para Claire.

— Ela bateu com a cabeça, foi só isso. Teve uma concussão. E, então, meu pai a levou para uma clínica de reabilitação em Palm Springs e voltou para casa para ficar com a gente.

— Por que você não me contou nada disso?

As mãos de Claire estavam jogando seu cabelo para trás dos ombros agora, e Maya não soube dizer se queria dar um passo na direção dela ou fugir correndo sem olhar para trás. Sentia-se tão exposta e aqueles não eram segredos dela para contar. Eram da mãe dela.

— Porque a gente terminou — atestou Maya, esforçando-se para colocar um tom de "dã" na resposta.

Claire suspirou de um jeito que lembrava uma mãe decepcionada.

— Sério, Maya? Você acha que tudo tem que simplesmente parar? A gente teve uma briga. Por que isso significa que tem que acabar?

Maya percebeu que estava pensando em Joaquin e Birdie, em como Joaquin tinha dito que ele e Maya tinham o mesmo defeito de fabricação. Toda vez que Maya pensava na família biológica, se perguntava se seriam parecidos ou não, se tinham a mesma risada, o mesmo sorriso ou a mesma hiperflexibilidade nos polegares. Nunca tinha achado que dividiriam as mesmas histórias de término idiota.

— Não quero falar sobre isso — declarou Maya, tentando passar por Claire novamente. — Estou falando sério, Claire. Preciso ir para a aula.

— Lauren também me contou que você vai procurar a sua mãe biológica.

— Ela o quê?! — Maya já tinha dado um passo para se afastar, mas se virou com rosto vermelho como uma ferida prestes a explodir, fazendo o sangue jorrar para todos os lados. — Olha só. Vamos deixar uma coisa bem clara. Eu não preciso que você e minha irmã fiquem fofocando sobre mim, ok? Se você quer saber alguma coisa, você pode me perguntar...

— Não, eu não posso, Maya — gritou Claire em resposta. — Esse é o problema! Você não me conta nada! Você não me contou sobre a sua mãe, você nunca me contou sobre ter conhecido o seu irmão e a sua irmã e que agora você quer procurar a sua mãe biológica. Você nunca nem tocou nesses assuntos. Nenhuma vez.

— Se eu quisesse falar sobre isso, eu falaria!

— Não acredito em você! Acho que está guardando os segredos da sua mãe e agora os segredos *dela* estão arruinando a *sua* vida.

Maya estava tremendo, literalmente, tremendo por causa da potência da sua raiva. Mas era raiva mesmo? Era essa a sensação de estar verdadeiramente possessa de raiva ou será que era algo maior e mais complexo? Será que essa era a sensação de se sentir exposta, de ver todos os seus pensamentos mais íntimos serem exibidos bem diante dos seus olhos pela única pessoa para quem sempre quis ser perfeita?

— Pare de trocar mensagens com a minha irmã — pediu Maya, apertando os dentes com tanta força que o músculo do maxilar quase saltou do rosto. — Estou falando sério.

E, então, ela se virou e começou a andar em direção à aula.

— Maya! — gritou Claire, mas ela se agarrou firme à própria mochila e começou a correr. Sentiu-se bem por estar se mexendo, por sentir os pulmões arderem e o peito arfar. Ela queria sentir uma dor que correspondesse aos seus sentimentos.

Ela queria que doesse.

No domingo seguinte, quando Maya se encontrou com Grace e Joaquin, todo mundo estava mal-humorado.

Só de olhar para o canudo de Grace, Maya percebeu que ela não estava nada bem. Maya não sabia como ela conseguia beber alguma coisa sem cortar a boca.

— Você já pensou que talvez fosse melhor beber diretamente no copo? — perguntou para a irmã em determinado momento.

Grace a fulminou com o olhar e então olhou por sobre o ombro. Estavam em uma Starbucks em um shopping a céu aberto perto da casa de Grace, sentados no pátio, e Grace parecia estar esperando que um atirador aparecesse para executá-la. Maya ficou nervosa só de olhar para ela.

— *Meu Deus,* Grace — disse logo em seguida. — Ninguém vai fazer nada com você.

Grace deu uma risada abafada que fez Maya se perguntar se sua irmã talvez tivesse laços com a máfia.

Joaquin estava emburrado e com olhos tensos. Não que ele fosse a pessoa mais falante do mundo, é claro, mas Maya estava acostumada com mais, principalmente depois do último fim de semana, quando tinham conversado sobre coisas realmente importantes.

— E então — começou ela depois de quase um minuto do mais completo silêncio. — Minha mãe foi para a clínica de reabilitação.

— Que bom — comentou Grace.

— Isso é ótimo — concordou Joaquin.

— E meu pai voltou para casa para ficar com a gente — continuou Maya.

— Isso é bom mesmo — disse Joaquin.

— Que bom que vocês podem contar com ele — acrescentou Grace. — Muito bom.

Maya estreitou os olhos.

— E minha irmã, Lauren, finalmente conseguiu autorização para fazer a cirurgia de remoção dos chifres na testa.

— Maravilha — comentou Grace, olhando para além de Joaquin.

— Espere, o quê? — perguntou o irmão. — A sua irmã vai operar?

— Finalmente! — suspirou Maya. — Vocês dois são zumbis, sabiam? Por que estão tão esquisitos?

— Foi mal — desculpou-se Grace. — É só que... Eu *realmente* detesto esse shopping. Só isso.

— E eu sou um zumbi de verdade — declarou Joaquin. — Você descobriu o meu segredo. Nossa, eu me sinto tão mais leve. — Ele respirou fundo e soltou ar devagar, o que fez Grace e Maya rirem apesar de tudo.

— Você é tão bizarro — comentou Maya.

Joaquin apontou para si mesmo.

— Já disse. *Zumbi.*

— Isso explica o cheiro de carne podre — implicou Maya, e precisou desviar do guardanapo que Joaquin jogou nela.

Grace, no entanto, tinha congelado ao lado deles.

— O zumbi definitivamente vai comer você primeiro — disse Maya para ela, lhe dando uma cotovelada.

— Psiu! — sussurrou Grace em resposta, olhando por cima do ombro de Joaquin, e ele se virou para ver o que tinha chamado sua atenção.

Dois garotos estavam entrando na Starbucks e, ao que tudo indicava, Grace sabia quem eram. Estavam um implicando com outro e, então, um deles disse alguma coisa e começaram a rir antes de trocarem um soquinho.

— Você conhece esses projetos de playboy? — perguntou Maya. Ela tinha zero paciência para caras que usavam boné de beisebol com a viseira para trás e sempre falavam em "pegar garotas", mesmo que Maya tivesse quase certeza de que eles nunca tinham tocado em nenhuma.

— Acho que é melhor a gente ir embora — declarou Grace.

— Espere, Grace — pediu Joaquin, se empertigando um pouco. — Você está *tremendo*?

— Oi, *Grace*.

Agora os garotos estavam diante da mesa deles. O pátio do lado de fora estava praticamente vazio, só algumas pessoas mais velhas tomando chá no canto oposto, e a voz deles soou bem alta.

210

— Namorado novo? — perguntou um deles. Era alto e magro e fez Maya se sentir muito feliz por ter nascido lésbica.

— Só vai *embora*, Adam.

— E aí? Só está saindo com ele? — Adam parecia um gato que tinha prendido um canário.

— Você é bem rapidinha — comentou o outro cara. — Você e o Max acabaram de terminar, não é?

— Grace — disse Maya devagar. — Vamos embora? Agora.

Do outro lado da mesa, Joaquin estava sentado muito ereto. Maya nunca o vira tão alerta antes, e isso não a fez se sentir nem um pouco melhor sobre a situação.

— Então, você contou para o novo cara sobre o que aconteceu com você no ano passado? — perguntou Adam, com um sorriso que fez Maya pensar no Gato Listrado de *Alice no País das Maravilhas,* grande demais para ser sincero, uma lua crescente afiada demais nos cantos. — Todas as suas grandes... *mudanças?*

Grace começou a se levantar, jogando a cadeira para trás com tanta força que ela caiu na mesa atrás deles. Isso só fez os garotos começarem a rir e, antes que Maya ou Joaquin pudessem fazer alguma coisa, Adam se inclinou para Grace e perguntou:

— Você já contou para ele a piranha que você é? Ou é disso que ele gosta em você?

Maya estava prestes a fazer alguma coisa, dizer alguma coisa para aliviar a pressão que estava prestes a explodir no seu peito quando, de repente, Joaquin se levantou e se moveu tão rápido que ninguém o viu se aproximar. Em um movimento único e certeiro, ele prendeu Adam contra a parede pressionando o antebraço contra o peito dele. Adam arregalou os olhos de medo, totalmente chocado.

— Olha aqui, seu babaca — sibilou Joaquin, e agora Maya estava ao lado de Grace, segurando-a pelo braço. — Essa é a minha *irmã,* tá legal? Você acha que pode sair falando assim com a minha irmã? Acha mesmo? Acha?! — Adam não disse nada. Maya sentiu a pressão do seu peito entrar direto no seu coração, como uma explosão repentina de amor.

— Joaquin — Grace tentou chamar, mas parecia que sua voz tinha morrido na garganta.

— Não! — exclamou Adam. Seu boné tinha caído e ele parecia apenas um garotinho. — Não, cara! Foi mal, tá legal?! Eu nem sabia que ela tinha irmão!

— Se você falar com ela de novo, se você *pensar* em olhar para ela de novo... — Joaquin pressionou mais o braço contra o peito de Adam, subindo até a garganta dele. — Eu vou te achar, e vamos ter uma conversinha. Entendeu?

Adam assentiu, nervoso, com as pupilas dilatadas. Ao seu lado, o amigo estava em silêncio.

Assim como Grace.

— Agora suma da minha frente — ordenou Joaquin, e Maya achou que parecia mais o rosnado de um urso atacando. — Se eu me deparar com sua cara de novo, nós dois vamos ter problemas.

Adam assentiu de novo, e Joaquin deu um aperto final antes de olhá--lo bem nos olhos e soltá-lo. Ele e o amigo saíram correndo, e Joaquin pareceu encolher, toda a sua coragem escorrendo e deixando-o vazio como uma concha.

— Joaquin — disse Grace. Ela estava ofegante agora. Joaquin também.

— Joaquin — repetiu Maya quando ele não respondeu.

— Eu... Eu sinto muito — desculpou-se ele. Sua respiração estava ofegante e, de repente, ele estava saindo do pátio, correndo pela rua, afastando-se delas, tentando fugir.

JOAQUIN

Joaquin achou que fosse vomitar.

Não tinha muita certeza sobre o que tinha acabado de acontecer. Num minuto ele estava sentado com Maya e Grace, pensando sobre Mark e Linda, e então aquele verme tinha ido até Grace, fazendo-a tremer dos pés à cabeça, chamando sua irmã de piranha. Joaquin se sentiu escorregar de volta àquele lugar quente e branco que tentava evitar havia anos.

Estaria mentindo se dissesse que não tinha sido bom sentir o coração disparado do outro cara contra o seu braço, a respiração ofegante e os olhos arregalados. Era poderoso demais ter o destino de alguém literalmente na palma da sua mão, e Joaquin não sentia aquele tipo de poder havia muito tempo.

O problema com o poder, porém, é que tê-lo nem sempre torna você uma boa pessoa. Às vezes, faz com que você vire uma pessoa ruim.

Joaquin correu até chegar ao parque que ladeava o shopping e que só era usado por crianças pequenas e seus pais atentos, e foi só quando parou que percebeu que as irmãs estavam no seu encalço.

— Joaquin, espere!

Ele se virou, ofegante, enquanto tentava recuperar o fôlego. Não corria assim fazia muito tempo. Sentiu que poderia continuar correndo para sempre.

— Só... vão embora, tá legal? — pediu ele às irmãs, erguendo as mãos para mantê-las longe. — Sinto muito, eu arruinei o dia de vocês.

— Você está tremendo — disse Grace para ele. Ela também estava. Maya era a única que parecia estável, com olhos vivos e cheios de energia. — É melhor se sentar.

— Eu estou bem — afirmou. — Só um pouco nervoso. Isso é tudo. Eu sinto muito.

Grace só negou com a cabeça para ele.

— Eu não sinto mesmo. Eles tiveram o que mereciam.

— Joaquin. — Maya deu um passo na direção dele. — Vamos só nos sentar um pouco, tá bom? Você não parece estar legal.

Joaquin não se sentia bem.

— Tá bem — concordou ele.

— Tudo bem, então — disse Maya, estendendo a mão para ele. — Vamos nos sentar. Sentar é ótimo. Todo mundo gosta de sentar, até mesmo as pessoas mais ativas. Você corre na equipe de atletismo ou algo assim? Porque você mandou ver no estacionamento. Acho que ultrapassou um carro em algum momento.

Em algum lugar no seu cérebro, nebuloso com lembranças, Joaquin se lembrou de Maya dizer que ela falava muito quando estava nervosa. *Ele* tinha causado esse nervosismo, percebeu Joaquin, e isso fez com que se sentisse ainda pior.

Quando os três finalmente se acomodaram em um banco, Joaquin entre suas duas irmãs, sua respiração começou a voltar ao normal. Grace ainda parecia bem abalada, porém, e Joaquin notou que ela mantinha as mãos apertadas no colo.

— Tudo bem — começou Maya assim que se acomodaram. — Que merda foi *aquela*?

— O cara chamou Grace de piranha — explicou Joaquin. Sua voz não era mais que um sussurro. — Ele não devia ter dito aquilo.

— Não, não estou falando dessa parte — explicou Maya. — Eu estou falando da corrida pelo estacionamento, Joaquin. Você correu como um coelho assustado.

Aquela não era exatamente a imagem que Joaquin tinha de si mesmo, mas talvez Maya estivesse certa. Afinal de contas, ele nunca tinha se visto correndo.

Quando ele não respondeu nada, Grace abriu as mãos e as estendeu para pegar a dele.

— Joaquin — disse ela baixinho. — O que aconteceu?

Ele fechou os dedos em volta dos dela, ficou pressionando a mão da irmã até sentir que conseguia falar de novo. Grace estava bem, pensou ele. Ninguém tinha se machucado. Ele não tinha machucado ninguém.

Maya o pressionava pelo outro lado, sua mão pousada no ombro dele.

— Você está bem, Joaquin — declarou ela com voz calma. — Está tudo bem. Só respire fundo.

Ele assentiu, tentando fazer o coração voltar a bater de forma normal, tentando prender a fera de volta na jaula.

— Quando eu tinha 12 anos — começou ele, antes de conseguir se controlar e, então, já não conseguia continuar.

Ele só tinha contado a história toda uma vez antes, para Ana, Mark e Linda, mas tinha sido na sala da casa de Mark e Linda, onde estava cercado por pessoas que... bem, mesmo que não o *amassem*, definitivamente se preocupavam com ele... e a sala estava iluminada pela luz suave do sol enquanto a poeira dançava por entre os raios.

O sol passava por entre as árvores do parque, e Maya e Grace esperaram que Joaquin começasse a falar de novo.

— Quando eu tinha 12 anos — recomeçou —, uma família me adotou. Os Buchanan. — O nome deles parecia estranho em sua boca, e ele faz uma pausa até conseguir voltar a falar. — Eles se tornaram meus acolhedores quando eu tinha dez anos e decidiram que queriam me adotar.

— E você queria que eles adotassem você? — perguntou Grace quando ele parou de falar de novo. Nunca teria imaginado que a mão dela poderia ser tão forte, mas ela estava segurando a dele e não soltava.

— Eu achei que sim — respondeu. — Eles tinham mais duas crianças que acolheram e adotaram, tinha uma filha mais velha e tiveram um bebê depois — Joaquin ainda conseguia vê-la, com perninhas arqueadas e cachos escuros em volta da cabeça. Ele ficava enjoado só de pensar nela.

— Eles eram legais com você? — perguntou Maya.

— Eram tranquilos — respondeu ele. — Não sei se eles eram legais, mas não eram *não* legais. Às vezes isso é o suficiente, sabe? Eu tinha o meu próprio quarto e uma cama. Nós saímos para fazer compras uma vez e eles me deixaram escolher o lençol. Isso é uma coisa importante.

O coração de Joaquin ainda parecia estar vibrando dentro do peito. Ele respirou fundo de novo, a mão de Maya cálida em seu ombro.

— Morar com eles era legal, as crianças também eram legais e tudo mais. Eles tiveram um bebê. — Joaquin quase não conseguia dizer o nome dela. — Natalie, e tudo estava bem. Era como... Eu achei que era tudo de verdade, sabe? Achei que fossem a minha família.

— O que aconteceu? — perguntou Grace, e Joaquin conseguiu detectar um tipo profundo de medo na sua voz, diferente de quando Adam a tinha xingado de piranha.

Joaquin mordeu a parte interna na bochecha, esperando até conseguir dizer as palavras de novo.

— Eu só comecei... Sei lá, eu comecei a ter uns ataques. Eles o chamavam de descontrole. Eu só tinha uns blackouts em meio a ondas de raiva. A minha pele parecia que ia explodir, sabe? Como se eu não conseguisse nem respirar. E quanto mais se aproximava a adoção, pior ficava. Eu começava a brigar com todo mundo, menos com a Natalie. E eu não conseguia nem explicar o motivo. Os Buchanan seguiram com a adoção mesmo assim.

Joaquin se perguntava se eles tinham se arrependido disso, se eles se sentavam tarde da noite e conversavam sobre a péssima decisão que tinham tomado de trazer Joaquin para dentro da casa deles.

— Mas eu sabia que havia alguma coisa errada — continuou ele. — Eu nem conseguia chamá-los de pai e mãe. Dois anos depois, eu ainda os chamava pelo primeiro nome. Parecia...

— O quê? — perguntou Grace com voz gentil.

Joaquin afundou um pouco, encostando-se nas meninas. Elas eram fortes o suficiente para segurá-lo, percebeu ele.

— Como se uma vez que a adoção fosse finalizada, não teria mais volta — explicou ele. — Seria o fim de tudo. Eu só achei que se a nossa mãe voltasse um dia, se ela realmente resolvesse finalmente voltar e aparecesse na casa e visse que eu tinha uma nova mãe, um novo pai, que ela... ela ia achar que eu a tinha substituído. É burrice, eu sei. É muita burrice. Eu fui tão burro.

— Não, *não* — discordou Maya, encostando-se nele. — Não é burrice. Não tem nada de burrice. Você era uma criança, não é? Não deveria ter que passar por isso.

Joaquin riu um pouco.

— Bem, eu ainda não contei a parte realmente ruim.

As meninas ficaram em silêncio, esperando que ele voltasse a falar.

— Então um dia, uns seis meses depois que a adoção tinha saído, Natalie estava com quase dois anos, e era uma tarde de sábado, e eu estava tendo um descontrole épico. — Joaquin tentou não sentir o tapete contra suas costas, o jeito como seu cabelo prendia nele enquanto revirava pelo chão, gritando por alguma coisa, por alguém que simplesmente estava fora do seu alcance. — Ninguém nem podia me tocar. Eu não deixava ninguém chegar perto de mim. E, então, o pai, o sr. Buchanan, ele tentou me levantar do chão. Tipo, me fazer ficar em pé. E eu só comecei a atirar coisas neles. Qualquer coisa que eu conseguisse pegar. Nós estávamos no escritório dele e tinha esse grampeador na mesa...

Joaquin fez uma pausa. Ainda conseguia sentir o metal frio do grampeador na sua mão, o seu peso quando o pegou. Suas mãos estavam tremendo de novo, e Grace apertou ainda mais a sua mão.

— O que aconteceu? — sussurrou ela.

— Eu o atirei — contou ele, e então as lágrimas escorreram pelo seu rosto, descendo pela garganta e queimando-o por dentro. — Eu o atirei — continuou ele, pigarreando. — Eu joguei nele, mas passou pela porta, e Natalie... Natalie estava passando por ali bem naquele momento.

Joaquin baixou a cabeça, fechou os olhos, sentindo-se enjoado de tanta vergonha.

— Acertou bem na cabeça dela. — Ele fez um gesto em direção à testa. — Bem aqui, e ela simplesmente caiu. E o sr. Buchanan, ele soltou este... este grito, que mais parecia um rugido, como um leão, e me agarrou e me atirou para trás e eu voei contra a estante. Quebrei o meu braço. — Joaquin ainda conseguia ouvir o osso se quebrando, uma dor branca e quente substituindo outra, mas nenhum barulho tinha sido tão alto quanto o som de Natalie caindo no chão.

Joaquin estava chorando de forma constante agora. Ele não tinha chorado quando contou para Mark, Linda e Ana. *Eles* tinham chorado, mas Joaquin se manteve firme, como se fosse uma coisa que acontecera com outra pessoa.

— Eu nunca teria machucado a bebê — soluçou ele. — Eu amava a Natalie. Eu não queria machucá-la. Eu não queria machucar ninguém.

Grace o estava abraçando agora, e o braço de Maya envolvia seus braços, e Joaquin apoiou a testa na mão e o cotovelo na perna.

— O que aconteceu depois disso?

— Fomos todos para a emergência — continuou ele. — Eles me devolveram para o programa de acolhimento naquela noite.

— E as pessoas podem fazer isso? — perguntou Maya. Joaquin tinha quase certeza de que ela estava chorando também.

— As pessoas fazem isso o tempo todo — revelou ele. — Eles disseram que eu constituía um perigo para as outras crianças. E se você é violento em uma casa, eles o colocam em uma ala psiquiátrica por alguns dias, e então, eu fui mandado para um abrigo em Pomona. Eu tinha "necessidades especiais". Foi o que disseram. Eu era velho demais e violento demais. — Joaquin pensou nas palavras da sua irmã de acolhimento, Eva. — Eu era tanta coisa ao mesmo tempo, mas nunca era o suficiente. Acho que as pessoas tinham medo de mim.

Grace pigarreou antes de perguntar:

— E quanto a Natalie, ela ficou...?

— No final, ela ficou bem — contou Joaquin. — Eu perguntei para a minha assistente social assim que ela apareceu no hospital. Ela teve uma concussão, mas... — Joaquin não conseguiu terminar a frase. — Ficou bem.

— Mas você quebrou um braço?

— Foi uma fratura simples — contou Joaquin, como se isso melhorasse a história. — Os Buchanan não tiveram permissão para acolher mais crianças depois disso.

— Que bom — cuspiu Maya.

— Eu meio que passei a ser mandado de um abrigo para outro — explicou Joaquin. — Depois disso, eu não conseguia mais ficar com uma família de acolhimento. Eles precisavam ter um treinamento especial para lidar com crianças como eu. Recebiam um pagamento maior também, por causa do perigo e tudo mais...

— E Mark e Linda recebem isso? — perguntou Grace.

— Eles receberam depois que me conheceram — contou Joaquin. — Quando eu estava com 15 anos, quase 16, foram a uma feira de adoção dos abrigos. Eles disseram que gostaram de mim. — Joaquin ainda não acreditava totalmente neles, mas era bom pensar nisso mesmo assim.

— Acho que eles *amam* você, Joaquin — murmurou Maya.

— É por isso que não quer deixar que eles adotem você? — perguntou Grace. — Porque tem medo de que eles te devolvam como os Buchanan fizeram?

Joaquin enxugou as lágrimas e olhou para ela.

— Eu não me importo de voltar — contou ele. — Eu só os amo demais para machucá-los. Para machucar qualquer um desse jeito. Uma vez foi o suficiente.

As duas irmãs pareceram se encolher ao seu lado.

— Ah, *Joaquin.* — Maya suspirou.

— Não — disse ele, antes que ela começasse a dizer como ele se sentia e como deveria se sentir. — Você não entende, ok? Você me viu com aquele babaca. Aquilo simplesmente aconteceu. É como se eu não conseguisse controlar. Eu poderia ter machucado aquele babaca de verdade.

— Mas não machucou — argumentou Grace. — Você *não machucou,* Joaquin. Você estava me defendendo. Ele disse uma coisa horrível que ele sabia que ia me magoar, e você me defendeu. Não é a mesma coisa. Não é mesmo.

Ela continuou antes de ele ter a chance de discutir com ela.

— Além disso, você se lembra que eu contei que tinha socado um cara na escola?

Joaquin esperou que ela continuasse, e quando não continuou, ele percebeu.

— Foi *ele*?

Grace concordou com a cabeça, com expressão sombria.

— Uau. Tá legal. — Joaquin se sentiu um pouquinho menos horrível sobre querer assassinar Adam.

— Então aquele cara é um idiota ainda maior do que eu imaginava! — exclamou Maya. — Quando é que eu vou poder socá-lo?

Joaquin sorriu ao ouvir isso, e Maya o abraçou, pressionando o rosto contra o seu braço.

— Você não é uma pessoa ruim, Joaquin — sussurrou ela. — Não é mesmo.

— Eu atirei um grampeador em uma garotinha — retrucou ele. Achara que dizer aquilo em voz alta faria o horror de tudo aquilo diminuir, como arrancar um esparadrapo, mas o efeito foi o contrário, as palavras pareceram cortar a sua boca quando as pronunciou.

— Você atirou um grampeador porque estava com medo — corrigiu Grace. — A garotinha estava passando na hora. Foi um *acidente*. Eles não deveriam ter machucado você também.

— E você ainda era criança — acrescentou Maya.

Joaquin precisou fechar os olhos com força diante disso, parecia que estava se afogando e só tinha as irmãs para mantê-lo à tona.

Suas *irmãs*. Puta merda.

— Tudo bem eu ter dito aquilo? — perguntou Joaquin, olhando para Grace.

Ela franziu a testa.

— Ter dito o quê?

— Você sabe. Eu disse que você era minha irmã.

Os cantos da boca de Grace estremeceram mesmo enquanto ela abria um sorriso.

— Tudo bem. É isso que eu sou, não é?

Do outro lado, Maya apoiou a cabeça no seu ombro.

— Eu também — disse ela baixinho.

Quando conseguiu falar de novo, Joaquin enxugou os olhos com a manga da camisa. Se Linda estivesse ali, teria provavelmente lhe entregado um pacote de lenços de papel.

— Então... Eu sou um monstro — disse ele, tentando manter o clima leve, tentando levá-los de volta à superfície depois de quase se afogarem na maré, mas soou forçado. Nem ele acreditou no próprio tom.

— Acho que alguém que passou por tanto sofrimento deve ter um coração enorme. — A voz de Grace estava pensativa. — E não importa o que aconteça, Maya e eu nunca vamos devolver você.

— Não mesmo — concordou Maya. — Esse negócio já foi fechado. Sem devoluções nem reembolso.

Joaquin deu um sorriso.

— Mas e se...

— Não! — disse Grace. — Você ouviu Maya.

— Mas talvez...

— Não! — exclamaram as duas dessa vez, e Joaquin deu uma risada clara e aguda no ar fresco, o som ecoando de volta aos seus ouvidos e preenchendo o seu coração.

GRACE

Grace começou a balançar nervosamente a perna na sala de espera do consultório do terapeuta. Havia um quebra-cabeça incompleto na mesa à sua frente, mas ela não tinha o menor interesse em terminar de montá-lo. Tudo que queria era acabar logo com aquilo e dar o fora dali.

Ao seu lado, a mãe se inclinou para ela e pressionou seu joelho com a mão.

Grace começou a balançar a outra perna.

Tinha se sentido apreensiva com aquela consulta durante boa parte da semana. Sabia que teria que conversar sobre Pesseguinha, sobre sua mãe biológica, sobre seus irmãos — basicamente tudo que eclodiu na sua vida nos últimos meses estava prestes a ser revelado para um estranho, e tudo que Grace queria fazer era dar meia-volta e fugir correndo para casa e para a segurança do próprio quarto e da própria solidão. Seu único consolo era que pelo menos seus pais pareciam tão mal quanto ela.

Queria que Rafe estivesse ali. Se não fosse para ajudar, pelo menos para fazê-la rir.

Quando entraram no consultório, Grace achou que ia vomitar. *Como Joaquin faz isso toda semana?*, perguntou-se e, então, se lembrou da última vez que tinham se visto e sentiu tudo de novo. Depois que ele contou tudo para ela e Maya, Grace estava voltando para casa de carro e teve que parar no meio do caminho para chorar. Mais do que tudo, desejava ter conhecido Joaquin naquela época, desejava tê-lo conhecido a vida toda para que ele fosse um pouco menos perdido. Pensou em Alice de novo, jogada em uma garrafa, atravessando uma tempestade no oceano.

O nome do terapeuta era Michael, e ele parecia ser legal. Sua gravata estava com um perfeito nó Windsor que Grace só tinha visto em imagens da Internet, e isso a fez sentir um pouco mais de confiança nele.

Mas só um pouco.

— Então, Grace — começou Michael assim que se sentaram. — Seus pais me contaram algumas coisas sobre você quando ligaram para marcar esta consulta. Parece que você teve um ano e tanto.

Grace ergueu uma sobrancelha.

— Eu pari um bebê, se é isso que você está perguntando.

A mãe de Grace cobriu os olhos com as mãos e gemeu.

— *O que foi?* — perguntou Grace, irritada. — Você estava lá, mãe. Foi basicamente isso que aconteceu.

A seu favor, Michael pareceu não se afetar. Grace gostou um pouco mais dele.

— E seus pais mencionaram que você deu o bebê para adoção, certo?

Grace assentiu.

— Eu dei a minha filha para Daniel e Catalina. Isso mesmo. Eles são bons pais.

— E você se sente bem em relação a essa decisão?

Grace deu de ombros.

— Tipo, já foi tudo resolvido, não é? Eu não tenho como mudar de ideia e pegá-la de volta se quiser.

— Então você gostaria de tê-la de volta?

— Não foi isso... — Grace respirou fundo, e se obrigou a manter as mãos no colo. — Eu sinto muita saudade da Pe... Milly. É claro que sinto. Eu a carreguei comigo por quase dez meses. Mas ela está em uma casa muito melhor, com uma família melhor para ela. Eu fiz a escolha certa. Meus pais concordam.

— A sua mãe também mencionou que você tem passado um tempo com um garoto e que quando eles tentaram abordar o assunto, você ficou um pouco chateada.

— Ela tentou arrancar o telhado da casa — esclareceu o pai de Grace, mas soou como se ele estivesse tentando fazer uma piada.

Grace não estava rindo.

— Eu fiquei com raiva — declarou ela, fulminando o pai com o olhar. — Porque a nossa vizinha Elaine ligou para eles para contar que eu almocei com um garoto, como se isso fosse a porra de um crime ou algo assim.

— Grace — pediu a mãe. — Nós não ficamos chateados. Só estamos preocupados com você. Você parece... não ser mais você mesma, querida.

— É claro que eu não sou mais eu mesma! — exclamou Grace. — Eu tive uma filha e a entreguei para adoção! Eu nem me reconheço mais! Vocês agem como se eu simplesmente fosse voltar para a escola e ir às festas e aos bailes e tudo mais, mas nada disso aconteceu. Eu nem posso ir ao shopping sem que as pessoas fiquem cochichando sobre mim e me chamando de piranha! Vocês querem uma filha que não existe mais.

— Querida, nós sabemos o quanto Max a magoou — começou seu pai, mas Grace se virou para ele e ergueu uma das mãos pedindo que se calasse.

— Não diga o nome dele — disse ela. — Simplesmente *não* diga. Eu odeio esse cara.

— Nós só não queremos que você se magoe de novo — disse sua mãe. — Nós achamos que você precisa de mais tempo para se curar.

— Vocês não entendem! — exclamou Grace. — Eu não *vou* me curar de tudo que aconteceu! Vocês ficam agindo como se eu fosse explodir a qualquer momento, pensando que se vocês não disserem nada por tempo suficiente, eu vou me esquecer da minha filha... — A palavra ficou presa na sua garganta e ela teve que quase cuspi-la para conseguir dizê-la. — ... e que tudo vai ficar bem! É isso que vocês sempre fazem! Vocês fingem que uma coisa não aconteceu e, então, é

224

quase como se ninguém mais se lembrasse que realmente *aconteceu*. Vocês fizeram a mesma coisa comigo.

O silêncio que se seguiu à explosão de Grace foi particularmente pesado.

— O que você quer dizer, Grace? — perguntou Michael. Grace quase tinha se esquecido que o terapeuta estava na sala. Ela se perguntou se ele tinha se arrependido de aceitar essa consulta.

— É como... — Ela tentou encontrar as palavras que resumiriam seus sentimentos. — Tipo, eles disseram que se um dia eu quisesse saber informações sobre a minha adoção, tudo que eu precisava fazer era perguntar. Mas por que isso tinha que ser a *minha* responsabilidade? Por que precisava ser eu a perguntar? Por que eles não puderam simplesmente me *contar* sobre o que aconteceu?

Os olhos da mãe de Grace estavam marejados.

— Nós só não queríamos dar informações demais.

— Não é nada disso! — exclamou Grace. — Você achou que se eu soubesse muito sobre a minha mãe biológica, eu tentaria encontrá-la e isso deixou você apavorada.

— Por que você esconde aquelas fotos de Milly? — perguntou sua mãe de repente.

— O quê? Como foi que você viu?

— Eu vi na gaveta da sua escrivaninha — explicou ela. — Eu estava guardando umas canetas que encontrei no meu carro e as vi. — Os olhos da sua mãe estavam cheios de lágrimas e ela acrescentou: — Por que você está escondendo isso da gente? Eu sei que você sente saudade da sua filha, Grace, mas nós sentimos falta da nossa neta *e* da nossa filha. Só queremos que você converse com a gente.

O pai de Grace estava concordando com a cabeça.

Grace sentiu as lágrimas escorrerem pelo rosto e as enxugou rapidamente.

— Por que sempre sou *eu* que tenho que conversar com *vocês*? — perguntou ela. — Por que *vocês* não podem conversar *comigo*?

— Porque a gente não quer que você fique triste — explicou o pai, parecendo tão triste quanto não queria que Grace se sentisse. — Não queríamos que você sentisse que não era querida, e vimos como ficou quando voltou para casa depois do parto. Nós não queremos fazer nada que faça você se sentir assim de novo. — Ele olhou para a mãe de Grace antes de acrescentar: — Acho que cometemos muitos erros, mas nós a amamos mais do que tudo nessa vida. E, meu Deus, Grace, estamos tentando fazer as coisas melhorarem, mas não sabemos como resolver o seu problema.

Grace tentou desesperadamente não pensar no hospital, naquela volta horrível para casa quando parecia que estavam arrancando alguma coisa de dentro dela, à medida que ficava cada vez mais longe de Pesseguinha.

— Eu quero procurar a minha mãe biológica — declarou ela. — Quero que ela saiba que estou bem. E quero que vocês fiquem bem em relação a isso.

— Nós estamos — respondeu a mãe de Grace. — Vamos ficar. Seja lá do que você precise, Grace, nós sempre vamos estar aqui para você. Não importa o que aconteça.

Grace se lembrou de como sua mãe tinha segurado firme a sua mão durante as contrações, se mantido firme ao seu lado, sem deixá-la nem por um instante, como seu pai tinha assistido a Netflix por horas a fio com ela, sem dizer uma palavra. Quanto mais velha ela ficava, mais humanos os seus pais pareciam, e isso era uma das coisas mais apavorantes do mundo. Ela sentia falta de ser pequena, quando eles eram deuses que sabiam tudo, mas, ao mesmo tempo, vê-los como seres humanos tornava mais fácil para ela se ver assim também.

— Grace, você conversou com outras garotas que passaram pela mesma coisa que você? — quis saber Michael. — Um grupo de apoio, talvez?

Grace negou com a cabeça. Falar com estranhos sobre Pesseguinha parecia impossível. Quase uma traição.

— Existem muitas garotas que estão na mesma situação — contou ele, mas seu tom era gentil. — Será que isso é algo que você possa pelo menos tentar explorar?

Grace assentiu.

— Acho que vamos fazer muitos progressos nesta sala — afirmou Michael com um sorriso, e Grace se recostou na cadeira e fechou os olhos.

Progresso, pensou, cansada só de ouvir aquela palavra.

— Então, deixa ver se eu entendi direito — disse Rafe. — A sua vizinha Elaine *fez fofoca* sobre mim?

— E sobre mim também — confirmou Grace tomando o finalzinho do seu milk-shake.

— A sua vizinha Elaine precisa de um hobby.

Rafe tinha enviado uma mensagem para ela na tarde depois da consulta com o terapeuta. Você tem tênis de corrida?

Como é?, digitou Grace como resposta.

Vamos dar uma corrida. Daqui a meia hora atrás do parque?

Não, valeu, Grace começou a digitar, mas olhou para as palavras e as apagou. Beleza, escreveu. Vamos nessa.

Rafe era o tipo de colega de corrida de que ela gostava: silencioso. Os tênis ainda serviam, e embora ela não estivesse na melhor forma da vida para subir uma ladeira, a pontada na lateral do corpo e a respiração ofegante fizeram Grace se sentir como antigamente, como se ela tivesse alguma coisa que continuava igual, mesmo depois de tantas mudanças. O clima estava fresco, o ar outonal finalmente substituindo o ar quente de um verão muito longo, e quando Rafe chegou ao alto da ladeira, Grace se virou para ele e sorriu.

— Nada mal — elogiou ela.

— Queria estar morto — ofegou Rafe, com as mãos nos joelhos.

Grace só riu.

Depois disso, eles se sentaram lado a lado no teto do carro de Rafe. Grace se sentiu mais leve e mais pesada, ao mesmo tempo, como alguém que tinha feito apenas metade das suas tarefas, mas tinha deixado a pior parte para o final.

Sentar-se com Rafe no canto do estacionamento, porém, fez tudo parecer um pouco *menos* pesado.

— Você sabe por que a sua vizinha Elaine ligou para os seus pais, não sabe? — perguntou Rafe e havia um tom de nervosismo em sua voz que Grace nunca tinha ouvido antes.

— Porque ela acha que estou tentando engravidar de todos os garotos ao norte da linha do Equador?

Rafe deu uma risada curta.

— Rá. Talvez. Mas, fala sério, Grace. Você é uma garota branca e eu sou mexicano. Pense bem.

— Você acha mesmo?

— Tipo assim, eu não tenho cem por cento de certeza, mas quase isso.

— Você sabe que eu não estou nem aí para essa merda, não sabe? — perguntou Grace. — Para o inferno com a Elaine da rua de baixo, se este é o problema dela.

Rafe não conseguiu esconder o sorriso que apareceu nos cantos da boca.

— Não me mande para o inferno com a Elaine da rua de baixo!

— Para com isso! — Grace riu. Não sabia por que ficava sempre rindo quando estava perto dele. Não conseguia se decidir se isso era bom ou ruim. — Você entendeu o que eu quis dizer.

— Claro que entendi, e você também entendeu o que eu quis dizer — respondeu Rafe. — Não se preocupe que não estou, tipo, com raiva de você por causa disso. Mas você não vê as coisas do mesmo jeito que eu às vezes. E nem precisa ver.

Grace assentiu.

— Acho que a gente devia colocar uma placa de "vende-se" na casa de Elaine — sugeriu ela. — Tipo, uma limpeza na vizinhança.

Agora foi a vez de Rafe rir.

— Vá em frente — estimulou ele. — Dou o maior apoio.

— Não me provoque. — Grace apoiou o pé no para-lama do carro. Estavam bem no final do estacionamento do shopping, de onde conseguiam ter uma visão de toda a cidade. Daquele ângulo quase parecia uma cidade grande. Quase.

— Posso fazer uma pergunta?

— Claro — respondeu Rafe, tomando um gole do seu milk-shake.

— Lembra que contei para você sobre o meu irmão Joaquin? Então, ele tem sangue mexicano, mas foi criado por um monte de famílias acolhedoras. Você acha... tipo assim, eu acho que é difícil para ele.

— Grace nem sabia ao certo o que estava tentando dizer nem como dizer isso.

— Você está perguntando a minha opinião como um garoto mexicano? Você sabe que isso é racismo, não sabe?

Grace respirou fundo duas vezes antes de responder.

— Eu não sei como fazer esse tipo de pergunta — admitiu ela. — Mas Joaquin é meu irmão, e ele está sofrendo e não sei o que fazer para ajudá-lo.

Ficaram em silêncio por um segundo. Rafe balançou seu milk-shake. Grace nunca o tinha visto tão pensativo antes.

— Algumas pessoas acham que você é menos mexicano se não fala espanhol, e outras não ligam. Mas, então, tem o lance da religião. Que igreja a sua família frequenta, sabe? Como comemoram o Natal? De onde a sua família é originalmente? Você é da primeira ou da segunda geração? Que tradições segue? Tudo isso entra em questão, e se não tem nada disso, o resto do mundo enxerga tudo isso em você, então deve ser difícil.

Rafe fez uma pausa antes de recomeçar.

— É meio parecido com a forma como a Elaine da rua de baixo vê. Ela provavelmente fez suposições a meu respeito, mas, pelo menos, eu posso voltar para casa e conversar com o meu irmão sobre isso e podemos rir de como ela é idiota. Eu tenho orgulho de ser quem sou, e nunca quis ser outra pessoa, e quando as pessoas são babacas, eu pelo menos posso procurar o apoio da minha família. Se o seu irmão não tem isso, então deve ser difícil *pra caramba*.

Grace ouviu, então escorregou para o lado até que suas pernas se tocassem. Afinal, tinha sido um longo dia, e ela queria se sentir menos sozinha no mundo. Rafe não se afastou.

— Será que você poderia conversar com Joaquin? — pediu ela.

Rafe deu um risinho.

— Tipo, ensiná-lo como ser mexicano?

— O quê? Não! Não, eu nunca...

Rafe sorriu para ela.

— Relaxa, só estou brincando. E, claro, pode me dar o telefone dele. Eu mando uma mensagem para ele. Talvez a gente possa sair. Além disso, eu gostaria de apertar a mão dele por ter dado uma lição no cara que chamou você de piranha. — A voz de Rafe ficou sombria de novo. — Babaca.

— Adam definitivamente é um babaca — concordou Grace. — Valeu.

— Sem problemas. Mas sabe de uma coisa? Acho que Joaquin provavelmente precisa de menos gente falando com ele e mais gente *ouvindo* o que ele tem a dizer. — Rafe cutucou o ombro dela com o dele. — E você é uma ótima ouvinte, Grace.

Ela assentiu, sem saber se aquilo era inteiramente verdade, mas esperando que fosse.

— Então, eu tenho um favor para pedir a você — disse Rafe, pigarreando. — É uma coisa muito importante.

— Qualquer coisa.

— Será que você pode parar de mastigar o canudo?! — Rafe tirou o milk-shake dela, analisando a ponta do canudo. — Olhe só para isso! Como é que você não está com uma hemorragia?

— Rafe, me dá isso aqui! — exclamou Grace, mas ela estava rindo, enquanto tentava pegar o copo de volta. — Eu só tenho dentes nervosos. Isso é tudo.

— Dentes nervosos! — repetiu Rafe. — E o que isso quer dizer?

— Fala sério! — disse Grace, mas ainda estava rindo quando tentou pegar o copo de volta e caiu em cima dele.

Os dois pararam de rir na hora.

Grace sabia o que deveria fazer se estivesse em um seriado de TV naquele momento: beijá-lo. Sabia que queria beijá-lo. E sabia que não podia fazer isso. Ainda não.

— Sinto muito — sussurrou ela. — Eu...

— Eu sei — sussurrou Rafe como resposta, então afastou o cabelo do rosto dela de um jeito que Max nunca tinha feito. — Está tudo bem.

— Eu quero que você saiba que não é você — explicou Grace. — Tipo assim, não é que eu não queira. Não é como se você fosse medonho ou algo assim.

Rafe sorriu para ela.

— Nossa, eu sempre quis que uma garota falasse isso para mim. Valeu por tornar o meu sonho realidade.

— Você sabe o que eu quis dizer.

— Sei, sim — respondeu ele, ainda segurando-a de forma desajeitada e ele a apertou de leve. — Quer se sentar?

— Ainda não — respondeu Grace.

— Pode deixar — aquiesceu Rafe, ajeitando o braço sobre os ombros dela de forma mais confortável. — Nós temos todo o tempo do mundo.

Eles não tinham, é claro. Grace optou por acreditar em Rafe mesmo assim, enquanto ficavam juntos ali, descansando e esperando. Na cabeceira do mundo.

MAYA

Quase uma semana depois, Maya ainda queria socar a cara do tal de Adam.

E também não estava muito feliz com Lauren.

Tinha se recusado a falar com ela desde o dia em que Claire tinha lhe dito que Lauren enviara uma mensagem contando a ela sobre a sua mãe. Lauren tinha pedido, chorado, implorado e finalmente gritado, mas Maya simplesmente se recusou a abrir a porta do quarto para ela, se recusou a olhar para ela e se recusou a reconhecer sua presença de qualquer forma.

— Por quanto tempo você planeja ignorar a sua irmã? — seu pai finalmente perguntou. — Você só tem uma, sabe?

— Essa afirmação não é mais verdadeira — declarou Maya de forma afetada. — Posso voltar para o meu dever de casa agora, por favor?

Também não estava ficando mais fácil reconhecer a pessoa que estava faltando na casa deles. Não era mais apenas a mãe de Maya que não estava ali, mas o espaço que a bebida tinha tomado parecia pairar sobre a casa como uma nuvem, lembrando Maya de todas as vezes que ela tinha tentado resolver um problema que nem era dela. Lauren parecia compensar isso assistido à TV por horas a fio, programas de donas de casa e sobre como consertar coisas e competições de música

232

brilhando na tela cada vez que Maya descia para comer alguma coisa. Alguns dos programas pareciam legais, mas ela estava se sentindo tão traída por Lauren, tão despedaçada por sua irmã ter agido pelas suas costas e conversado com sua ex-namorada. Ela tinha vivido tanto tempo fazendo de tudo para que os segredos nunca saíssem da casa deles e não sabia como lidar com as coisas quando um deles escapava, a não ser se fechar ainda mais atrás dos muros, protegendo-se para que nunca mais ninguém conseguisse entrar.

A coisa finalmente explodiu certa noite no jantar.

Maya meio que sabia o que estava fazendo. Meio que sabia que era uma péssima ideia abordar o assunto daquela forma, nem tinha muita certeza se queria seguir adiante com o plano. Mas estava se sentindo pequena e cruel naquele dia, sentindo vontade de atacar e explodir.

— Então, Grace, Joaquin e eu estamos pensando em procurar a nossa mãe biológica — declarou ela.

Lauren engasgou com a porção de salada que estava mastigando e o pai deu tapinhas nas suas costas.

— Estão mesmo? — perguntou ele, quando Lauren parou de tossir e eles já conseguiam se ouvir. Os olhos dela estavam vermelhos e úmidos, e ela usava o guardanapo para cobrir a boca enquanto fulminava Maya com o olhar. Maya fingiu não perceber.

— Acho que sim — confirmou ela, cortando casualmente um pedaço de pão. Seu pai estava melhorando na cozinha. Já fazia quase uma semana que não comiam pizza no jantar. — Sabe, só para conhecê-la. Descobrir a nossa história.

— Você tem uma história — argumentou Lauren. — E é aqui, com a gente.

— Talvez eu tenha mais de uma história — retrucou Maya.

— Meninas, é melhor se acalmarem — pediu o pai. — Maya, você tem certeza de que este é o *momento* para isso?

— Acho que sim. Por que não? Não deixe para amanhã o que você pode fazer hoje, não é?

O espaço vazio na mesa onde sua mãe se sentava pareceu maior do que de costume.

— Bem, é só que... os últimos meses foram bem intensos. Sua mãe, conhecer Grace e Joaquin. Talvez seja melhor esperar até as coisas se acalmarem um pouco antes de partir para outra aventura.

— *Aventura?* — Maya olhou com raiva para o pai. — É essa a sua opinião sobre tudo o que está acontecendo?

— Filha, não é isso, sinto muito. Não foi o que... Eu... Eu escolhi mal a palavra, está bem? Eu só acho que talvez você e sua mãe devessem conversar sobre isso.

Maya riu. Não conseguiu se segurar. Riu por um minuto antes de recobrar o controle novamente.

— Sabe de uma coisa, pai? Eu *adoraria* conversar com a mamãe sobre isso. Não existe literalmente nada que eu gostaria mais de fazer neste momento do que falar com a mamãe. Mas isso é possível? Não, não é. Porque ela não pode conversar com *ninguém*. E, então, temos o Dia da Família, não é? Quando todos nós vamos à clínica de reabilitação e fingimos que está tudo bem?

Lauren estava em silêncio ao seu lado e Maya ficou se perguntando se a irmã concordava com ela.

— A gente não vai fingir que está tudo bem — declarou o pai.

— Sério? Porque essa família é ótima em fazer exatamente isso.

Seu pai respirou fundo, empurrou a cadeira para trás.

— Preciso de um tempo sozinho, meninas — avisou ele, antes de se levantar e sair da sala.

— Qual é o seu problema? — sibilou Lauren assim que o pai saiu.
— *Sério mesmo?* Você acha que o papai já não está se sentindo mal o suficiente no momento?

— Ah, é mesmo? Você acha? Por que você não manda uma mensagem para Claire agora mesmo para contar tudo o que aconteceu? Tenho certeza de que a sua nova melhor amiga vai adorar bater um papo com você.

— Ai, meu Deus. Será que dá para se controlar, Maya? Eu mandei uma mensagem para ela porque eu estava *preocupada* com você. Você fica *bem* quando está com Claire. Na verdade, eu *gosto* de você quando está com Claire. — Agora era Lauren que estava se levantando da mesa. — Será que dá para parar de agir como se esta família estivesse tentando oprimi-la? Não foi só *você* que teve que cavar garrafas de vinho do armário da mamãe, sabia? *Não foi você* que a encontrou sangrando no piso do banheiro. Mas é você que pode ficar batendo o pé nessa pirraça temperamental sempre que alguém faz alguma coisa que você não gosta. Bem, que pena. Sei que gosta de achar que você tem essa nova família para onde pode simplesmente fugir, mas você ainda tem uma família aqui também.

— Ah, é, Lauren? — perguntou Maya, e agora ela também tinha se levantado. — Diga-me uma coisa. Quando mamãe e papai disseram que iam se divorciar, *você* ficou se perguntando se eles ainda iam querer você?

— Do que você está falando? — gritou Lauren.

— Já olhou para as fotos na escadaria e pensou *será que eles me odeiam por arruinar a família perfeita? Será que tudo que está acontecendo é culpa minha? Minha e da porra da minha existência?* Deixe-me adivinhar, a resposta é não para todas essas perguntas. Então, não tente fazer com que eu me sinta mal por tentar encontrar o meu espaço neste mundo, está bem? Porque você nunca precisou se preocupar com o seu.

Agora Lauren estava chorando daquele jeito terrível que sempre fazia, mas Maya já estava dando as costas para ela e indo para o quarto.

Mas não conseguiu se afastar muito. Não de si mesma. Não existiam degraus o suficiente para isso.

Não conseguiu dormir naquela noite.

Tudo que via quando fechava os olhos era a expressão no rosto de Grace quando Adam a chamou de piranha, a expressão de Joaquin quando descreveu Natalie caindo no chão, o rosto de Lauren quando Maya mencionou as fotos na escada. Tudo aquilo fazia o estômago de Maya parecer vazio, como um poço que jamais ficaria cheio, não importava a quantidade de pensamentos bons para substituir os ruins.

Às duas horas da manhã, ela desistiu e desceu.

Lauren estava lá, abrindo uma caixa de Oreo e tirando o recheio das bolachas. Maya parou quando a viu e estava prestes a se virar, mas Lauren a avistou também.

Por alguns segundos nenhuma das duas se moveu.

— Não consegui dormir — declarou Lauren por fim.

— Nem eu — respondeu Maya. Ela não tinha percebido como Lauren parecia cansada ultimamente, mas achou que não seria bom mencionar isso agora. — Vou deixá-la sozinha.

— Eu vou jogar o recheio fora — declarou Lauren. — Se você quiser, pode comer.

Maya parou, virou-se e se sentou à bancada da cozinha, de frente para Lauren.

— Tipo, você é a esquisita que não come chocolate — acrescentou Lauren, raspando o recheio de outro biscoito na tigela.

— E você é a esquisita que *come* chocolate — retrucou Maya, mal--humorada. Afinal de contas, eram duas da manhã. — Tem gosto de sujeira doce.

Lauren só bufou e empurrou a tigela para ela. Elas ficaram sentadas uma de frente para a outra em um minuto completo de silêncio, antes de Lauren finalmente perguntar:

— Você realmente odeia as fotos na parede da escadaria?

— Eu não odeio as fotos — explicou Maya. — Eu só odeio o fato de ser tão óbvio que eu não me pareço com vocês.

— Você me odeia porque eu pareço com a mamãe e o papai e você não?

— Por que eu odiaria *você* por causa disso? Não é culpa sua. Você não pediu para nascer.

— Você sabe que eles nunca favoreceriam uma mais que outra, não sabe? — Mesmo que estivesse bem em frente à Maya, a voz de Lauren parecia muito distante. — Não é uma competição, Maya. Eles nos amam.

Maya suspirou. Tudo que queria era comer o recheio do biscoito em paz.

— Não fico chateada por ser adotada. Eu amo a mamãe e o papai e tudo isso, mas, às vezes, eu tenho perguntas que só estranhos podem responder.

— Tipo Grace e Joaquin?

Maya encolheu os ombros.

— Sinto que eles compreendem o que quero dizer quando digo esse tipo de coisa.

Os olhos de Lauren se encheram de lágrimas.

— Ah, Lauren — suspirou Maya. — Sério? Por que você está chorando?

Lauren enxugou os olhos, mas não adiantou muito.

— Porque você amava tanto a Claire e, então, você se afastou dela assim que tiveram uma *b*riguinha...

— Não foi uma briguinha.

— ... e agora você tem esses outros irmãos e uma outra irmã e mamãe está longe e é só... Eu não quero perder você também! Você é a minha irmã! Eu não ligo de onde veio e eu não ligo com quem se parece ou não. Você é minha, sabe? Eu não tenho mais ninguém, só você.

— Lauren — declarou Maya em voz baixa. — Você não vai me perder como irmã.

— Mas você ficou sem falar comigo por uma semana! — chorou Lauren. — Você nem *olhava* na minha cara. Estava fazendo comigo exatamente o que fez com Claire.

Maya parou, desceu do banco e abraçou a irmã pelos ombros.

— Eu não vou... Eu não... Merda, tá legal. Eu não vou deixar a nossa família, está bem? Não vou — declarou ela quando Lauren começou a chorar ainda mais. — Eu não quero deixar a nossa família. Mas estou gostando de conhecer melhor Grace e Joaquin. Eu nem sei se eu quero procurar mesmo a minha mãe biológica ou não, mas isso não significa que eu não ame vocês.

— Seria mais fácil acreditar nisso se você parasse de me ignorar — fungou Lauren.

— Tudo bem, desculpe. Eu só fiquei com raiva porque você mandou mensagem para Claire. Eu me senti...

237

— Como se eu tivesse quebrado as regras. Eu sei. Mas me promete que vai me contar se realmente decidir procurar a sua mãe biológica?

— Prometo.

— E você vai parar de me ignorar?

— Você vai parar de ficar enviando mensagens para minha ex--namorada com informações sobre a minha vida pessoal?

— Foi só uma vez! Mas não vou fazer nunca mais.

— Tudo bem, então.

— Eu amo você — sussurrou Lauren. — Mesmo quando você age como uma pirralha mimada.

— E eu amo você, mesmo quando você me chama de pirralha mimada.

Não era o melhor pedido de desculpas do mundo, mas, às duas da manhã, com o mundo girando mais caótico do que qualquer uma delas conseguia controlar, aquilo parecia ser o suficiente para começar.

JOAQUIN

O fim de semana de Joaquin não começou bem.

Na sexta-feira, quando estava prestes a ir para casa, a orientadora educacional colocou a cabeça para fora da sala.

— Joaquin? — chamou. — Podemos conversar um minuto?

Joaquin olhou em volta para se certificar de que não havia nenhum outro Joaquin atrás dele. Não fazia ideia de que a orientadora educacional sabia quem ele era. Ela costumava passar o tempo com os alunos que estavam fazendo inscrições para ir para a faculdade. Joaquin ficava observando de longe a onda de inscrições, enquanto todos se preparavam para sair de casa e entrar na nova fase da vida.

Achava irônico o fato de todo mundo estar se esforçando tanto para sair de casa, quando tudo que ele queria era ficar em uma.

— Eu vi isto aqui — declarou a orientadora para ele quando finalmente entrou na sala dela, ignorando todos os pôsteres com aquelas frases de inspiração que diziam para Joaquin que *ele conseguia*! — E é claro que pensei em você. Achei que talvez pudesse usar!

Ela sorriu para ele.

Joaquin olhou para o papel que ela entregou para ele. Tinha sido impresso da Internet e a data de publicação dizia que o artigo tinha sido escrito quase cinco anos antes. "Dicas para sair do sistema de acolhimento", diziam as letras em negrito no alto e, logo abaixo, "O que você precisa saber para ser bem-sucedido na vida adulta... e além!" Havia o desenho de um foguete ao lado do título.

— Você pensou em mim — repetiu Joaquin, tentando não rir nem chorar nem demonstrar a reação que estava borbulhando no seu peito e pressionando seus pulmões.

— Pensei — confirmou ela.

— É claro que pensou — retrucou ele.

Joaquin sabia muito bem que ele ia fazer 18 anos dali a três meses. Não precisava que a orientadora educacional o lembrasse disso. Também sabia que havia serviços que ele poderia usar até completar 21 anos: aluguel e auxílio alimentação, uma possível bolsa de estudos, ajuda para encontrar um emprego. Mas Joaquin já tinha passado toda a sua vida no sistema, ouvindo promessas que sempre pareceram fora do alcance e ele não queria passar os três anos seguintes perseguindo um coelho branco em um buraco. Ele sempre achou que se alistaria no Exército, mas quando pensava que teria que sair da casa de Mark e Linda sentia o seu estômago revirar.

Assim que saiu da sala da orientadora educacional, jogou o artigo no lixo.

Quando se encontrou com Ana na lanchonete, alguém já estava sentado na mesa que os dois sempre usavam e havia crianças correndo pelo lugar; Joaquin sentiu que estava prestes a perder o controle.

— Eu disse para Mark e Linda que eu não queria seguir com a adoção — declarou ele assim que o garçom trouxe as bebidas. — Pronto, agora você pode gritar comigo durante uma hora inteira.

Ana arregalou os olhos, mas então simplesmente começou a rasgar a embalagem do canudo.

— Eu não vou gritar com você — declarou ela com uma voz que estava calma *demais*. — Se isso é o que você realmente quer, então eu não estou nem um pouco chateada. Na verdade, até parabenizaria você por demonstrar suas vontades.

— Mas? — perguntou Joaquin.

— Mas — continuou ela — eu não acho que isso seja o que você realmente quer. Acredito que ache que é isso que Mark e Linda querem, na verdade. Acredito que você tem medo de decepcioná-los e medo que eles decepcionem você, então, você acabou com tudo antes de aproveitar essa chance e talvez sofrer.

— Eu não tenho medo de sofrer — insistiu Joaquin. — O meu medo é que *eles* sofram. Não sei como vou reagir, então eu... — Ele fez um gesto com as mãos, indicando uma distância.

— Você se mantém longe? — completou Ana.

Joaquin pegou o canudo e ficou tamborilando na mesa até o papel rasgar na ponta. Ele estava com vontade de provocar uma briga com ela, e não sabia o motivo.

— Você quer saber o que eu fiz no último fim de semana? — perguntou ele.

— É claro — respondeu, tranquila como sempre.

— Fui ver Grace e Maya. A gente se encontrou para tomar um café e, enquanto estávamos lá, um cara que Grace conhecia foi até a nossa mesa e a xingou de piranha. — Joaquin enfiou o canudo na bebida com mais força do que o necessário.

Agora Ana realmente parecia surpresa.

— Por quê? — quis saber ela.

— Sei lá. Acho que eu não tive a chance de perguntar, antes de atacar o cara e colocá-lo contra a parede. — Joaquin ainda conseguia sentir os batimentos cardíacos de Adam no seu antebraço e se lembrava de como tinha se sentindo *bem* por assustar o cara exatamente como ele tinha assustado Grace. — A gente não chegou a brigar. Eu só disse para ele deixar a minha irmã em paz, e ele e o amigo fugiram.

Ana tomou um gole da limonada.

— Você usou a palavra *irmã*?

Joaquin assentiu.

— E, então, o que você sentiu?

— Eu... — Por baixo da mesa, a perna de Joaquin começou a quicar, um hábito de nervosismo que nunca conseguia controlar. — Eu fugi.

— E para onde você fugiu?

— Saí correndo pelo estacionamento.

— E Grace e Maya?

— Elas vieram atrás de mim e nós ficamos em um parque perto do shopping. Eu estava... As minhas mãos não paravam de tremer. Eu não conseguia controlar.

— Joaquin. — A voz de Ana estava muito suave para o barulho da lanchonete, mas Joaquin a ouvia perfeitamente. — Você ficou com medo de si mesmo?

Joaquin concordou com a cabeça. Queria contar a história para Ana para poder sacudi-la, fazê-la perceber que ele não tinha salvação, que era melhor ela comer salada e tomar limonada com algum outro paciente que pudesse *melhorar,* mas o olhar dela era tão gentil, tão triste, que isso só o fez ficar com vontade de chorar.

— Eu contei... Contei para elas.

Ana franziu a testa.

— Contou o quê para quem?

— Para Grace e Maya. Sobre Natalie.

Ana estendeu a mão e a pousou sobre a dele sem dizer nada.

— Elas disseram... — Joaquin mordeu o lábio inferior e piscou. — Elas disseram que eu era só uma criança, sabe? Elas disseram que a culpa não tinha sido minha.

— E você acreditou nelas?

Joaquin negou com a cabeça e o seu lábio inferior começou a tremer.

— Mas você quis acreditar?

Dessa vez, ele assentiu, e Ana apertou a mão dele e se levantou.

— Venha — disse ela. — Vamos dar uma volta.

Eles caminharam até Joaquin sentir que conseguia respirar de novo.

— Eu estou muito orgulhosa de você, sabia? — disse Ana enquanto caminhavam pela rua principal. — Esse é um passo enorme para o seu relacionamento com Grace e Maya. Da última vez que conversamos sobre elas, você tinha dito que nunca ia contar para elas.

Joaquin encolheu os ombros.

— As coisas aconteceram de repente. Eu não planejei.

— Você machucou o cara que chamou Grace de piranha?

— Não. Ele só saiu correndo. Eu me senti tão... — Joaquin ergueu as mãos na frente do corpo, fazendo um gesto de apertar alguma coisa. — A expressão no rosto dela, sabe? Quando ele disse aquilo. Ela estava com uma expressão de tanta tristeza.

— E isso deixou você triste também?

— Não. Aquilo me deixou furioso.

Ana abriu um sorriso para ele.

— A raiva é um...

— ... um sentimento muito válido — completou Joaquin. Já tinha ouvido Ana falar aquilo um milhão de vezes. — Eu sei, eu sei, mas a *sensação* é tão horrível.

— E como você se sentiu quando as suas irmãs não ficaram zangadas com você por ter machucado Natalie?

Joaquin não sabia se havia uma palavra que pudesse expressar o sentimento. Não era felicidade, alívio nem surpresa. Também não era confusão nem pena por elas serem idiotas o suficiente para confiarem nele. Nenhuma palavra descrevia aquele sentimento com clareza.

— Em uma das casas em que eu morei quando eu tinha seis anos — começou ele, em vez de responder —, todo mundo ganhou uma bicicleta de Natal. Até mesmo os acolhidos, então aquilo foi um grande acontecimento. Mas a minha tinha só duas rodas e eu não sabia andar de bicicleta, então o acolhedor colocou rodinhas na minha. E eu podia andar de bicicleta pela rua e toda vez que eu achava que eu ia cair, as rodinhas impediam a queda.

Ana parou de caminhar e estava olhando para Joaquin. Ele não sabia se aquilo era uma coisa boa ou ruim.

— E eu finalmente aprendi a andar de bicicleta, mas não deixava que eles tirassem as rodinhas porque eu gostava daquela sensação, sabe? Elas me salvavam todas as vezes. E foi assim que eu me senti com Grace e Maya. Como se eu estivesse caindo, mas, então, eu não estava mais. Elas estavam lá.

E, então, Joaquin viu — e ficou completamente *horrorizado* — quando uma lágrima escorreu pelo rosto de Ana.

— Ah, merda — praguejou ele antes de conseguir se controlar. Não sabia bem o que acontecia quando você fazia a sua terapeuta chorar, mas provavelmente aquilo não era nada bom. — Sinto muito. Sinto *muito*...

— Não, não, não é... *Sou eu* que sinto muito, Joaquin. — Ela ergueu os óculos de sol por tempo suficiente para enxugar os olhos, rindo através das lágrimas. — Eu só estou muito, muito orgulhosa de você. Isso é tudo.

Joaquin lançou um olhar desconfiado.

— Eu estou bem. Verdade mesmo — confirmou ela, recolocando os óculos. — Eu só quero que você pense sobre uma coisa.

— Tudo bem — aceitou Joaquin. Ele teria se oferecido para treinar focas de circo se isso significasse que Ana ia parar de chorar.

— Sei que você não acredita nisso agora, sei que você talvez nunca acredite nisso, mas Mark e Linda são como essas rodinhas de bicicleta também. Isso que você descreveu? Isso é o que os *pais* fazem. Eles pegam você antes que você caia. É isso que uma família é.

Joaquin pensou em Mark e Linda sentados ao lado dele depois de um pesadelo, afastando a escuridão.

— Tudo bem — aceitou ele, em vez de contar o que pensou. Esperava que um dia ele tivesse palavras para dizer para todo mundo como se sentia por dentro, mas *tudo bem* teria que servir por ora.

— Tudo bem — concordou Ana. — Estou faminta. Você gosta de frozen yogurt?

— Tudo bem — repetiu Joaquin, depois abriu um sorriso e se desviou antes que Ana pudesse dar um soco no ombro dele.

Havia um carro estranho na entrada de casa, quando Joaquin entrou na rua de Mark e Linda. Ele parou de andar de skate na hora, pisando na parte de trás para pegá-lo pelas rodas da frente.

Não era o carro da assistente social que cuidava do seu caso. Talvez ela tivesse trocado de carro? Ou talvez tivessem trocado a sua assistente social. De qualquer forma, ele sabia que estavam lá para levá-lo embora. Ele já tinha visto muitos carros estranhos na porta das casas em que tinha sido acolhido durante aqueles anos, todos eles com bancos traseiros grandes o suficiente para um garoto e um saco de lixo com as coisas que ele conseguisse guardar.

De qualquer forma, Joaquin não ficou surpreso. Ele não esperava que Mark e Linda continuassem com ele, não depois que eles tinham lhe oferecido a chance de ser adotado e ele havia recusado. Quem ia querer uma pessoa tão ingrata assim? Afinal de contas, Joaquin basicamente tinha recebido comida, dinheiro e roupas deles por quase três anos. Se estivesse no lugar deles, também ia querer uma recompensa pelo investimento.

Ele pensou que não podia se esquecer de pegar a fita azul que tinha recebido na feira de arte do quarto ano. Era sempre a primeira coisa que ele guardava.

— Ah, droga! — gritou Linda quando Joaquin entrou pela porta dos fundos, e ele congelou, ainda segurando o skate. — Mark! Ah, droga!

— Hum, desculpe? — disse Joaquin.

— Ah, não, não é nada com você, querido. Não, não, pode entrar. A gente só achou que você chegaria mais tarde! Ah, *droga!*

Joaquin ficou parado na porta assim mesmo. Linda estava segurando um enorme laço vermelho nas mãos, seus óculos na cabeça, enquanto se inclinava para a escada.

— Mark, ele já *chegou!* Eu *disse* para você! — Então, ela se virou para Joaquin. — Querido, entre, entre. Está tudo bem. Você está bem. — Ela fez um gesto para ele entrar.

Mark desceu correndo, um pouco sem ar.

— O que está fazendo aqui tão cedo? — perguntou para Joaquin, mas estava com um sorriso. — Linda queria fazer uma grande apresentação. Ela arrumou um laçarote especial e tudo mais.

Linda só soltou um suspiro exasperado.

Joaquin ainda estava parado na porta.

— O que foi? — perguntou ele finalmente. Será que teria que colocar o laço no saco de lixo? — É uma festa surpresa de despedida?

Linda e Mark congelaram onde estavam.

— Uma o quê? — perguntou Mark.

— Bem, tem um carro? — comentou Joaquin, apontando com o polegar por sobre o ombro. — Na entrada?

A expressão de Linda passou rapidamente de exasperada para horrorizada.

— Você acha que a gente vai mandar você embora?

Se aquele era um jogo de adivinhação, Joaquin definitivamente estava perdendo.

— Hum...

Mark e Linda trocaram um olhar e, então, Linda foi até Joaquin e o puxou para dentro de casa, a porta de tela batendo atrás dele.

— Joaquin — começou Linda. — Aquele carro é para *você*.

Joaquin só ficou olhando para ela.

— O quê?

Ela colocou as mãos nos ombros dele, segurando-o ali.

— Sente-se, filho — pediu Mark, puxando uma cadeira.

Joaquin se sentou e seu coração começou a disparar. Tudo parecia algum tipo de pegadinha, uma coisa bem elaborada, mas que, no final, o deixaria humilhado ou constrangido, mas, ao mesmo tempo, ele achava que Mark e Linda jamais seriam capazes de fazer uma coisa dessas com ele.

— Vocês compraram um carro? Para mim? — perguntou.

— Compramos — respondeu Linda, colocando o enorme laçarote no colo dele. — Você deveria ter chegado 15 minutos mais tarde. A gente ia colocar o laço igual nos comerciais de carro.

— A gente meio que queria fazer um vídeo que viralizasse no YouTube — provocou Mark, se sentando de frente para ele. — Você acabou de nos dar um prejuízo de milhões de dólares em visualizações.

Joaquin apenas tocou o laço. Era vermelho e macio nas suas mãos.

— A gente ia esperar até o seu aniversário de 18 anos — explicou Linda, com a mão ainda no seu ombro. — Mas agora, com Grace e Maya em cena, a gente quer que você possa se encontrar com elas sempre que quiser. Você não pode ficar dependendo da nossa carona.

— Achamos que é muito importante que você veja suas irmãs — acrescentou Mark, com voz suave, como se estivesse falando com um animal assustado. — Você está bem, cara? Parece que você viu um fantasma.

Joaquin assentiu.

— Estou bem. Eu só não... Eu achei que fosse a assistente social.

— Ah, Joaquin — começou Linda, acariciando a nuca dele. Ela não era uma mulher grande, mas suas mãos sempre pareceram tão fortes, como se pudessem segurar as coisas em vez de destruí-las. — A gente não vai deixar você.

— Quer ir ver o carro? — perguntou Mark, levantando-se. — Tem até aquecedores de assento.

Joaquin sorriu ao ouvir isso.

— Quero — respondeu ele, concordando com a cabeça. — Vamos lá.

Era usado. Tinha cor de cobre e uma manchinha no assento do motorista que Linda achava que era batom derretido ("já aconteceu comigo", contou ela com voz sombria).

Joaquin achou que era o carro mais perfeito que ele já tinha visto na vida.

— Pensamos em ajudar você com a documentação e o seguro pelo menos durante o primeiro ano e, então, com o seu trabalho no centro de artes, você vai ter dinheiro para cobrir os gastos com combustível — explicou Mark depois que mostrou para Joaquin o macaco do carro, o cobertor de lã e o kit de primeiros socorros na mala.

Joaquin apertou as chaves do carro com tanta força que achou que iam cortar sua mão e o osso.

— Legal — disse ele. Ele não sabia quanto custava a gasolina, mas tinha dinheiro guardado.

— E se você usar o celular enquanto dirige, nunca mais vai dirigir um carro pelo resto da sua vida — declarou Linda. — Pelo menos não enquanto eu estiver viva.

— Entendido — respondeu Joaquin. — Você ainda quer colocar o laçarote no carro?

— Quero! — exclamou Linda.

— Não, você precisa dar uma volta com o carro — disse Mark, empurrando Linda para dentro de casa. — Podemos colocar o laço em outra coisa. Tipo no gato do vizinho.

— Poxa, Mark — resmungou Linda. Mark odiava o gato do vizinho porque andava em cima da horta. Joaquin ouvira muitas histórias épicas sobre o gato nos dois anos que morava ali.

— Pode ir logo — disse Mark, abrindo a porta do motorista. — Dê uma volta por aí. Você não quer ficar aqui com os seus p... com a gente. — Mark pigarreou. — Dê uma volta e seja um adolescente por um tempo.

— Coloque o cinto de segurança! — avisou Linda. — Verifique os retrovisores! Os das laterais também! Eles são muito importantes. Lembre-se do ponto cego!

Mark fingiu segurá-la em uma gravata, puxando-a para longe do carro.

— Vá — disse ele para Joaquin. — Talvez eu coloque o laço em Linda.

— Eu ouvi isso! — reclamou ela, com a voz abafada contra a camisa dele.

Joaquin colocou o cinto de segurança, verificou os retrovisores (os laterais também), e cuidadosamente engatou a ré para sair de casa. Ele já tinha dirigido os carros de Mark e Linda antes, mas dirigir o dele era incrivelmente diferente.

Depois de alguns minutos, Joaquin parou no acostamento.

Suas mãos estavam tremendo tanto que era difícil controlar o volante.

GRACE

Tinha sido ideia de Grace se encontrarem na casa de Maya duas semanas depois.

Não precisou insistir muito com Maya e Joaquin. Depois do incidente com Adam, ela tinha quase certeza de que nenhum deles ia querer voltar àquele shopping de novo.

— Eles deram um *carro* para você? — perguntou Maya, interrompendo os pensamentos de Grace. — Você está falando *sério*, Joaquin? E você só contou *agora*?

Joaquin parecia confuso e constrangido com a situação toda enquanto concordava com a cabeça.

— É — contou ele. — Eu achei que eles estavam me mandando embora no início. Achei que o carro era da assistente social.

Grace sentiu o coração afundar no peito. Esperava que Pesseguinha nunca se sentisse assim, que nunca parecesse tão perdida quanto Joaquin às vezes era. Esperava que Pesseguinha nunca se surpreendesse com a bondade dos outros.

Ela esperava, esperava tanta coisa.

— Você acha que Mark e Linda *me* adotariam? — perguntou Maya.

Ela estava sentada na borda da piscina com os pés dentro da água. Grace estava feliz por Maya nunca ter sugerido que dessem um

249

mergulho. Ainda estava tentando entender o corpo pós-parto e usar biquíni era algo que não estava nos seus planos. Tinha tentado procurar no Google, mas tudo que tinha encontrado era para mulheres adultas, mães de verdade. Não havia nada sobre o que fazer com estrias de gravidez quando você tinha 16 anos, nada sobre tentar fazer o seu corpo voltar a parecer ser seu de novo quando outra pessoa tinha morado nele por nove meses e você ainda nem tinha se formado no ensino médio.

— Provavelmente — respondeu Joaquin. Também estava com o pé na água, mas do outro lado da piscina, sentado à sombra. — Eles têm um quarto extra.

— Maneiro. — Maya ajustou os óculos no rosto.

— Mas eu disse que não queria seguir com a adoção.

Grace viu a cabeça de Maya virar na direção de Joaquin tão rápido quanto a dela.

— O quê? — perguntou Grace. — Por quê? Eles...

— Não, eu só achei que era uma péssima ideia. Vocês sabem, por causa da última vez e tudo mais. — Joaquin encolheu um pouco os ombros. — As coisas estão legais agora, e eles também. Não quero estragar tudo.

— Joaquin — começou Grace.

— Será que as pessoas podem parar de dizer o meu nome como se eu não soubesse soletrar? Por favor? Será que a gente pode mudar de assunto?

— Boa ideia — respondeu Maya, tirando os pés da água e se levantando. — Vamos falar sobre um lanche. Mais especificamente sobre queijo e cream-crackers. Mais especificamente queijo e cream-crackers na minha boca.

Joaquin se levantou e a seguiu para dentro. Grace deu um passo atrás deles. O aquecedor estava ligado, mas Grace sentiu um pouco de frio. Quando estava grávida, sempre achava que estava muito mais calor do que realmente estava, mas agora ela sempre sentia frio.

Ela tinha passado a semana anterior praticamente na frente do computador, alternando entre pesquisas sobre Melissa Taylor e grupos de apoio para adolescentes que tiveram filhos. Michael, o terapeuta, dera a ela uma lista de sugestões de grupos, mas todos pareceram muito forçados, falsos, um monte de estranhos sorrindo para a câmera. Grace não conseguia se imaginar sentada ao lado deles, falando sobre Pesseguinha.

A pesquisa por Melissa Taylor foi ainda mais desanimadora. Até mesmo com a ajuda dos pais, não conseguiu muita coisa. Todas as informações do centro de adoção eram confidenciais ou não eram mais válidas e Grace estava começando a se sentir do mesmo jeito que tinha se sentido quando Pesseguinha foi embora com os novos pais, como se estivesse perdendo alguma coisa que nunca mais conseguiria recuperar.

— Grace?

Ela ergueu a cabeça, sobressaltada.

— O quê?

Maya fez um gesto para ela, segurando um pacote de cream-cracker.

— Quer um?

— Claro — aceitou, sentando-se em um dos bancos da ilha da cozinha. Joaquin estava diante da geladeira, procurando alguma coisa, e Grace pegou os biscoitos de Maya e começou a arrumá-los em um prato.

— Colar novo? — perguntou Maya, pegando uma tábua de corte no armário da cozinha. — Onde você comprou?

A mão de Grace foi imediatamente para o seu pescoço. Ela tinha comprado o colar longo o suficiente para ficar escondido por dentro da blusa, mas parece que tinha saído.

Tinha encontrado pingentes delicados on-line, um pequeno M de ouro e um pêssego dourado bem pequenininho e ela usou o dinheiro que tinha juntado no antigo emprego para pagar. Grace ficou imaginando se aquilo não seria uma coisa idiota e sentimental para comprar, mas quando colocou o colar no pescoço e se olhou no espelho, sentiu que era o certo.

— Ah, é só um colar velho da minha avó — mentiu ela, enfiando-o para dentro da camisa de novo. — Minha mãe o encontrou com as joias antigas.

— O que significa o M?

Grace ficou olhando para o nada.

— Sei lá. Acho que minha avó também tinha os seus segredos.

O pêssego bateu no seu peito antes de descansar contra a sua pele. Seu telefone vibrou bem nessa hora, e Grace deu uma olhada.

Oi, você vai estar disponível na semana que vem? Encontrei uns canudos que precisam ser destruídos.

Era Rafe, é claro, e Grace tentou controlar o frio na barriga quando leu.

— Quem era? — perguntou Joaquin.

— É, Grace, quem era? — insistiu Maya. — Você está um pouco...

— Você está vermelha — disse Joaquin.

— Não estou nada — negou Grace. — Ele é só um amigo.

Os olhos de Maya se iluminaram.

— Ah, ele não é *só um amigo* mesmo — declarou ela. — Ninguém diz isso quando um amigo é só um amigo. Joaquin, venha me dar uma mãozinha aqui

Joaquin colocou três pedaços de queijo na bancada.

— Ela está certa.

— Está mesmo? — perguntou Grace para ele. — Tem certeza?

— Não faço ideia. Eu só tenho medo de discordar dela.

— Ela é a sua irmã caçula — explicou Grace. — É você quem manda nela.

Maya pavoneou-se um pouco enquanto o telefone de Grace vibrava de novo.

— Ooh, é ele? É ele? Qual é o nome dele?

— Não é da sua conta.

— Nossa, que nome diferente — retrucou Maya. — Mas quem sou eu para julgar. Deixe-me ver!

— Não! — exclamou Grace. — Ai, meu Deus, dá um tempo. Achei que você queria comer.

— Posso comer *e* ajudar você a conversar com um cara! Sou ótima em multitarefa!

— Por que você não me deixa em paz? — perguntou Grace usando um pacote fechado de cream-cracker para se defender. — Minha nossa, você é péssima!

— Pegue o celular dela, Joaquin! — gritou Maya, correndo e rindo atrás de Grace em volta da ilha da cozinha.

— Não mesmo — respondeu Joaquin, enquanto cortava calmamente as fatias de queijo. — Uma vez eu toquei o telefone de uma das garotas na família de acolhimento. Grande erro.

— Ouça o que ele está dizendo! — exclamou Grace. — Maya!

— Vitória! — exclamou Maya enquanto Grace sentia o telefone ser tirado de sua mão.

— Se você enviar alguma mensagem para ele, eu vou te matar!

— Ah, não vai, não.

— Eu vou deixar você aleijada.

— Posso viver com isso. — Maya estava um pouco sem fôlego e começou a ler a mensagem. — "Querida Grace" — leu ela. — "Mais um mês se passou e Milly está mudando tanto."

Grace sentiu todo o ar fugir do seu corpo.

— "Ela continua a ser a luz mais preciosa das nossas vidas, e nós pensamos em você todos os dias, é claro."

— Pare — pediu Grace, mas sua voz não passou de um sussurro.

Maya ficou congelada no mesmo lugar, a expressão do seu rosto passando de animada para confusa.

— Tem a foto de um bebê — disse ela. — Grace, o que é...

Grace se obrigou a dar um passo para a frente e tirou o telefone da mão de Maya e ele caiu no chão.

— *Pare com isso* — sibilou ela. — Eu disse para você me deixar em *paz*, Maya.

Ao lado dela, Joaquin estava imóvel, ainda segurando o cortador de queijo, olhando para as duas.

O silêncio era horrível.

— Quem é Milly? — Maya perguntou por fim. — É sua filha, Grace?

Grace fechou os olhos, rezando para ser um sonho, que ela poderia voltar no tempo e acordar na sua cama um ano antes e ter sua vida de volta ao normal.

— Cale a boca — sussurrou ela.

— Você teve um *bebê*? — perguntou Maya novamente, e ela parecia realmente confusa. — Grace, responda.

— Não é da sua conta! — gritou Grace, estendendo as mãos trêmulas para pegar o celular.

— Você teve um bebê e não nos contou? — gritou Maya. — Você está falando *sério*? Eu contei para você sobre a minha mãe e o problema dela com bebida e Joaquin contou para você sobre Natalie e o acidente e você manteve *esse segredo* da gente?

— E por que eu ia contar para vocês? — retrucou Grace. — Para que pudessem me acusar de abandoná-la do mesmo jeito que a nossa mãe fez com a gente? Ou para que pudessem me chamar de piranha, como Adam fez?

A expressão de Joaquin ficou solene.

— Ah, merda — praguejou ele suavemente. — Então foi por isso?

— Eu não a abandonei, tá bom? — exaltou-se Grace. — Eu escolhi uma ótima família para ela. E ela é perfeita e eles a amam e ela é feliz! Ela vai ser *tão* feliz e ela vai ter tudo que eu não podia dar para ela! Você já pensou nisso quando você estava ocupada demais odiando a nossa mãe, Maya? Que talvez ela tenha feito isso porque nos *amava*?

Maya ficou ali a encarando, completamente chocada.

— *Grace* — disse ela.

Grace estava se esforçando para não chorar.

— Eu só não queria que vocês dois me odiassem ou que ficassem falando todas essas coisas sobre mim como todo mundo fala. Eu amo tanto a minha filha e eu nunca... Eu jamais a *abandonaria*. Não foi isso que eu fiz. Eu juro por Deus, eu não abandonei a minha filha, mas eu estava tão... — Grace estava tentando respirar e o cordão roçou contra o seu peito, enquanto ela sentia uma dor física de tanto sofrimento. — É só que existe esse espaço que ela costumava ocupar e eu não consigo mais preenchê-lo, e eu continuo *tentando,* mas eu só fico andando de um lado para outro com esse buraco dentro de mim, e ela não... ela não...

Joaquin foi o primeiro a abraçá-la e, então, Maya também estava lá, e as lágrimas de Grace escorriam pelo seu ombro enquanto eles a abraçavam bem apertado.

— Está tudo bem. — Maya ficava repetindo isso, e a mão de Joaquin era forte e suave ao mesmo tempo contra o seu cabelo, e Grace pressionou o rosto contra ele, enquanto ia se deixando levar pela dor.

Quando acordou, estava em um quarto que não reconheceu.

E, então viu as Polaroids que desciam por uma das paredes, e as cortinas cor-de-rosa que estavam fechadas. Já tinha estado naquele quarto uma vez, no que pareciam ser meses atrás. Era o quarto de Maya, e ela estava na cama de Maya, com um cobertor sobre ela. Alguém tinha tirado seus sapatos também, e Grace encontrou-os arrumados no chão.

— Oi — disse Maya suavemente, e Grace se virou e a viu do outro lado da cama. — Está se sentindo melhor?

Grace esfregou os olhos enquanto tentava se sentar. Pareciam inchados e pesados e sentiu a boca seca. Ela se lembrou de Maya e Joaquin levando-a pela escada, ainda chorando, Maya dizendo "Psiu, durma", enquanto Joaquin a cobria com o cobertor esfarrapado.

— Um pouco — respondeu Grace. — Onde está Joaquin?

— Ele desceu. — Maya fez um gesto em direção à porta semiaberta. — Aqui, trouxe um pano úmido para você.

Grace ficou grata e o pegou, pressionando-o contra os olhos e a pele, que estavam grudentos.

— Obrigada.

— Imagina. — Maya passou cuidadosamente os dedos pelo cabelo de Grace, desfazendo alguns dos nós. — Grace? Sinto muito por ter roubado o seu telefone. Achei que era só a mensagem de um garoto. Eu não...

— Tudo bem — disse Grace, porque realmente estava tudo bem. — Eu sei que você não fez por mal. Eu devia ter contado há muito tempo. Você e Joaquin foram tão corajosos e eu não fui.

— Acho que você é muito corajosa — declarou Maya, ainda passando os dedos pelo cabelo dela. — Ele foi o seu primeiro?

Grace assentiu.

— Você o amava?

— Eu achava que sim. Mas agora eu acho que eu só amava a ideia de estar apaixonada por ele.

Maya assentiu.

255

— E ele não quis ficar com ela?

— Os pais dele não deixaram. Ele assinou um documento abrindo mão dos direitos como pai.

— Ah, *garotos* — suspirou Maya. — Você sabe que nada disso teria acontecido se você fosse lésbica como sua adorável irmã caçula.

Grace deu um sorriso.

— Fala sério.

— Estou falando sério — disse Maya, mas Grace percebeu pelo tom dela que não estava. — Pelo menos me diga que o sexo foi bom. Se *engravidou* e teve um bebê, o sexo tem que ter sido demais!

— Foi legal — disse Grace.

Maya franziu o nariz.

— *Legal* é provavelmente a pior palavra para descrever sexo — comentou ela.

Grace nunca ficou tão feliz por ver Joaquin entrar em um aposento.

— Oi — disse ele. — Você acordou. — Ele estava com três garrafas de água e entregou uma para cada. — Como está se sentindo?

— Uma merda — admitiu Grace. — O tempo todo.

Maya se acomodou mais perto dela, encostando-se na irmã enquanto Joaquin se sentava na beirada da cama perto delas.

— Sinto muito se nós fizemos com que você sentisse que não podia nos contar — sussurrou Maya. — Sinto muito mesmo, Grace. Nós dois sentimos. A gente não sabia.

— Tudo bem — respondeu Grace com um sussurro, antes de tomar um gole da água. A sensação foi muito boa, de frescor e limpeza, quase o suficiente para carregar os problemas todos para longe. — Eu deveria ter contado antes. — Ela olhou para Joaquin. — Eu não queria que vocês achassem que eu a abandonei do mesmo jeito que a nossa mãe deixou você.

Joaquin só ficou olhando para ela como se ela tivesse três cabeças.

— Eu jamais pensaria uma coisa dessas — disse ele. — Nem em um milhão de anos.

— Mas posso fazer uma pergunta? — pediu Maya.

— Claro. — Grace tomou outro gole de água.

256

— O nome dela é Milly? — A voz de Maya parecia muito, muito baixa. — Era isso que dizia o e-mail.

Grace assentiu, puxando o colar para fora da camisa.

— Eles deram o nome de Amelía. Milly é apelido. Mas eu costumava chamá-la de Pesseguinha quando eu estava grávida. — Ela passou os dedos pelos pingentes, separando-os um pouco. — Esse cordão não era da minha avó. Eu comprei pela internet.

Maya estendeu a mão para ver os pingentes.

— São lindos — elogiou ela. — E ela também é. Parecia com você naquela foto.

— E onde está o pai? — quis saber Joaquin. — É o Adam?

— Meu Deus, não — negou Grace, empertigando-se um pouco. — O pai era meu namorado na época, Max. — Grace fechou os olhos por um tempo, enquanto sentia a pontada de dor, e Joaquin estendeu o braço para tocar o seu braço, enquanto Maya apoiou o queixo no seu ombro.

— Babaca — murmurou Maya.

— Ele que saiu perdendo — comentou Joaquin.

— Eu precisava dele, sabe? — Grace ficou girando os pingentes na mão. — Eu precisava dele e ele não estava lá. Ele foi coroado rei do baile de boas-vindas na noite que Pesseguinha nasceu. Ele nem estava comigo na sala de parto.

Maya murmurou alguma coisa que não soou muito elogiosa.

— O quê?

— Nada. E você pode visitá-la? Tipo assim, se os pais mandam notícias para você...

— Nós acordamos duas visitas por ano, mas não sei se eu consigo — revelou Grace. — Não sei se eu consigo vê-la de novo. Não sei se é disso que ela precisa.

— E quanto a você. Do que você precisa? — perguntou Joaquin. Sua mão ainda estava no braço de Grace, como se ele tivesse medo que ela de repente criasse asas e fugisse do quarto.

Grace encolheu os ombros.

— Isso não é sobre mim.

— É por isso que você precisa encontrar a nossa mãe — disse Maya com voz suave. — É por isso que você sempre toca nesse assunto.

Grace mordeu o lábio inferior para não começar a chorar de novo. Percebeu que Maya e Joaquin estavam trocando um olhar por cima de sua cabeça. Ela se sentia pequena quando eles faziam isso, e meio que gostava e odiava ao mesmo tempo.

— Eu tenho tentado — admitiu ela. — Mas não existe nada. As cartas que os meus pais mandaram pelos advogados foram devolvidas, eles não têm nenhuma informação de contato. Ela é um fantasma.

Maya se remexeu um pouco.

— Não é, não.

— O quê? — perguntou Joaquin. — Do que você está falando?

Maya olhou para os dois e levantou da cama.

— Venham comigo — disse ela.

— Maya — chamou Grace, e o som da sua própria voz a assustou. — O que você está fazendo?

— Venham logo — insistiu Maya. — Antes que Lauren e o meu pai cheguem em casa.

Joaquin ajudou Grace a se levantar da cama, mas manteve o braço em volta dos ombros dela enquanto seguiam Maya pela escada até um lugar que parecia um escritório. Grace nunca a vira com uma expressão tão solene antes, e isso a deixou com um pouco de medo.

— Maya — repetiu.

Sua irmã apenas fez um gesto para entrarem e, depois, trancou a porta antes de ir até um gaveteiro com pastas suspensas.

— Quando éramos pequenas — começou ela —, Lauren e eu costumávamos brincar de detetives. A gente se escondia pela casa e fingia que estava procurando pistas, sabe? Esse tipo de bobeira de criança. Mas um dia eu encontrei isto aqui. — Ela abriu o gaveteiro e tirou uma caixa preta com um cadeado com combinação.

Grace sentiu o coração subir pela boca.

— Eu sabia que era sobre mim — revelou Maya, colocando-a na escrivaninha. — Então, uma noite, depois que todo mundo estava dormindo, eu desci e tentei descobrir uma combinação que abrisse.

Ela girou a combinação como se já tivesse feito aquilo milhares de vezes antes. Grace ficou se perguntando se talvez não tivesse mesmo.

— Aqui está — mostrou ela, quando a tampa se abriu. Então, ela enfiou a mão lá dentro e tirou um bolo de documentos, espalhando-os pelo tampo de granito da escrivaninha.

Grace se perguntou por que tudo na casa de Maya parecia sempre tão *frio* o tempo todo.

Os três aproximaram as cabeças enquanto davam uma olhada nos documentos. Grace viu a certidão de nascimento de Maya, o nome dos seus pais digitado com cuidado e as impressões dos pés. Havia alguns documentos de aparência oficial e, então, Maya pegou um envelope com o carimbo vermelho "Devolver ao remetente".

— Aqui — disse ela, entregando para Grace.

As mãos de Grace estavam tremendo quando pegou. A princípio não conseguiu entender por que era tão importante. Mas então ela viu.

O endereço.

— Os seus pais mandaram uma carta para a casa dela? — ofegou. Suas mãos tremiam tanto que ela teve que entregar tudo para Joaquin.

Maya apenas assentiu.

— Como... Quando você encontrou isto? Como eles sabiam o endereço dela?

— Eu tinha dez anos — respondeu Maya. — E eu não sei. Eles nem sabem que eu encontrei isso.

— Você chegou a procurar? Você escreveu para ela? Você... — Grace obrigou-se a ficar calma. Ao seu lado, Joaquin parecia chocado, e ficava virando o envelope nas mãos, como se estivesse procurando por outra prova, como se estivesse brincando de detetive.

— Não — revelou Maya. — Eu simplesmente guardei tudo. E eu costumava vir aqui de vez em quando e olhava para tudo, mas não consegui fazer nada a respeito, eu acho. — Ela fez uma pausa, antes de acrescentar: — Talvez eu estivesse esperando por vocês dois.

Grace estendeu a mão e a pousou sobre a de Joaquin, fazendo-o parar.

— Joaquin — começou ela. — Você quer fazer isso?

— Bem, você...

— Não, não eu. *Você. Você* quer fazer isso? Não tem problema se não quiser.

— Com certeza, Joaquin — confirmou Maya. — Você tem... A gente sabe... Merda, não sei o que dizer.

— Não, eu quero — declarou Joaquin. — Eu quero que ela me veja. — A voz dele fez Grace pensar no oceano, na areia sendo levada de volta para o oceano. — É mais fácil com vocês duas.

— Tudo bem — disse Grace. — Você tem certeza?

Joaquin concordou com a cabeça.

— Tenho.

— Então eu também tenho — disse Maya.

— Eu dirijo — decidiu Joaquin. — No próximo fim de semana?

— Isso mesmo — concordou Maya.

Grace nunca achou que seria tão bom voltar a respirar.

MAYA

Maya era muito boa em guardar segredos.

Devia ser porque tinha muita prática nisso. Nunca tinha contado para ninguém sobre o envelope no cofre, pelo menos não até contar para Joaquin e Grace, e não contou para ninguém que ia dirigir por três horas para verificar se sua mãe biológica ainda morava no endereço do envelope. Aquele segredo a estava deixando inquieta, como se fosse grande demais para ser guardado e estivesse lutando para sair.

E isso, é claro, a fez pensar em Grace.

Mesmo que já tivesse pedido desculpas, enviava pelo menos uma mensagem por dia desde então, desculpando-se por ter pegado o telefone.

Já disse que sinto muito pelo que aconteceu? Porque sinto mesmo.

Maya, está tudo bem.

Vou comprar frozen yogurt para você da próxima vez.

Confesso que odeio frozen yogurt.

Ugh! Eu sou péssima nesse lance de pedir desculpas!!!

Maya ainda tinha perguntas, é claro. Queria saber quando o bebê (não conseguia chamá-la de Pesseguinha, por mais que se esforçasse) tinha nascido, se doía tanto quanto diziam que doía, se Grace tinha sentido medo antes e depois. Ela ficou imaginando se Grace ia se sentir mal para sempre, se aquela expressão no seu rosto quando contou a eles sobre a filha desapareceria algum dia.

E às três horas da manhã, quando a velha insônia voltou, Maya ficou imaginando se sua mãe, a que estava na clínica de reabilitação, sentia saudade dela do mesmo jeito que Grace sentia saudades da filhinha.

Tinha visto fotos da clínica de reabilitação na internet. Parecia legal, apesar de vazio. A propaganda mostrava sol e palmeiras e a recuperação, mas Maya achou que, por trás de toda aquela fachada, devia ser tudo muito solitário. Odiava pensar na mãe sentindo-se sozinha, ou com medo, ou triste, mas, ao mesmo tempo, ainda estava com muita raiva dela. Por um lado, a mãe só estava em uma clínica de reabilitação por culpa e burrice única e exclusivamente dela. Se ela realmente amasse Maya e Lauren como dizia amar, teria parado de beber muito tempo antes. Poderia ter mudado por elas.

Por outro lado, porém, Maya sabia que o problema era maior e mais complexo do que isso, e ela ficava assustada por não conseguir compreendê-lo.

Na quarta-feira à noite, durante o jantar (comida caseira novamente, seu pai realmente estava se superando), o pai de Maya pigarreou e declarou:

— Então, meninas, a mamãe pode receber visitas neste fim de semana.

O garfo de Maya congelou antes de chegar à boca, o molho do macarrão pingando de volta ao prato.

— É o Fim de Semana da Família no centro — continuou ele. Ele nunca dizia *recuperação de vícios* nem *clínica de reabilitação*. Era sempre *o centro*, como se a mãe delas tivesse passado duas semanas em uma academia ou spa.

— Sei que ela realmente gostaria muito que vocês estivessem lá — prosseguiu ele. — Eu vou e gostaria muito que vocês fossem comigo também, mas a decisão é de vocês.

— Eu vou com certeza — declarou Lauren.

Maya não ficou nem um pouco surpresa. Lauren sempre preferiu a mãe. Na semana anterior, Maya tinha visto a irmã parada diante do armário dos pais, cheirando as camisas da mãe. Maya tinha saído de fininho antes que Lauren percebesse sua presença, mas ver aquela cena despertou nela uma sensação esquisita e triste pelo restante do dia.

Gostaria de nunca ter visto a irmã em um momento de tamanha vulnerabilidade. Aquilo fazia com que desejasse fechar o casaco de Lauren e a esconder do resto do mundo.

— Maya? — perguntou o pai. — Sem pressão, é claro.

Maya levantou uma das sobrancelhas.

— Sério? Sem *pressão*?

O pai encolheu os ombros e atacou (realmente não havia uma palavra melhor para descrever a ação, pensou Maya, enquanto observava o garfo dele) a salada que estava no seu prato.

— Sem pressão — repetiu ele. — Se você quiser ir, vou adorar tê-la com a gente. Mas se precisar de mais tempo, eu entendo. E sua mãe também vai entender. — Lançou um olhar suave para Maya e estendeu a mão para pousar sobre a dela. — Sei que tudo isso é muito intenso, filha.

Maya apenas assentiu. *Pai*, pensou ela, *você nem imagina o quanto*.

Maya não tinha a menor intenção de visitar a mãe na clínica de reabilitação, não se isso significasse que teria que mudar os planos que tinha com Grace e Joaquin, planos que poderiam mudar completamente a sua vida.

Também não tinha a menor intenção de contar ao pai sobre tudo aquilo que poderia mudar sua vida. Sabia que ele destruiria imediatamente os planos ou insistiria para ir com ela ou enviaria uma carta antes da ida à casa, e Maya não estava interessada em nada daquilo.

Não fazia a menor ideia se Grace e Joaquin iam contar para os pais ou... sei lá o que Mark e Linda eram. Maya entendeu o motivo de Joaquin ter dito não à adoção. A história que ele tinha contado sobre Natalie era assustadora, mas Joaquin ser arrancado da sua casa, ser hospitalizado, *sofrer* — era quase demais para aguentar. Ela sofria quando se lembrava daquilo, então tentava não pensar muito sobre o assunto.

Lauren bateu na porta do seu quarto naquela noite depois do jantar, e entrou sem esperar a resposta da irmã.

— Você realmente não vai neste fim de semana? — perguntou com os braços cruzados.

— Hum, por que você bateu, se ia simplesmente invadir o meu quarto de qualquer maneira? — perguntou Maya, dobrando outra blusa da pilha de roupas limpas. — Como você sabia que eu não estava dançando peladona aqui?

— Você não está, o que invalida totalmente a questão.

— Estudando novas palavras para o vestibular?

Lauren a ignorou.

— Você realmente vai me obrigar a ir sozinha com o papai neste fim de semana?

Maya queria contar para ela, queria muito, *muito mesmo*. Sabia que Lauren se sentia excluída, que ela estava preocupada com essas duas novas pessoas em sua vida, mas ela não poderia contar para Lauren nada a respeito do envelope, do endereço nem da viagem que iam fazer. Tinha noventa por cento de certeza que Lauren contaria para o pai sobre isso, e mesmo que não contasse, Maya nunca pediria a ela que guardasse um segredo tão importante quanto aquele.

Em vez disso, simplesmente disse:

— É. Viagem de carro com o papai, que divertido! Talvez ele compre um sundae enorme para você na estrada.

— A sorveteria da estrada só vende casquinha! — corrigiu Lauren. — Não sundaes!

— Você se apega aos detalhes mais estranhos às vezes, Lauren.

— Tá legal, então. O que você acha disto? Estou chateada porque a minha irmã mais velha não vai comigo visitar a nossa mãe pela primeira vez desde que a encontramos ensanguentada no chão do banheiro.

Maya suspirou, deixando a blusa de lado.

— Eu só preciso de mais tempo, tá? Você pode ir se quiser, mas eu não estou pronta.

— Você está com raiva dela.

— Estou — respondeu Maya. — Estou com raiva por ela ter escolhido a bebida em vez de nós. Estou com raiva por ela ter enchido tanto a cara que se esborrachou no chão e nós termos que encontrá-la daquele jeito. Estou com raiva por ela ter deixado a gente aqui para responder às perguntas de todo mundo. Estamos literalmente limpando a merda que ela fez, Lauren. Então, sim, eu estou com raiva. — Maya pegou outra camisa e começou a dobrá-la com mais energia do que era necessário.

Lauren ficou parada perto da porta, observando-a.

— Bem, e você não quer falar isso tudo para ela?

Maya queria falar um milhão de coisas para a mãe. Queria gritar com ela, sacudi-la, ignorá-la para sempre, sentar-se no colo dela e chorar.

— Eu vou dizer *o que* eu quero dizer para ela *quando* eu quiser dizer — respondeu Maya. — E não antes.

— Papai disse que a gente precisa de terapia familiar.

Maya levantou uma das sobrancelhas, mas não ergueu o olhar.

— Papai só percebeu isso agora? Porque eu poderia ter dito isso para ele cinco anos atrás.

— Maya — disse Lauren, e ela olhou para a irmã dessa vez. — Não me obrigue a ir sozinha. Por favor.

— Você não vai sozinha. Papai vai junto, lembra? Casquinhas!

— Você sabe o que eu quero dizer. Por favor, Maya. Você prometeu que não ia me deixar para trás.

Maya foi até ela e pousou as mãos de Lauren.

— Lauren — começou ela —, juro que não estou deixando você para trás. Nós só estamos trilhando caminhos diferentes neste momento. Eles vão se cruzar no final, tá bom? Eu juro — acrescentou ela quando Lauren não pareceu nem um pouco convencida. — Vou visitar a mamãe quando eu estiver pronta. Mas se você já está pronta, deve ir agora.

Lauren soltou um suspiro pesado.

— Tá legal, então — aceitou ela por fim, saindo do quarto. — Pode me trair se quiser. Por mim, está ótimo.

— Tá legal! — exclamou Maya. — Foi muito bom conversar com você, Lauren.

A única resposta que recebeu de Lauren foi o som da porta batendo.

Na sexta-feira à noite, Maya achou que fosse explodir.

O problema de guardar segredos, ela começou a perceber, era que eles eram grandes demais para ela carregar sozinha. Quando eram pequenas, Lauren sempre guardara os segredos dela, mas elas não eram mais crianças.

Só havia uma pessoa para quem queria contar, Maya percebeu na noite de sexta-feira, depois que todo mundo tinha ido dormir e a casa parecia mais sonora e vazia do que durante o dia. Só uma pessoa realmente conseguiria compreender.

Ela pegou o celular e enviou uma mensagem para Claire.

Está acordada?

O tempo de espera era excruciante, e Maya virou para o lado, a luz azulada da tela do telefone iluminando o quarto. Fechou os olhos por um momento, esforçando-se para voltar a dormir, convencida de que Claire nunca ia responder.

O celular vibrou.

Maya quase caiu da cama tentando ler.

Sério que você está me mandando mensagem a essa hora?

Vou conhecer a minha mãe biológica amanhã.

Maya prendeu a respiração e aguardou.

Uau.

Pois é. A gente pode se encontrar? Por favor?

Por que eu deveria me encontrar com você, Maya?

Maya hesitou antes de digitar:

Porque eu estou com medo. E estou arrependida.

Encontro você no parque em 20 minutos.

Maya saiu da cama e foi se vestir.

Já estava quase chegando à porta, mas quando desceu o último degrau deu de cara com Lauren.

— Aonde você vai? — quis saber Lauren.

— O que você está fazendo acordada a essa hora?

— Fui tomar sorvete. Aonde você vai?

— Você acordou para tomar sorvete e não me chamou? Me sinto traída.

— *Aonde* você vai?

As duas falavam em sussurros exaltados, tentando não acordar o pai. Maya tinha quase certeza de que se a situação não fosse tão terrível, ia parecer que estavam em uma cena de comédia.

— Só vou... sair?

— Você está saindo escondida?

Maya assentiu.

— Não conte para o papai, tá bom? Volto daqui a uma hora.

— Você vai se encontrar com alguém?

— Vou me encontrar com... alguém.

A expressão no rosto de Lauren se iluminou.

— Você vai se encontrar com a *Claire?*

— Psiu! — Maya quase caiu em cima da irmã em uma tentativa de mantê-la em silêncio. — Você é péssima nesse lance de sair escondida, sabia?

— Só você pensaria que isso é um insulto — respondeu Lauren, mas não parecia estar muito chateada. Estava até sorrindo. — Ai, meu Deus, você e Claire vão voltar?

— Só me dê cobertura se o papai acordar, está bem?

— E como eu faço isso?

Maya tinha certeza que ia matar a irmã naquela noite.

— *Lauren!* — exclamou ela em um sussurro. — Só fique quieta e volte para a cama, tá legal? Mando uma mensagem quando chegar.

— Tá bem, tá bem. — Lauren estava bem animada. — Só peça desculpas por tudo que você fez e reatem o namoro, está bem? Você está sofrendo há semanas e ela também.

Maya não sabia se aquilo era verdade ou não, mas não ia perder mais tempo discutindo com Lauren.

— Boa noite — disse ela. — E pare de tomar todo o sorvete. Deixe um pouco para mim da próxima vez.

Lauren bateu uma continência debochada e subiu as escadas enquanto Maya saía pela porta da frente.

Quando chegou ao parque, sentia uma pulsação vermelha atrás dos olhos, cada explosão da cor em sincronia perfeita com as batidas do seu coração. Maya não sabia se era amor, medo ou simplesmente burrice, mas as cores foram piscando com mais força quando viu Claire esperando por ela no estacionamento.

Claire estava com as mãos enfiadas no bolso do casaco de moletom e o gorro cobria o seu cabelo, então tudo que Maya via era o rosto dela. Ainda achava que era o rosto mais bonito que já tinha visto.

— Oi — cumprimentou Maya, assim que estava perto o suficiente.

— Oi — respondeu Claire. Ela parecia calma e tranquila, em tons de azul e violeta, o oposto do brilho de brasa quente que queimava dentro de Maya.

— Oi — repetiu Maya. De repente, sentiu-se tão burra quanto da primeira vez que tinha visto Claire. Parecia não saber o que dizer. — Pois é, eu só queria contar para você. Sabe? Sobre a minha mãe biológica.

Claire fez um gesto com a cabeça em direção às mesas de piquenique.

— Então, você quer se sentar?

Maya assentiu e a seguiu.

— Então — disse Claire. — Pode falar.

Maya desejou ter se planejado um pouco. Não sabia o que dizer nem como dizer.

Então, contou tudo para Claire.

Contou sobre Grace e o bebê, sobre Joaquin e Natalie e o fracasso da adoção. Contou sobre Lauren e a briga, sobre como a mãe estava ensanguentada no chão, o jeito que o pai tinha voltado para casa e chorado no hospital quando viu as filhas. Contou a Claire sobre o cofre e o envelope e a viagem que tinham marcado para o dia seguinte e como ela ia perder o Dia da Família no *centro*. Ela contou tudo que veio à sua mente para Claire e, no final, estava exausta.

— OK — disse Claire quando ela terminou. — Mas, Maya, como você se sente em relação a tudo isso?

Maya piscou.

— Como assim?

— Como você se *sente*? — Claire se virou para ela. — Será que não percebe? Sempre que você fica com medo ou tem esses sentimentos importantes, você foge.

— Eu...

— Você me excluiu da sua vida. — Não tinha como não perceber o tremor na voz de Claire ao dizer isso. — Você não pode ficar abrindo e fechando esta porta, ficar sem falar comigo e, depois, enviar uma mensagem para mim no meio da noite. Merda, Maya, você partiu o meu *coração*.

Maya se sentiu muito pequena sentada ali na escuridão.

— Não foi minha intenção — declarou ela. E, de repente ela pensou em Joaquin. Por quê? Ele disse que não queria ser adotado pelas duas pessoas que o amavam mais do que qualquer coisa no mundo e...

— Ah, não — sussurrou ela. — Eu também estou fazendo isso.

— Fazendo o quê? — perguntou Claire, mas Maya já estava começando a chorar.

— Eu estou fazendo exatamente a mesma coisa — chorou ela. — Sinto muito. Eu não queria que você soubesse. Sobre a minha mãe, sobre nada daquilo. Eu fiquei com medo e eu... Eu entrei em pânico. Eu... Eu não quero ficar sozinha!

— Maya, Maya. Acalme-se. — As mãos de Claire eram macias no seu rosto. Mais macias do que Maya tinha o direito de sentir. — Você não está sozinha. Um monte de gente te ama e se importa com você. Do que você está falando?

— Sinto muito! — exclamou Maya novamente. — Sinto muito mesmo, Claire. Sinto tanta saudade de você e eu a magoei, e achei que eu só estava magoando a *mim mesma,* mas estava te magoando também, me desculpe.

— Tudo bem — sussurrou Claire. — Eu perdoo você. Está tudo bem. — Mas agora ela estava chorando também e quando se inclinou para beijá-la, Maya sentiu o gosto quente e branco da mistura das lágrimas delas. — Está tudo bem — repetiu Claire com um sussurro. — Só não faça mais isso, tá bem?

— Tá — respondeu Maya antes de beijar Claire novamente, tomando-a nos braços. — Eu nunca mais quero deixar você.

— Então não deixe — murmurou Claire contra o seu cabelo. — Eu disse da última vez, não vou a lugar nenhum.

Era mais do que Maya merecia, percebeu ela, mas iria usufruir daquele amor mesmo assim.

JOAQUIN

Joaquin não contou para Mark e Linda que ia procurar a mãe biológica.

Mas queria contar. Queria contar para alguém — *qualquer pessoa* —, mas não sabia como. Ana o obrigaria a falar sobre os seus sentimentos. Sua assistente social, Allison, diria alguma coisa relacionada à documentação e regras. Birdie era... Bem, Birdie não era mais uma opção. Joaquin tinha quase certeza de que Mark e Linda o teriam ouvido, pelo menos, mas não tinha certeza de como deveria olhar para duas pessoas que queriam adotá-lo e dizer que queria encontrar a mãe biológica. E logo depois de eles terem dado um carro de presente para ele?

Não mesmo.

Joaquin decidiu manter isso para si mesmo.

E aquilo acabou sendo um grande, um grande erro.

Naquela semana, na escola, Joaquin tinha entrado no corredor para seguir para a aula de inglês e deu de cara com Birdie e Colin Mallet.

Eles estavam se beijando, o longo braço de Birdie envolvendo o pescoço de Colin do mesmo jeito que costumava envolver o de Joaquin. Se ele pensasse muito nisso, Joaquin quase conseguia sentir o calor da pele dela e da sua respiração na sua boca, o seu cheiro gostoso de sabonete e shampoo.

Joaquin nunca tinha imaginado que algo doeria mais do que quebrar o braço, mas ele poderia ter quebrado os dois braços e as duas pernas e aquilo não seria nada comparado ao que sentiu quando viu Birdie nos braços de Colin.

Cambaleou para trás, sem se preocupar em perder a aula de inglês nem as outras aulas, nem mesmo a própria vida. Ele tinha que sair dali e estava quase conseguindo quando alguém o chamou.

Era a melhor amiga de Birdie, Marjorie.

— Joaquin, espere! — gritou ela, correndo atrás dele.

Joaquin parou com a mão na porta de saída, o peito ofegante como no dia em que tinha pressionado Adam contra a parede, a adrenalina encharcando todo o seu sistema e sobrecarregando seus sentidos.

— Espere — pediu Marjorie novamente, mesmo que Joaquin não tivesse se mexido. — Joaquin, ela só está querendo deixar você com ciúmes. Ela nem gosta dele.

Joaquin riu. Não conseguiu evitar.

— Parece que ela gosta bastante — disse ele, passando uma das mãos pelo cabelo. — Diga ao casalzinho que estou feliz por eles.

E então ele saiu, Marjorie o chamando e a escola ficando para trás quando começou a correr.

Na manhã de sábado, Joaquin estava um caco. Por fora, parecia muito bem. Tomou banho, lavou o cabelo e vestiu a camisa que Birdie tinha lhe dado logo que começaram a namorar porque ela disse que os olhos dele ficavam lindos quando a usava. Joaquin tinha olhos castanho-escuros, então não sabia bem por que a camisa xadrez azul os *realçava* (palavra usada por Birdie, não por ele), mas Birdie sempre fazia boas escolhas em relação a coisas como aquela, então ele confiava na opinião dela.

Joaquin se perguntava se os olhos da mãe eram iguais aos dele. Ele se perguntava se ela ainda conhecia o pai dele. E se perguntava se ela sequer queria ver Joaquin e suas irmãs, falar com eles ou se Joaquin seria apenas um lembrete da pior época da sua vida. Será que ela acharia que ele estava se esforçando demais se arrumando para ela? Da última vez que tinha se arrumado para vê-la, vestira a camiseta favorita do Homem-Aranha (o Homem-Aranha também não tinha os pais, exatamente como Joaquin), mas ela nunca apareceu, então talvez não importasse se ele usasse a sua melhor camisa ou não.

Joaquin se olhou no espelho, arrumou a gola e se perguntou se ele era o maior idiota do planeta por se esforçar tanto para encontrar uma mulher que o abandonara tão facilmente.

Mark e Linda estavam lá embaixo, na cozinha, tomando café da manhã e lendo o jornal. (Joaquin desconfiava que a casa deles era a única da rua que ainda recebia o jornal impresso todos os dias.)

— Uau, está todo arrumado este sábado — comentou Mark quando Joaquin entrou na cozinha. — Tem algum evento hoje no centro de artes?

Qualquer outro dia, Joaquin teria levado o tom de provocação de Mark na brincadeira, sem problemas. Mas não era um dia qualquer.

— Por quê? — perguntou Joaquin. — Eu exagerei?

— Não, não. Você está ótimo — respondeu Mark. — É que você nunca se arruma assim, só isso.

As coisas com Linda e Mark estavam um pouco *estranhas* desde que eles tinham dado o carro de presente para Joaquin. Ou, para ser mais preciso, as coisas com *Joaquin* estavam meio estranhas desde que eles tinham lhe dado aquele presente. Só tinha usado o carro duas vezes na semana anterior, uma vez para ir para o trabalho e outra para ir ao mercado para Linda, mas, fora isso, o carro ficava parado na entrada, um enorme lembrete de metal de todas as coisas que Joaquin jamais seria capaz de pagar para os seus acolhedores.

Quanto mais eles davam a ele, maior o mundo parecia, e Joaquin precisava de uma divisória, de uma fronteira, alguma coisa para impedir que caísse diante daquilo. Afinal de contas, todo mundo tinha um limite, e o fato de Joaquin ter passado quase três anos com Mark e Linda e ainda não ser capaz de encontrar o deles o deixava nervoso. Tinha achado que recusar a adoção faria isso, que aquilo o devolveria direto para o programa de acolhimento e, então, Joaquin saberia que o conto de fadas tinha terminado, mas, então, Mark e Linda viraram o jogo e lhe deram um carro.

Joaquin sentia que era um personagem de videogame, passando de uma fase para a próxima, saltando de um lado para o outro em busca de algum tesouro que parecia sempre fora do seu alcance. Algumas crianças não chegavam tão longe — algumas perdiam todas as vidas, as chances ou as esperanças. Mas Joaquin já tinha jogado o suficiente para saber que a cada nível que superava, para cada esperança que Mark e Linda lhe davam, havia sempre algo maior e ainda mais ameaçador esperando por ele no final. Sabia que nunca chegaria ao tesouro sem antes matar o dragão.

Então, Joaquin começou a testar os limites. No início, era só ignorar Linda na primeira vez que ela pedia que fizesse alguma coisa ou fingir que não a tinha ouvido quando os dois sabiam que ele tinha ouvido muito bem. Ele disse para Mark que ia ajudá-lo a aparar o gramado na quarta-feira, mas ficou no quarto ouvindo música. Na noite de sexta-feira, as coisas estavam tensas no jantar, e Joaquin desapareceu no quarto sem ajudar com a louça.

— Você não quer dar uma mãozinha a Linda? — perguntou Mark.

— Não — respondeu Joaquin, ao que eles não responderam, deixando-o ainda mais nervoso, fora de controle e tateando os limites, preparando-se para a queda.

Na manhã de sábado, porém, sentindo frio na barriga, Joaquin estava pronto para uma briga.

— Joaquin? — chamou Linda olhando por cima do jornal. — Será que você pode se sentar um pouco? Mark e eu queremos conversar com você sobre uma coisa.

Joaquin sentiu que revirava os olhos, antes de conseguir evitar, mas Mark simplesmente puxou uma cadeira e deu tapinhas no assento, então ele se sentou.

— O que foi?

— Você tem agido... Bem, para ser sincera, você tem sido meio babaca — começou Linda. — Comigo e com Mark. A gente... fez alguma coisa? Alguma coisa que magoou você? A gente só gostaria que você falasse com a gente.

— Por que vocês sempre acham que é sobre vocês? — irritou-se Joaquin. — Por que vocês sempre acham que foi alguma coisa que vocês fizeram? Por que não pode ser sobre mim?

Mark deu de ombros, afastando um pouco a cadeira da mesa.

— Tudo bem, então, vamos falar sobre você. Por que você está sendo tão babaca?

Teria doído muito menos se Joaquin não achasse que eles estavam certos.

— Você gostou do carro? — perguntou Linda. — Ou a gente exagerou?

Joaquin deu de ombros, cruzando os braços. Só de pensar sobre o carro sentia uma contração no estômago e o nervoso que sentia se espalhava pelo resto do corpo.

— Eu não me importo — respondeu ele. — Tipo, eu nem *pedi* a vocês. Foram *vocês* que compraram para mim.

Mark se virou na cadeira para ficar de frente para Joaquin. Ele meio que desejava que Mark batesse nele, o empurrasse e dissesse que ele teria que ir embora. Qualquer outra coisa menos aquela expressão de empatia estampada no seu rosto.

— Joaquin — começou ele. — A gente está se esforçando aqui. Mas você precisa nos ajudar também. — Quando Joaquin não respondeu, ele acrescentou: — Converse com a gente, cara. O que está acontecendo com você?

Ele fez um gesto para tocar no braço de Joaquin, que, achando que tinha passado dos limites, instintivamente se encolheu. Todo mundo congelou quando ele fez aquilo. Até o relógio na parede pareceu parar de bater, seus ponteiros presos no tempo.

— Joaquin — disse Linda com voz suave. — Querido.

— Você sabe que eu jamais machucaria você — declarou Mark com a mão parada no ar. — Você sabe disso, Joaquin.

Joaquin soltou uma risada abafada.

— E você acha que essa é a única maneira de machucar alguém? Sério?

— Joaquin...

Achou que se ouvisse alguém repetir o nome dele mais uma vez, sua cabeça explodiria em mil pedacinhos.

— Só parem com isso, tá bom? — exclamou ele, levantando-se. — Só parem com tudo isso! O carro, as roupas, o skate, só parem.

Agora Mark e Linda também estavam em pé, formando um triângulo entre eles. Mark parecia confuso, mas Linda parecia assustada.

— Vocês sempre dizem que nunca vão me machucar — continuou Joaquin com o sangue pulsando sob a pele. — Mas vocês não entendem, não é mesmo? Bater em alguém é só o jeito mais fácil de machucar! Vocês poderiam me machucar muito mais do que isso!

— Mas a gente não quer machucar você — insistiu Linda. — De nenhuma forma. A gente só quer te ajudar. Estamos aqui para você, para apoiá-lo. A gente quer que você tenha o mundo, Joaquin! A gente quer tanta coisa para você!

— Ah, é? Você acha que eu não vejo como as pessoas olham para a gente quando saímos? — Joaquin sentiu o peito apertado só de pensar naquilo. — Esses dois brancos que resgataram esse pobre garoto de pele escura?

— Você sabe que a gente não se importa com o que as pessoas pensam — declarou Mark em voz baixa.

— Exatamente, claro que não se importam, porque vocês dois são os heróis! Eles olham para mim como se eu fosse, como se eu fosse — Joaquin se obrigou a falar: — Como se eu fosse lixo.

— *Não* fale uma coisa dessas! — enfureceu-se Linda. Joaquin viu que ela cerrou os punhos. — Você *não* é lixo, Joaquin. Nunca diga isso.

— É fácil para você dizer isso — debochou ele. — Você acha que vocês dois podem simplesmente me adotar, e tudo isso vai acabar? Será que podem me ensinar o que é ser mexicano? Será que podem me ensinar a falar espanhol? Podem dizer de onde eu vim?

— Não — respondeu Mark, e ele parecia estar em algum lugar entre triste e furioso. — Nós não podemos fazer nada disso. Mas podemos ajudar você a encontrar pessoas que possam! Não estamos aqui para tirar nada de você!

Eles estavam dizendo todas as coisas certas, mas tudo parecia errado. Joaquin se sentia cada vez mais perto do abismo sem uma cerca que o impedisse de cair.

Então, ele decidiu dar o salto.

— Vocês acham que *eu* posso compensar o fato de você não poder ter filhos? — perguntou ele.

Linda e Mark ficaram parados ali, chocados, e Joaquin sentiu que esborrachava no chão, rasgando-se todo. Mark deu um passo em direção a ele, e, então, Joaquin estava correndo, seus pés agindo mais rápido do que o seu cérebro.

Ele saiu correndo de casa, Mark e Linda gritando o seu nome, e ele já estava no carro a meio quarteirão, antes de perceber que não tinha pegado o celular.

— Merda — praguejou sozinho.

E, então, ele viu a expressão no rosto de Mark e Linda novamente, fechou o punho e socou o painel.

Mark e Linda nunca mais o deixariam entrar na casa deles de novo. Joaquin também não ia querer deixá-lo entrar novamente, não depois de tudo que tinha dito.

O dragão dentro dele tinha vencido, e Joaquin era só uma pilha de ossos quebrados e cinza no chão, sem mais tempo para tentar vencer.

Game over.

GRACE

Grace nunca tinha mantido um segredo tão grande dos pais por tanto tempo. Até mesmo quando descobriu que estava *grávida,* contou a eles em 24 horas. Mas sabia que se seus pais soubessem da viagem que iam fazer, de como ela e os irmãos tinham planejado ir à porta da casa de uma estranha e bater e talvez conhecer a mãe biológica deles...

Grace tinha uma imaginação bem fértil, mas nem mesmo ela conseguia imaginar todas as formas que os pais diriam não para aquilo.

Então, ela resolveu contar para Rafe.

— Espere um pouco, deixa ver se eu entendi direito — começou Rafe. Eles estavam sentados no que Grace tinha começado a pensar como a mesa "deles" no fundo do restaurante perto da Whisked Away. — Você simplesmente vai até a casa de uma completa estranha, bater e dizer "E aí, mamãe"?

— Bem, não é exatamente *isso* — retrucou Grace. — Você está fazendo parecer que a gente vai atirar ovos na casa dela ou algo assim.

— Grace. — Rafe soltou o garfo e olhou para ela. — Olha só, sem querer ofender, mas acho que essa não é a melhor ideia que você já teve.

— Não é a minha ideia, e a *nossa* ideia — corrigiu Grace. — Minha, de Joaquin e de Maya. Nós vamos juntos.

Rafe ainda não parecia convencido.

— Então, o que vocês vão fazer se ela não estiver em casa?

— Deixar um bilhete?

— Deixar um bilhete? — repetiu Rafe. — "Os seus três filhos biológicos passaram aqui para dar um 'oi', pena que você não estava em casa."

Grace revirou os olhos para ele. A conversa não estava saindo como deveria.

— Sabe, se eu quisesse que alguém dissesse para mim todos os jeitos que isso pode dar errado, eu teria simplesmente contado para os meus pais.

— Você não contou para os seus *pais*? — Rafe baixou a testa para a mesa e começou a batê-la na beirada. — Grace, Grace, Grace. Essa situação é um desastre esperando para acontecer.

— Sabe de uma coisa? Acho que você poderia me dar um pouco mais de apoio! — disse Grace. — Eu estou morrendo de medo, tá? Você deveria ser meu amigo.

— Pois é, e às vezes os seus amigos precisam dizer a verdade para você — declarou Rafe. — Você deveria ao menos contar para os seus pais.

— Eles não vão entender.

— Grace, você teve uma *filha* e eles pareceram passar bem pela experiência. Acho que não está sendo justa com eles.

— Mas, se eu contar para eles, vão me dar um milhão de motivos para isso ser uma péssima ideia.

Rafe só levantou uma das sobrancelhas, como dissesse *é péssima mesmo*.

— Meu Deus, deixa pra lá — disse Grace, empurrando o prato. Ela mal tinha tocado no sanduíche e nas fritas, na verdade não vinha comendo bem. Pensar em sábado a deixava enjoada de um jeito que nunca tinha sentido na gravidez.

— Tá legal, mas posso fazer só uma pergunta? — pediu Rafe.

— Se eu disser que não, você vai perguntar assim mesmo?

— Vou.

— Tudo bem, pode perguntar.

Rafe se inclinou um pouco para ela, colocando a mão na mesa em direção a Grace.

— E se a sua mãe biológica não quiser ser encontrada?

Grace se recostou no sofá, o couro parecendo de repente frio sob suas pernas.

— Tipo assim, todas as cartas foram devolvidas, o telefone dela foi desligado, ela nunca tentou encontrar nenhum de vocês, nem mesmo Joaquin. E se ela simplesmente quiser manter as coisas assim?

Grace ficou remexendo no guardanapo no seu copo.

— Eu não sei — respondeu ela. — Não sei mesmo. Mas eu só quero que ela saiba que estou bem. Será que isso é egoísmo?

— Acho que não — respondeu Rafe.

— Será que é burrice fazer isso?

— Talvez. Ainda não estou certo sobre isso.

— O que *você* faria?

Rafe parou para pensar por um minuto, então aproximou mais a mão da de Grace, até os seus dedos se tocarem.

— Eu não sei — respondeu. — Mas talvez, dessa forma, aconteça o que acontecer, você terá a sua resposta.

Grace levantou a mão e cobriu a de Rafe com a dela.

— Eu contei para Joaquin e Maya sobre Pesseguinha.

Rafe arregalou os olhos de uma forma quase cômica.

— Sério? — perguntou ele. — Por quê? Como?

— Maya viu um e-mail que recebi dos pais adotivos dela. Ela só estava implicando comigo e pegou o meu telefone quando viu. E ficou difícil esconder tudo depois disso.

— Uau! E você está bem em relação a isso?

Grace estava, na verdade. Começou a se sentir mais leve depois daquele dia, como se uma nuvem pesada que pairava sobre ela finalmente tivesse se transformado em chuva.

— Eles querem que eu vá visitá-la.

— Joaquin e Maya querem?

— Não. Os pais de Pesseguinha. Eles querem que eu vá fazer uma visita quando ela estiver com seis meses. A gente tinha concordado com duas visitas por ano antes da adoção.

Rafe esperou que ela continuasse, virando a mão para que as palmas se unissem.

— Não sei se consigo.

— Tudo bem. Você não precisa fazer isso.

— Mas e se ela quiser me ver? Tipo assim, não agora, mas no futuro.

— Você quer dizer como *você* quer ver a *sua* mãe biológica?

Grace assentiu.

— Eu só não quero que ela fique se perguntando, sabe? Eu não quero que ela tenha todas as questões que eu tenho.

Rafe deu de ombros.

— Então, vá vê-la. De qualquer forma, vai ser difícil, mas você sempre faz o que é certo por ela. Não pare agora.

Grace não disse nada. Não sabia se ia conseguir.

— Você quer continuar conversando sobre isso? — perguntou Rafe.

Ela negou com a cabeça.

— Quer falar sobre essa devolução que tem aí? — Ele fez um gesto indicando a sacola ao lado de Grace, um pacote da Whisked Away que tinha chegado pelo correio.

Dessa vez, ela sorriu, afastando as lágrimas.

— Essa foi muito boa — revelou.

— As compras que sua mãe faz nas horas de insônia são *incríveis* — concordou Rafe. — Vejamos o que temos aqui.

Grace pegou o pacote.

— Acho que é um moedor de pimenta — disse ela, segurando um pequeno gnomo de jardim. — Você vira o chapéu e a pimenta sai pela barba dele.

Rafe levou a mão à boca.

— Uau — comentou depois de um minuto.

— Você acha que a gente deve dar um nome para ele? — perguntou Grace.

— Nada disso — discordou Rafe, começando a se levantar da mesa. — Acho melhor a gente não se apegar demais. Venha. Temos que chegar cedo, você pode até usar o meu avental.

— Nossa, que bom — respondeu ela, revirando os olhos, mas pegou a mão que ele lhe oferecia assim mesmo.

Na manhã de sábado, havia um mensagem de Rafe para ela quando acordou.

boa sorte hoje. Liga para mim mais tarde, se quiser.

Grace olhou para a mensagem por um minuto antes de digitar: ok. Depois, ela foi para o banheiro e vomitou.

Seus pais já tinham saído, ido a uma apresentação de jardinagem. Tinham deixado o jantar descongelando na bancada da cozinha para ela, e ver o pote de plástico suando ali provocou um aperto no seu coração de um jeito quase doloroso. Eles já tinham perdoado Grace muito no ano anterior. Esperava que pudessem perdoá-la por isso também.

Maya saiu de um táxi assim que Grace estava acabando de se arrumar. Tinha experimentado pelo menos dez roupas diferentes. Queria estar bonita, mas não exagerada. Queria parecer casual, mas não casual demais, como se, para ela, sair nos fins de semana batendo na porta de uma estranha e perguntando se era a mãe dela fosse algo corriqueiro.

As palavras de Rafe ecoaram na sua lembrança, mas Grace afastou o pensamento. Não importava se era uma ideia ruim ou não, aquilo ia acontecer.

— Ai, meu Deus, acho que vou vomitar — disse Maya para a garagem de Grace.

— Eu já vomitei — confessou Grace. — Duas vezes.

— Sério? Você está grávida de novo?

— Rá, rá. Não.

Maya só abriu um sorriso, que logo se apagou.

— Sei lá. Você acha que essa é uma péssima ideia? Será que somos idiotas?

— Eu não sei e provavelmente sim.

— Ai, meu Deus, vou vomitar mesmo.

— Pare de dizer que vai vomitar — pediu Grace. — Como estou?

— Você está incrível. Você está bem... *você*. E quanto a mim?

— Você está ótima. Espere, o que quer dizer com muito... *eu*?

Maya deu um sorriso.

— Você parece limpinha.

— Espere um pouco. O que você quer dizer com isso? — gritou Grace, e estava prestes a se virar e subir para trocar de roupa pela décima primeira vez, quando o carro de Joaquin parou na porta.

Mesmo antes de ele sair do carro, Grace percebeu que havia alguma coisa errada. O jeito como ele parou o carro estava todo errado, um movimento rápido que acabou de forma repentina.

— Nossa — disse Maya ao seu lado.

— Eu não vou — foi a primeira coisa que Joaquin disse quando saiu do carro.

— Rá! — exclamou Maya. — Boa tentativa. Mais alguém precisa ir ao banheiro antes de irmos?

— Não, estou falando sério — insistiu ele. — Vocês podem levar o carro se quiserem. Eu não ligo. Mas eu não vou.

Grace sentiu como se tivesse perdido metade de uma peça de teatro.

— Espere, do que você está falando? — perguntou ela. — O que aconteceu? Por que você está assim?

Joaquin começou a andar de um lado para o outro na frente do carro.

— Eu não posso ir. Não vou.

— Mas *por quê*?

— Porque não! — exclamou ele. — Eu estrago a porra *toda*! — Ele passou uma das mãos pelo cabelo, e a mecha voltou para o lugar como se ele nunca tivesse tocado nela. — Eu sou a pior coisa que poderia ter acontecido na vida de vocês. Na vida das duas. Será que não entendem?

Maya simplesmente cruzou os braços e ficou observando Joaquin andar.

283

— Você já acabou? — perguntou ela. — Porque é melhor a gente ir.

— Eu acabei de dizer. Podem ir sem mim.

— Nada disso. Esse é o tipo de coisa que é tudo ou nada. — Ela pegou a bolsa e seguiu para o carro e se virou quando Joaquin não se mexeu. — Vamos logo, Grace.

Grace permaneceu no mesmo lugar.

— Joaquin, o que aconteceu? — quis saber ela. — Você está tremendo.

— Eu só... eu não posso mais voltar para a casa de Mark e Linda.

— O quê? Por quê?

— A gente teve uma briga. Eu estraguei tudo. Eu destruí tudo. — Joaquin estava rindo sozinho, mas Grace achou que parecia mais um soluço. — Eles nunca mais vão me deixar voltar.

— Eles disseram isso? — perguntou ela parada ao lado da porta do carona

— Nem precisavam.

— Bem, a gente não vai sem você — declarou Grace. — Venha, podemos conversar no carro.

— Não! — exclamou Joaquin. — Será que vocês são surdas? Eu não quero estragar isso também. Não para vocês.

— Será que você pode abrir a porta, por favor? — pediu Maya.

Joaquin a ignorou.

— Aqui — disse ele, entregando as chaves para Grace. — Só me mande uma mensagem quando chegarem. — Então, a expressão do seu rosto mudou. — Ah é. Eu deixei o celular na casa deles. *Merda.*

Grace sentiu que estava lutando para se manter à frente de um tornado.

— Joaquin — começou ela, dando um passo para a frente e pousando uma das mãos no braço dele. — Se você não quer encontrar a nossa mãe, tudo bem. Mas se você não vai porque acha que vai estragar tudo, então não está nada bem. E isso também não é verdade.

Joaquin negou com a cabeça.

— Olha só, vocês duas são minhas irmãs, certo? Vocês são a minha família. Eu não vou magoá-las dessa forma.

— Ah, pelo amor de Deus! — berrou Maya de repente, e eles dois se viraram para olhar para ela, com as mãos na cintura.

— É exatamente isso que uma família *é*, Joaquin — gritou Maya. — Isso significa que não importa para onde você vá nem a distância, você ainda é parte de mim e de Grace e nós ainda somos parte de você também. Olhe só para nós! Levamos 15 *anos* para nos encontrarmos, mas mesmo assim nós conseguimos! E às vezes as pessoas de uma família podem magoar uns aos outros. Mas depois elas se consolam e seguem em frente. Juntas. Então, você pode continuar e achar que é um lobo solitário, mas não é. Você tem a gente agora, gostando ou não, e a gente tem você. Então, entre na porra do carro e vamos *logo*.

Grace olhou para Joaquin.

Joaquin olhou para Maya.

E, então, entrou na porra do carro.

— *Obrigada* — suspirou Maya e, então, olhou para Grace. — E mais uma coisa.

— O que foi agora? — perguntou Grace pegando a mochila.

— Eu vou na frente!

Passaram a viagem de quase três horas praticamente em silêncio, Grace esparramada no banco de trás, e Maya encolhida perto da janela enquanto Joaquin dirigia, tirando algumas fotos da paisagem de vez em quando. Joaquin estava segurando o volante com força, mas Grace conseguia ver os ombros e as costas curvados de tristeza. Em determinado momento, Maya olhou para ele e perguntou:

— Você quer conversar sobre o assunto?

— Não — respondeu ele.

— Tá bom — aceitou ela, descansando o rosto no vidro na janela de novo.

Eles ouviram rádio por um tempo, músicas pop que Grace odiava, mas que sempre sabia cantar. À medida que se aproximavam do deserto, a estação começou a falhar, substituída por um chiado, e Joaquin acabou desligando. Passaram por dinossauros gigantes em uma parada de descanso e também pelo que parecia ser um mar de moinhos de vento.

Isso a fez pensar em *Dom Quixote*. Ficou imaginando se ela, Maya e Joaquin estavam fazendo a mesma jornada ridícula que Quixote, procurando algo que seria completamente diferente do que imaginavam que seria, completamente fadados ao fracasso, à decepção, à humilhação.

O celular dela vibrou e ela olhou para a tela.

como está tudo?, perguntou Rafe.

está indo.

está com medo?

aterrorizada.

vai ficar tudo bem. Tudo sempre fica bem.

Não tinha muita certeza se aquilo era verdade ou não, mas estava feliz por pelo menos uma pessoa achar que sim.

Quando Joaquin entrou na rua, as palmas da mão de Grace estavam suando. Maya não estava mais apoiada na janela. Em vez disso, estava sentada ereta com os óculos na testa.

— Aqui estamos — declarou ela, apontando para uma casa pequena.

Joaquin estacionou do outro lado da rua e eles ficaram sentados ali, respirando em uníssono, olhando para a casa. Parecia recém-pintada, detalhes brancos em volta do azul acinzentado do resto da casa, e havia gerânios perto da porta da frente. Um sedã azul-escuro estava parado na entrada.

— Parece legal — comentou Grace depois de um minuto.

— É — concordou Joaquin. Ele estava completamente imóvel, sem nem piscar quando Grace colocou a mão no ombro dele e começou a sair do carro.

— Espere, espere, espere — pediu Maya. — Ainda não. Só... Vamos só combinar que não importa o que aconteça aqui, nós três sempre vamos ficar juntos, está bem?

Joaquin estava contraindo o maxilar, mas assentiu e Grace respondeu:

— Combinado.

Maya olhou pelo para-brisa de novo e respirou fundo.

— Tá legal — declarou. — Vamos cumprir nossa missão nesse lugar.

Grace mais tarde ficou se perguntando como deviam estar parecendo enquanto caminhavam até a escada de entrada da casa e subiam até a porta da frente, os três colados uns aos outros como patinhos amedrontados. O coração dela batia com tanta força no peito que chegava a doer. Ela sentia mais medo do que quando tinha contado aos pais que estava grávida, mais do que quando o médico avisou que era hora de fazer força, mais do que quando Pesseguinha foi para o colo dos novos pais.

Grace ficou imaginando se Melissa estaria em casa.

Ficou imaginado se ela ainda morava naquela casa.

E se ninguém atendesse à porta?

E se alguém atendesse?

— Você bate, Grace — sussurrou Maya. Joaquin estava atrás dela, quase como um protetor, e Grace se preparou e estendeu a mão para pegar a aldrava no formato de um leão, que quase parecia rugir para eles. Como se fossem invasores.

Grace torceu para que não fosse um mau sinal.

A batida pareceu ecoar por toda a rua e, depois de um minuto, uma mulher abriu a porta. Estava usando uniforme de enfermeira, tinha o cabelo escuro e enrolado preso em um rabo de cavalo e, quando os viu, sorriu.

— Revistas ou biscoitos? — perguntou ela.

— O qu... sinto muito, o quê? — gaguejou Grace. Conseguia sentir Maya tremendo ao seu lado, seus olhos arregalados enquanto olhava para a mulher com o nariz de Joaquin e os olhos de Maya.

— Ah, sinto muito! — A mulher se encostou na porta. — É só que uns estudantes estão vendendo coisas para arrecadar fundos. Disse que posso ajudar com uma doação, mas eles gostam de fazer o trabalho deles. — Ela abriu mais o sorriso e Grace achou que viu alguma coisa de Pesseguinha nela. — Espero que sejam biscoitos, porque já tenho um monte de revistas que ainda nem li.

— Nós não... hum... — Grace percebeu, horrorizada, que talvez devesse ter treinado um pouco para isso. — Você é Melissa Taylor?

O sorriso desapareceu do rosto da mulher, como se Grace o tivesse arrancado dali.

— Não — respondeu ela. — Melissa morreu há muito tempo. Eu sou irmã dela, Jessica.

Grace nem percebeu que tinha cambaleado até Joaquin dar um passo e a segurar. Ela ficou sem saber o que dizer em seguida, sua mente girando e zunindo e doendo e em choque, quando a mulher de repente ofegou, levando a mão à boca.

— Ai, meu Deus — sussurrou ela, e, então ela começou a chorar. — Vocês são os filhos dela. Vocês são os *filhos de Melissa*. — E, então, ela deu um passo para a frente, puxando os três para um abraço.

Foi então que Grace começou a chorar também.

MAYA

O interior da casa de Jessica era tão arrumado quanto o exterior. Maya se sentou entre Grace e Joaquin à mesa da cozinha enquanto Jessica pegava refrigerante para eles na geladeira e colocava na mesa junto com guardanapos de papel.

— A gente teria ligado — disse Grace, a voz rouca e fraca por causa do choro. — Mas não tínhamos o número.

— Ah, tudo bem — respondeu Jessica. Ela até deu um sorriso embora ainda houvesse marcas de lágrimas no seu rosto, e o rímel estivesse borrado. De vez em quando, Maya via as feições de Joaquin no rosto dela, e às vezes as de Grace, e às vezes as dela. Era como se olhar em um espelho estranho, a imagem mudando constantemente, e Maya estava fascinada. — Eu cancelei o telefone fixo alguns anos atrás — comentou Jessica enquanto se sentava de frente para eles. — Não fazia sentido ter uma linha, eu só uso o meu celular. Eles viviam me ligando e oferecendo um grande negócio se eu fizesse uma assinatura de telefone fixo, mas disse para eles que eu ia... — Jessica de repente parou de falar e deu um sorriso tímido. — Desculpem. Eu não paro de falar quando estou nervosa.

— Eu também não — contou Maya.

Joaquin estava no mais completo silêncio, sentado ao lado de Maya, mas ela via que ele acompanhava cada movimento de Jessica.

— Então — disse Jessica abrindo um sorriso emocionado. — Aposto que vocês têm perguntas para mim.

— Como foi que ela morreu? — sussurrou Maya. Parecia que ela tinha perdido muito e ganhado muito. Melissa tinha partido, mas Jessica ainda estava ali. Uma porta se fechara, mas outra se abrira.

Jessica assentiu com a cabeça, enquanto olhava para o copo intocado de água.

— Foi um acidente com um caminhão — murmurou ela. — Ela tinha 21 anos, estava atravessando a rua e foi atingida por um caminhão que avançou o sinal. Ele disse que nem a tinha visto. Depois me disseram que ela morreu na hora. Não sofreu. Eu me preocupei com isso, mas foi o que disseram para nós.

— Você conheceu meu pai? Digo... nossos pais? — quis saber Grace.

— Talvez seja melhor eu começar pelo começo — decidiu Jessica olhando para cada um deles enquanto seus olhos ficavam marejados de novo. — Ah, desculpem. Desculpem *mesmo* — sussurrou ela. — É que não vejo o rosto de Melissa há tanto tempo e agora estou olhando para três versões dela e é tão... — Ela parecia estar procurando as palavras. — Vocês três são tão bonitos quanto ela. Vocês se parecem muito com ela.

Maya sentiu a mão de Grace pressionar a sua, e ela devolveu o aperto com carinho. Estava com medo de começar a chorar se não se segurasse em algo, e Maya queria se lembrar de cada palavra daquela conversa. Queria respirar cada lembrança da mãe até que a enchesse por dentro e a fizesse sair voando por um céu cor-de-rosa, aquecido pela luz que cedia.

— Você tem — começou Joaquin e, então, pigarreou. — Você tem... hum... fotos dela? Da Melissa?

Jessica negou com a cabeça, com o lábio inferior tremendo.

— O avô de vocês, nosso pai, ele a deserdou quando ela engravidou de você, Joaquin. Ela tinha 17 anos, e os nossos pais ficaram com muita raiva. Eles a expulsaram de casa. O nosso pai, acho que isso o destruiu. Ele queimou todas as fotografias dela.

Maya pensou na sua própria casa, nos seus pais, no seu quarto, nas fotos na escadaria. Não conseguia imaginar deixar tudo aquilo para trás sem ter para onde ir.

Joaquin se inclinou para a frente, e Maya estendeu a mão e tocou o seu braço, ancorando-o a ela e a Grace.

— Você conhecia o meu pai? — perguntou ele.

Jessica assentiu, seus olhos se iluminando.

— Os seus pais eram namorados de escola, e eram completamente apaixonados um pelo outro. Chegava a ser nojento às vezes. — Jessica riu, enxugando as lágrimas. — Ela costumava planejar o casamento deles na sala de estudos. Ele era tão bom para ela e simplesmente a adorava.

"Mas ele foi deportado. Melissa nem sabia que estava grávida na época. Eu conseguia ouvi-la chorando na cama todas as noites e, então, ela começou a vomitar. Primeiro, nós duas achamos que era de tanta tristeza, mas depois, bem..."

Joaquin assentiu, com o maxilar contraído, seus ombros levantados até a orelha.

— Tudo bem — disse ele. — Você se lembra do nome dele?

Jessica olhou para ele.

— Você não sabia? O nome do seu pai era Joaquin. Melissa deu o nome dele para você.

— Ah — disse Maya suavemente, apertando o ombro dele. Ela não conseguia nem imaginar o que aquilo significava para ele, mas, ao seu lado, Joaquin ainda não se mexia.

— E ele tinha... hum... Ele tinha família? — perguntou ele.

Jessica assentiu.

— Além dos pais, ele tinha uma irmãzinha. Todos adoravam Melissa. Ela estava sempre na casa deles. Mas todos foram deportados um dia, simplesmente foram mandados *embora*. — Maya percebeu que Jessica estava tentando muito não começar a chorar de novo. — Sua mãe, ela só... Aquilo acabou com ela.

Maya observou enquanto Joaquin começou a contrair e a relaxar o maxilar. Tentou não pensar em como a vida dele teria sido com essa outra família, dando-lhe estabilidade e protegendo-o do mundo.

— O que aconteceu quando o pai de vocês expulsou Melissa de casa? — perguntou Grace.

— Bem, ela conheceu outro rapaz no restaurante onde trabalhava como garçonete e acabou engravidando de você, Grace. Eu só tinha 14 anos, mas costumava ir ao restaurante e ela me dava refrigerante de graça. Eles concordaram em dar o bebê... quer dizer, você, para adoção. Acho que *ele* só ficou com ela porque os pais de Grace pagaram o aluguel e as contas enquanto Melissa estava grávida. E quando Grace partiu, as coisas pioraram, e um assistente social apareceu. Aquele não era um lugar seguro para você, Joaquin — Jessica baixou o olhar para a mesa, seu dedo traçando um padrão invisível.

— Foi por isso que ela desistiu de mim? — perguntou

Jessica concordou com a cabeça.

— Melissa estava tentando acertar as coisas para recuperar a sua guarda, mas foi aí que ela conheceu o pai de Maya, que não era muito legal... — Maya desconfiava que Jessica estava deixando alguns detalhes importantes de fora para preservá-los. — E, então, ela engravidou e tudo ruiu de novo. Ela não podia ficar com nenhum de vocês. Não conseguia nem cuidar da própria vida. Acho que perder vocês acabou com ela. — Jessica enxugou os olhos, e Maya pensou em Lauren sofrendo e sem esperanças. Ao seu lado, Grace fungou baixinho, e Maya apertou mais a sua mão.

— Você foi adotado? — perguntou Jessica para Joaquin, seus olhos cheios de esperança. — Conseguiu uma boa família?

Joaquin se remexeu um pouco.

— Hum, não. Houve uma família, mas a mulher engravidou um pouco antes da finalização da adoção, e eles só queriam um filho, então... É. Eu acabei de volta ao programa de acolhimento.

Maya viu o rosto de Jessica se entristecer.

— Por quanto tempo?

— A minha vida toda.

— Mas agora ele está com uma família boa — interrompeu Maya, enquanto Jessica começava a chorar de novo. — Eles são *loucos* por ele. E o amam muito. Até compraram um carro para ele! — Maya não sabia

292

mais com quem estava falando àquela altura, Jessica ou Joaquin, mas sabia que os dois precisavam ouvir aquilo. — Mark e Linda são muito legais.

— Eu estou bem — confirmou Joaquin com voz suave. — Sério mesmo. Estou bem agora.

Jessica se levantou e voltou com uma caixa de lenço de papel.

— Acho que dá para nós todos, mas acho que eu vou precisar de mais — disse. — Meu Deus, não consigo acreditar que vocês três estão aqui. Ela queria tanto conhecer vocês. Eu sei que ela queria que os seus pais ficassem com Maya, Grace, mas eles não podiam.

— Não, minha avó, ela morreu de câncer um pouco antes de Maya nascer — contou Grace. — Mas eles me ajudaram a encontrar Maya e Joaquin depois... — A voz de Grace falhou por alguns segundos. — Eu tive uma filha dois meses atrás. Eu a entreguei para adoção.

Seguiu-se um momento de silêncio enquanto Jessica ficava olhando para ela.

— Mas os meus pais são maravilhosos — continuou Grace imediatamente. — Eles me deram todo apoio, não foi nada parecido com o que aconteceu com Melissa. Eu tenho muita sorte. Meus pais são maravilhosos. Eles me amam muito.

— Ah, graças a Deus — suspirou Jessica.

— E eu tenho uma ótima relação com os pais adotivos — continuou Grace. — Eles me mandam fotos. — Ela abriu o telefone, abriu a foto que Maya tinha visto uma semana antes e mostrou para Jessica.

— Ela é linda — elogiou Jessica, e Maya viu Grace se iluminar de orgulho.

— Você chegou a conhecer o meu pai? — quis saber Maya. — Você o conheceu?

— Não, nunca o encontrei. Acho que depois de perder Grace e Joaquin, Melissa ficou perdida na vida, sabe? Não podia voltar para casa. Nossos pais nem falavam com ela por telefone. Acho que ela ficou solitária, e ficava se encontrando com homens que prometiam o mundo para ela e nunca cumpriam. Mas ela sempre se referia a você como "a bebê" — acrescentou Jessica. — E ela lembrava o aniversário de vocês todos. — Os olhos de Jessica ficaram marejados de novo. —

Sei que não parece, principalmente para você, Joaquin — sussurrou ela. — Mas, meu Deus, ela amava vocês. Amava mesmo. Não sei dizer o que significaria para ela ver vocês três juntos dessa maneira.

— E quanto aos seus pais? — perguntou Joaquin, e Maya o conhecia bem o suficiente para perceber o tremor da sua voz. — Eles ainda estão vivos?

— Não, eles morreram alguns anos atrás. Infarto e derrame no espaço de um ano. Acho que meu pai nunca se perdoou depois que Melissa morreu. Acho que ele se arrependeu de muitas decisões que tomou. Ele devolvia todas as cartas que os pais de vocês mandavam.

Maya colocou a mão no bolso e pegou o envelope do cofre, entregando-o a Jessica.

— Como esta aqui? — perguntou ela.

Jessica deu um sorriso triste.

— Exatamente como esta.

— E não tem mais ninguém? — perguntou Grace. — Vocês não têm irmãos ou irmãs?

— Não, sou só eu — contou Jessica com um sorriso triste.

Maya sentiu os olhos ficarem marejados.

— Você está *sozinha*? — perguntou ela.

— Ah, querida, por favor, não chore — pediu Jessica, empurrando uma caixa de lenços em direção a Maya. — Eu não estou *sozinha*. Eu tenho um namorado, tenho amigos maravilhosos. Eu herdei esta casa quando nossos pais morreram e a reformei um pouco. Não estou sozinha. Por favor, não fique triste por mim.

Agora Grace também estava chorando, e Maya empurrou a caixa de lenço de papel para ela.

— Além disso — acrescentou Jessica, com um tremor nos lábios. — Eu sou *tia*. Eu penso todos os dias em vocês três. Eu não sabia como procurar, mas nunca me esqueci de vocês.

Agora até mesmo Joaquin tinha lágrimas nos olhos, e Maya empurrou a caixa de lenço de papel para ele.

— Ter uma tia seria muito, muito legal — disse Maya. — A gente precisa de uma.

Jessica se levantou e segurou o rosto de cada um com ambas as mãos. Ela se demorou mais em Joaquin.

— Ela *amava* muito você — sussurrou ela para Joaquin de novo. — Ela amava muito o seu pai e amava muito você. Eu sei que pode parecer que não, mas ela amava sim. Eu juro, Joaquin. Ela queria que você tivesse o mundo.

Joaquin levantou as mãos e segurou os pulsos de Jessica e ela passou os polegares nos olhos dele e deu um beijo no alto de sua cabeça.

— Ah! — ofegou ela de repente. — Ai, meu Deus, não acredito que eu me esqueci. Eu já volto.

Ela saiu correndo da cozinha, deixando os três confusos e com o rosto marcado de lágrimas.

— Ela te deu o mesmo nome do seu pai — sussurrou Maya para Joaquin. — Que loucura isso.

Ele só balançou a cabeça e, depois, enxugou os olhos na manga da camisa.

— Você está bem? — perguntou Maya para ele.

— Acho que sim — disse ele, antes de pigarrear. — É só que... é muita coisa.

Ao lado dele, Grace assentiu. A foto de Pesseguinha ainda brilhando na tela do seu celular.

— Tudo bem, então — começou Jessica ao voltar para a cozinha. — Meu Deus, não acredito que demorei tanto para me lembrar disso, mas isso aqui é para você, Joaquin. — Ela entregou uma chave para ele. — É a chave de um cofre no banco. Melissa alugou para você quando você nasceu e, depois que ela morreu, eu continuei pagando. Ela sempre disse que era para você, Joaquin. Eu nunca abri. Não sei o que está lá. Mas achei que era um assunto seu, não meu.

Joaquin apenas piscou, olhando para a própria mão e, depois para Jessica.

— Melissa fez isso? — perguntou ele.

— Fez. Para você. Ela disse que o que estava lá era para você.

Maya sentiu os pelos do braço se arrepiarem.

— Então — disse Jessica. — Vocês estão com fome? Conversar um pouco, comer um pouco.

Maya não sabia se conseguiria comer alguma coisa, mas viu a expressão no rosto de Jessica e respondeu pelos três:

— Gosto de conversar e de comer.

E, ao seu lado, seu irmão e sua irmã assentiram.

JOAQUIN

Grace acabou dirigindo até o banco porque Joaquin não confiava em si mesmo atrás do volante.

Suas mãos estavam tremendo muito.

Ele tinha ficado bem na casa de Jessica, sentando-se nos aposentos nos quais, um dia, sua mãe tinha jantado, assistido a TV, ido dormir. Eles se sentaram no quintal, comeram sanduíches e batata *chips*; e Jessica era muito legal. A risada dela parecia com a de Grace, aguda e livre, e ela tinha as mesmas covinhas que Maya. Algumas vezes, ela estendia a mão e pegava a dele e ficava segurando, e se Joaquin se concentrasse bastante, era quase como segurar a mão da mãe, que estava em algum lugar do universo olhando por ele.

Joaquin não sabia bem o que fazer com essa informação.

Eles deixaram a casa de Jessica com a promessa de manter contato, a mulher tocando o rosto deles enquanto entravam no carro de Joaquin, seu número anotado em um pedaço de papel enfiado no bolso de Joaquin junto com a misteriosa chave.

— Se vocês quiserem ir para casa — disse Joaquin quando Grace tirou o carro da vaga.

— Nem pensar — retrucou Maya do banco de trás (ela não tinha tentado pedir para ir na frente daquela vez, o que fez Joaquin se sentir ainda mais estranho). — A gente vai ao banco.

Joaquin não podia discutir.

Seguiram em silêncio, saíram do carro e entraram no banco em uma fila indiana, Joaquin na frente.

— Oi — disse ele para a atendente. — Eu... hum... Vocês têm um cofre aqui? Jessica Taylor ligou e disse...

— Nome, por favor?

Ele engoliu em seco e disse o nome do seu pai, o seu nome:

— Joaquin Gutierrez.

A mulher procurou o nome no computador.

— E você tem a chave?

Joaquin a tirou do bolso, tentando ignorar as mãos trêmulas.

— Aqui.

A mulher começou a levá-lo por um corredor, mas ele parou e fez um gesto para Grace e Maya que estavam se sentando na sala de espera.

— Não — disse ele. — Nós três estamos juntos nisso, não importa o que aconteça.

Elas se levantaram e o seguiram pelo corredor. Joaquin estendeu a mão e pegou a das irmãs.

A sala era pequena e não como aquelas que viam nos filmes de cinema, nas quais as pessoas entravam em ambientes imensos e cobertos de mármore para recuperar o cofre delas. A iluminação também era um pouco tremeluzente, mas Joaquin não se importou. Ele e a atendente viraram suas chaves ao mesmo tempo e o cofre deslizou da parede, uma caixa longa e fina do mesmo tamanho que um caderno.

— Você pode ver aqui — disse ela, apontando para uma sala ainda menor e, depois, fechou a porta atrás deles, deixando-os completamente sozinhos com o cofre no meio deles.

Joaquin respirou fundo uma vez e, depois, outra.

— Alguém quer tentar adivinhar o que tem aqui?

— Dinheiro — começou Maya.

— Ações da Apple — sugeriu Grace, aceitando a brincadeira.

— Uma coleção de adesivos.

— Um pônei.

Joaquin começou a rir apesar de tudo.

298

— Vocês são esquisitas — comentou ele. — Vamos lá.

Ele levantou a tampa.

Primeiro, ele achou que eram apenas um monte de cartões-postais, fotografias de pessoas que ele nunca tinha visto em lugares a que ele nunca tinha ido e, então, Grace arfou quando os olhos de Joaquin pousaram em um cartão-postal de uma mulher segurando um bebê risonho com cabelo cacheado. Ela também estava rindo e os olhos deles eram iguais, e Joaquin percebeu que não eram cartões-postais, mas sim fotos dele com a sua mãe, e o cofre estava repleto delas.

As lágrimas começaram a escorrer pelo seu rosto antes que conseguisse controlá-las, enquanto suas mãos mergulhavam nas fotos virando-as para cima. Havia uma dele ainda no hospital, recém-nascido, vermelhinho e enrugado igual a uma uva-passa, e outra dele sentado no cercado e rindo para a câmera.

Ondas de emoção o atingiam de novo e de novo a cada novo foto, cada uma delas despertando uma mágoa e uma alegria. A mãe dele era muito parecida com Grace e Maya, olhos brilhantes de alegria, e só quando percebeu que suas lágrimas estavam caindo nas fotos foi que tentou enxugá-las. Ao seu lado, Grace estava soluçando baixinho com a cabeça apoiada no ombro de Maya, que mantinha a testa apoiada no ombro de Joaquin, e ele abriu os braços e as puxou para perto, o passado deles espalhado na mesa como um convite para fazerem algo mais, algo melhor, algo verdadeiro.

— Olhem — sussurrou Maya, pegando uma foto. — Olhem.

Joaquin pegou a foto da mão dela e a segurou. Sua mãe estava segurando ele no colo, apontando para a câmera, com uma barriguinha óbvia de grávida.

— É a Grace — mostrou, sorrindo.

Grace se inclinou para a foto para olhar.

— Uau.

Joaquin começou a passar pelas fotos novamente, olhando para o bebê em cada uma delas, olhando para ele. Era fácil perdoar um bebê tão fofo, bochechudo e com olhos felizes. Joaquin tinha que ficar se lembrando que aquele era ele, que alguém um dia o amara para guardar essas fotos por quase 18 anos. Elas não estavam em uma parede nem em um álbum, mas tinham sido mantidas em segurança.

Alguém achara que ele valia a pena.

Havia uma, porém, em que não havia um bebê, uma foto profissional que parecia ter sido tirada em um baile de escola, e ele percebeu que estava olhando para uma foto do pai e da mãe no baile de formatura. Os dois tinham a mesma altura, usavam roupas formais baratas, e o olhar do seu pai estava pousado na mãe, olhando para ela com a mesma adoração que Jessica tinha descrito. No verso, alguém tinha escrito "Melissa e Joaquin, com amor".

Joaquin sentiu algo se abrir no seu peito e, ao mesmo tempo, outro corte se fechar. Sentiu que estava se rasgando e se costurando ao mesmo tempo, e ele se sentou em uma cadeira enquanto suas irmãs se sentavam ao seu lado, os três chorando em silêncio, tentando entender o passado deles.

Aquele tinha sido o maior presente que já tinham lhe dado.

Quando eles finalmente saíram, o banco já estava fechando, e tiveram que pedir uma sacola de papel para a atendente para poder transportar todas as fotos.

— Você quer manter o aluguel do cofre? — perguntou ela para Joaquin.

— Não — respondeu. — Já tenho tudo de que preciso.

Grace foi dirigindo para casa também, Joaquin encolhido no banco da frente com a sacola de fotos entre eles. Umas duas vezes, ele apenas olhou lá dentro para se certificar de que estavam lá.

Sua versão mais nova olhava para ele todas as vezes.

— Foi um dia bom — murmurou Maya, debruçando-se no banco da frente e apoiando a cabeça no ombro de Grace e estendendo o braço para abraçar Joaquin. Grace concordou enquanto olhava o sol se pondo e sentia o vento banhando seus cabelos, que voavam como uma chama escura em volta do rosto, e Joaquin pensou que as irmãs eram lindas como a mãe deles.

Ele estendeu a mão e segurou o pulso de Maya, dividiam a mesma pele e o mesmo sangue, e eles voltaram para casa, os três juntos, como tinham prometido.

Quando saíram da autoestrada, porém, Joaquin começou a ficar preocupado. A briga com Mark e Linda parecia ter acontecido um milhão de anos antes. Talvez eles deixassem ele entrar só para pegar as suas coisas? Ou será que tudo era deles agora? Afinal de contas, Joaquin não tinha pagado por nada daquilo. Ele não tinha nenhum direito legal sobre nada daquilo. Talvez devesse simplesmente achar um telefone e ligar para Allison e dizer que precisava de um novo lugar para ficar. Talvez pudesse ficar na casa de Grace ou na de Maya só por uma ou duas noites até decidir o que fazer.

Estava tão ocupado pensando no que fazer que nem notou Mark e Linda parados na porta da casa de Grace, o carro estacionado em frente ao portão e os rostos cheios de preocupação.

— O quê? — perguntou ele quando os viu ali. — Espere, o quê? O que vocês estão fazendo aqui?

Maya nem se preocupou em parecer arrependida.

— A gente ligou para o seu telefone — confessou ela. — Quando você foi ao banheiro na casa de Jessica. Eles atenderam e nós dissemos que você estava com a gente. Eles estavam muito preocupados com você.

Joaquin estava tão chocado que nem conseguia sair do carro. Ele já tinha saído de muitas casas antes, mas nunca ninguém procurou por ele. Nem mesmo, ele percebeu de repente, a própria mãe.

Ele ficou no carro por tanto tempo que Mark teve que ir até lá e abrir a porta.

— Ei, cara — disse ele. — Ouvi dizer que você teve uma aventura.

Joaquin achou que já tinha chorado o suficiente por toda uma vida, mas ver Mark ali foi demais para ele.

— Me desculpe — pediu ele. — Me desculpe, Mark.

Mas Mark soltou o cinto de segurança e puxou Joaquin para fora do carro e, então, Linda também estava lá, abraçando os dois, e Mark o abraçou firme e disse:

— Está tudo bem, está tudo bem, a gente não está zangado. — E Joaquin só ficou ali abraçando os dois com tanta força que seus braços começaram a doer; ele achou que era assim que o perdão devia ser, dor, mágoa e alívio, tudo misturado em uma bola que pressionava o seu coração até ele quase explodir.

— Pai — sussurrou ele. — Mãe.

Os pais de Joaquin ficaram ali o abraçando.

E nunca o soltaram.

POUSO

MAYA

O interior da clínica de reabilitação parece frio depois do calor do sol de fim de fevereiro em Palm Springs. Maya sente os olhos relaxarem logo que entra, o céu azul não a sobrecarregando mais, e o vestíbulo é tão silencioso que dá para ouvir os próprios passos ecoando enquanto caminha até a recepção.

— Eu sou Maya — informa ela. — Estou aqui para ver minha mãe, Diane?

O pai de Maya a deixou na frente da clínica depois de ela jurar diversas vezes que ele não precisava entrar com ela. Ele estava esperando em uma Starbucks próxima.

— Mande uma mensagem se precisar de mim — disse ele pelo menos umas 15 vezes. — E eu consigo chegar em cinco minutos, sem problemas.

Lauren ficou em casa. Já tinha vindo visitar a mãe outras três vezes, mas Maya não estava pronta ainda. Ainda não tem certeza se está pronta, mesmo depois de meses de terapia familiar e terapia individual e conversas com Claire, Joaquin e Grace — mas é a mãe dela. Não tem como evitar vê-la para sempre.

O recepcionista leva Maya por um corredor com piso de linóleo até um lugar que parece uma sala de jogos. Há uma mesa de sinuca e outra de totó, assim como muitos sofás e muitas caixas de lenço de papel, o que é bastante revelador.

Sua mãe está sentada em uma cadeira do outro lado da sala, e seu rosto se ilumina quando vê Maya. *Ela ganhou peso,* pensa Maya com um sobressalto. Suas bochechas estão um pouco mais cheias, e o cabelo parece mais escuro e comprido. Maya percebe que ela parece saudável. Tinha passado muito tempo desde que a mãe tinha essa aparência.

— Filha — diz a mãe dela. Ela se levanta e estende a mão, mas Maya dá um passo para trás. Ainda não está pronta para um abraço. Já tinham se passado três meses, mas ela ainda está zangada e ressentida. Sua terapeuta disse que levaria tempo, e Maya decidiu acreditar nela.

— Você está tão alta! — exclama a mãe, então, pegando as mãos de Maya. — Você cresceu? Parece tão crescida, Maya.

— Sério, mãe? Parece que você não me vê há anos!

A expressão do rosto da mãe não se altera, porém.

— Não consigo acreditar que você já tem quase 16 anos.

— Pode acreditar — responde Maya, ficando vermelha.

— Lauren me contou algumas coisas. Você e Claire voltaram?

Maya concorda com a cabeça.

— Três meses agora. Eu a amo de verdade, mãe.

— Que ótimo, querida. Estou muito feliz por você. E por Claire também, é claro.

— Você quer se sentar? — pergunta Maya para ela. — Tipo, tem uns mil sofás aqui.

Elas escolhem um no fundo da sala e se sentam uma do lado da outra. O silêncio é estranho e as duas sabem disso. Já fazia muito tempo desde a última vez que conversaram, mesmo antes da reabilitação.

— Então, eu quero que você saiba... — começa a mãe.

— Então, para você saber... — começa Maya ao mesmo tempo, e elas começam a rir. — Você primeiro. Pode falar.

— Está bem. Então, eu só quero que você saiba... — A voz da mãe falha um pouco, e ela baixa o olhar para o colo antes de olhar diretamente para os olhos de Maya. — Quero que você saiba que eu sinto muito, *muito mesmo,* por tudo que fiz você e a nossa família passarem. Você e Lauren, vocês guardaram o meu segredo, e eu quero que você saiba que não vai ser mais assim. Eu fiz muita coisa aqui, muitas mudanças, e estou pronta para voltar para casa e fazer tudo certo.

Maya assente enquanto seus olhos ficam marejados. Ela tem quase certeza de que não existe uma família no mundo que chore mais do que a dela.

— Eu sei — responde ela. — Tudo bem.

— Não, filha, não está. — A mãe se inclina para ela e pousa as mãos nos ombros de Maya. — Não está tudo bem, mas nós vamos tentar melhorar as coisas, o seu pai e eu. Eu quero que você e Lauren tenham isso. Eu não quero... — A voz da mãe falha de novo. — Eu não quero que você olhe para trás e se lembre de como eu era. Eu quero que você sinta *orgulho* de mim.

Maya concorda com a cabeça novamente, dominada demais pela emoção para falar.

— Eu *sinto* orgulho de você, mãe — declara ela por fim. — Você se esforçou muito. Você se esforçou de verdade mesmo.

— Bem, já chega de falar sobre mim — decide ela, rindo enquanto seca as lágrimas com as mãos. — O que *você* ia dizer?

Maya respira fundo e se prepara. Quer dizer tudo certo porque não terá uma segunda chance.

— Ainda não conversei sobre isso com o papai — começa Maya. — Nem com Lauren. Eu queria contar para você primeiro. Mas, há uns dois meses, eu fui com Joaquin e Grace fazer uma visita à nossa mãe biológica.

A cor some completamente do rosto da mãe enquanto ela cobre a boca com a mão.

Maya segue com a história assim mesmo.

— Eu encontrei um envelope há muito tempo no seu cofre, e nós fomos até o endereço que estava escrito ali — continua Maya. — E ela, a Melissa, ela morreu há muito tempo. Sofreu um acidente.

— Ah, querida. — A mãe de Maya está segurando a sua mão com tanta força que ela acha que vai ficar com a marca da aliança de casamento para sempre na pele. — Ah, filha. Ah, não.

— Não, não, está tudo bem — Maya se apressa para acrescentar. — Eu não estou... Tipo, eu estou triste com isso, mas ela tem uma irmã, Jessica, e ela é muito legal. E tem fotos. E eu só...

Maya sente a boca tremer. Ela odeia isso. Faz com que sinta que tudo, incluindo o próprio corpo, está fora do seu controle.

— Eu só queria contar primeiro para você — completa ela com a voz trêmula também. — Porque você é a minha mãe, sabe? *Você é. Você é* a minha mãe. E eu amo a Melissa porque ela me teve, mas eu amo você porque você me criou, e eu quero que você saiba que mesmo ainda estando zangada com você, você pode ferrar com tudo um milhão de vezes e ainda assim eu vou continuar te amando, não importa o que aconteça. Assim como você sempre vai me amar, não importa o que aconteça, não é?

A mãe está chorando em silêncio agora, rios de lágrimas escorrendo pelo seu rosto enquanto ela concorda com a cabeça.

— Isso mesmo, filha — confirma.

— Então... Quando você volta para casa? — pergunta Maya, segurando a mão da mãe, como se ela pudesse sair voando para longe.

— Logo — sussurra a mãe. — Eu vou voltar logo para casa, prometo.

— Para a nossa casa — murmura Maya e, então, sorri. — Onde é o seu lugar.

JOAQUIN

A comemoração de adoção acaba sendo uma mistura de festa de 18 anos e adoção.

Joaquin não se importa nem um pouco.

Na vara de família naquela manhã, tinham sido só os três e um fotógrafo que Linda tinha contratado para o dia. Joaquin estava usando um terno novo que o fez se sentir muito adulto, e uma gravata que combinava com a de Mark. Linda estava com um vestido da mesma cor das gravatas deles e os três se olharam no espelho antes de sair de casa.

— Nós parecemos três idiotas — declarou Joaquin.

Mark riu.

— Que pena para você, filho — retrucou ele. — Porque daqui a uma hora você vai estar ligado a nós pelo resto da vida. Não tem mais volta.

Joaquin achou que parecia um negócio muito justo.

Linda chorou durante a breve cerimônia, e Mark ficou com os olhos marejados, mas jurou mais tarde que estava com alergia. Joaquin ainda não tinha certeza se aquilo ia realmente acontecer, que um raio não ia atingir a vara da família, mas o céu estava azul e nada saiu errado e, então, o juiz disse "Parabéns, meu jovem", e o fotógrafo tirou fotos deles juntos, e o rosto de Joaquin ficou doendo pelo resto da tarde porque estava sorrindo o tempo todo.

O quintal está bem cheio e a festa, a todo vapor quando o sol começa a se pôr. Mark e Joaquin tinham pendurado luzes nas árvores no dia anterior (e só precisaram de dois curativos no final do processo), então o lugar parecia quase mágico. A buganvília está florida e as ipomeias, viçosas e os jasmins perfumam o ar e enfeitam o lugar. Joaquin e Linda plantaram aquelas plantas juntos, um mês antes (só precisaram de um curativo depois daquele projeto).

Mark e Linda estão lá, é claro, dançando ao som da banda mexicana que toca em um dos cantos. Os vizinhos da rua também estão aqui, principalmente porque Mark e Linda ficaram com medo de que chamassem a polícia por causa do barulho, mas parecem estar se divertindo muito. Estavam conversando com os pais de Bryson, o menino que sempre faz porta-lápis no centro de arte, e Bryson está perto *demais* das trombetas, olhando, fascinado. Joaquin espera que ele não seja atingindo acidentalmente por um trompete.

Em um canto, Joaquin vê Maya e Claire conversando, de mãos dadas, enquanto Lauren e seu pai se servem do churrasco que o bufê contratado por Linda preparou. Claire e Maya parecem estar tendo uma conversa séria, mas, então Maya abre um sorriso, e ela se parece tanto com Melissa que, naquele momento, Joaquin sente o coração inchar.

Jessica — Jess agora — também está aqui, junto com o namorado. Joaquin não sabe bem o que ele faz, algo com números e matemática e dinheiro de outras pessoas, mas parece legal, então Joaquin decide que isso é o suficiente para Jess. O cabelo dela está preso no alto da cabeça, e ela fala com Linda, quando ela e Mark — se sacodem? Dançam salsa? Joaquin não faz a menor ideia do que estão fazendo — passam por eles.

Grace está perto da mesa de bebidas, seus pais estão conversando com os vizinhos, ela está de mãos dadas com Rafe, enquanto ele permanece ao lado dela. Joaquin e Rafe saíram algumas vezes, e Joaquin decidiu que ele é bom o suficiente para Grace. Não existem muitos que seriam, mas Rafe é um deles. Eles vão sair para andar de skate na semana que vem.

Dr. Alvarez, o professor de introdução à sociologia que Joaquin está cursando na faculdade local também está ali. Acha que talvez queira ser um terapeuta, como Ana, ou talvez um assistente social, como Allison. Não tem certeza ainda, mas gosta de ter essas opções. Gosta de pensar nessas coisas agora. Também pensa na família do seu pai, onde devem estar, se vão ficar felizes por conhecê-lo. Ele imagina avós e outra tia, um pai que nunca teve a chance de conhecê-lo. Pensa em como um ano atrás, mal tinha uma família, e agora tinha três: Maya, Grace e Jess; Mark e Linda, e uma família do outro lado da fronteira, que ele ainda não tinha encontrado, mas que existia. Três galhos na sua árvore familiar que não vão quebrar nem deixá-lo cair.

Tinha conversado muito com Dr. Alvarez depois da aula sobre onde a família do pai poderia estar, e Mark e Linda estavam tentando ajudá-lo a pesquisar na montanha de documentos para ver se conseguem localizá-lo. "É como procurar uma agulha em um palheiro", disse Mark em determinado momento, enquanto olhava para a tela do computador, mas Joaquin não se importava. Sabia agora que se ele procurasse alguma coisa por tempo suficiente, acabaria encontrando.

Também estava puxando aula de espanhol na faculdade. Não estava se saindo tão bem quanto gostaria, mas era esforçado. Pelo menos isso.

Ana está em pé sob uma árvore conversando com o marido e com Gus do centro de artes, e Joaquin tenta passar por eles para pegar mais bebidas, mas eles conseguem envolvê-lo em uma conversa sobre a faculdade e o seu aniversário e sobre a viagem que Linda e Mark fizeram com ele no mês anterior para descer as corredeiras de um rio. Joaquin tem fotos daquela viagem salvas no telefone, e mostra para eles, especialmente uma em que Linda está berrando. Mark tem planos de revelar essa foto para dar de presente para Linda no seu aniversário, ampliada. Joaquin acha que Linda vai se tornar viúva se isso acontecer.

Ele finalmente consegue pegar uma bebida, mas ouve vozes na escada e dá uma espiada e vê Grace e Maya sentadas ali. Maya está abraçando a irmã e Grace parece estar chorando.

— Está tudo bem — afirma Maya. — Ela só está um pouco emotiva.

Grace concorda com a cabeça e aponta para a foto de Joaquin e Melissa que agora está pendurada na parede. Linda e Mark mandaram emoldurá-la junto com várias outras que estavam no cofre do banco, e agora Joaquin se vê sempre que sobe ou desce as escadas, ou passa pela geladeira ou sai pela porta da frente.

— É uma foto linda — funga Grace. E Joaquin se debruça no corrimão perto delas.

— É mesmo — concorda ele.

— Ela está assim por causa de amanhã — explica Maya, e Grace enxuga os olhos com a manga da camisa.

— Ah, é! — diz Joaquin. — Você está pronta? Precisa de apoio?

Grace só ri e nega com a cabeça.

— Não, eu vou ficar bem. Preciso fazer isso sozinha. E vou me encontrar com Rafe depois.

— Você dois estão namorando agora ou o quê? Claire e eu fizemos uma aposta.

— Vocês apostaram dinheiro na minha vida amorosa? — pergunta Grace.

— Vida *amorosa?* Isso aí! — Maya dá um soco no ar, triunfante. — Claire me deve vinte dólares!

Joaquin só ri e desvia o corpo para não ser atingindo pelo soco de vitória de Maya, enquanto Grace geme e cobre o rosto com a mão.

— A gente ainda está tentando decidir — diz ela. — É um processo.

Mas a comemoração de Maya terminou tão repentinamente quanto começou, e até mesmo Grace ergueu o olhar, surpresa e calma, e Joaquin se virou e viu Birdie parada ali, junto com seu irmão e seus pais. Ela parecia tão nervosa quanto Joaquin.

— Oi — cumprimenta ela. — A gente foi convidado para a festa. Espero que você não se importe.

Joaquin não conseguiu dizer nada a princípio.

— Q-Quem? — gagueja ele.

— Oi — cumprimenta Grace, levantando-se. — Eu sou Grace e esta é Maya.

— Oi — diz Birdie, mas ainda está olhando para Joaquin.

— Vocês... — Joaquin começa a dizer para as irmãs, mas elas já estão levando os pais de Birdie e seu irmão para o quintal.

— Venham com a gente — convida Maya. — Vocês já viram as luzes nas árvores. Estão lindas. Parece um jardim de conto de fadas lá fora!

A casa parece mais silenciosa agora com a festa seguindo a pleno vapor lá fora. E Joaquin se levanta e olha para Birdie.

— Oi — diz ele finalmente.

— Oi — responde ela novamente, então estende um presente para ele. — Ah, desculpe! Isso é para você. Feliz aniversário e adoção.

— Obrigado — agradece Joaquin. — Posso...? — Ele se sente tão nervoso quanto estava no dia que conheceu Birdie na escola. Parecia um milhão de anos antes, uma vida diferente, uma pessoa completamente diferente.

— Sim, claro — concorda Birdie, e Joaquin tira o laço com cuidado e desembrulha o presente. É um pôster emoldurado. "NESTE DIA" diz o título com letras enormes.

— É só uma coisa que encontrei na internet — explica Birdie. — Diz tudo que era popular no dia que você nasceu, tipo os livros mais vendidos, as músicas mais tocadas, os filmes mais famosos. E eu pensei em você assim que eu vi, então... — A voz dela morre e ela une as mãos na frente do corpo.

— Eu adorei — afirma ele, com sinceridade. — Obrigado, Birdie.

— Imagina — responde ela, hesitando antes de dizer: — Parece uma festa muito legal.

— Joaquin! — alguém grita lá de fora. — Vamos tirar uma foto de todo mundo. Venha logo.

Joaquin olha para Birdie e ela para ele.

— Desculpe — sussurra ele.

— Você realmente me magoou, Joaquin — sussurra ela de volta. — Tipo, eu *sofri muito*.

— Eu sei — afirma Joaquin. — Sinto muito, Birdie.

— É só que toda vez que eu penso em não ter você na minha vida, não parece certo, sabe? É como se faltasse algo em mim. — Birdie está retorcendo as mãos na frente do corpo e Joaquin se pergunta se ainda são frias, desejando pegá-las. — Eu não sei como você se encaixa de volta à minha vida, se você é um amigo ou namorado ou o quê, mas eu só sei que você se encaixa.

Joaquin assente.

— Tá bem — diz ele, porque *está* mesmo. Tudo vai ficar bem. — Será que a gente pode conversar? Amanhã, talvez?

— Joaquin! — grita Mark lá de fora. — Venha logo para a foto.

— Vá, vá — diz Birdie. — É a sua festa. A gente se fala depois.

Joaquin apenas estende a mão para ela e a leva até o jardim. O fotógrafo organiza o grupo, até mesmo a banda mexicana, e Joaquin fica entre Birdie e suas irmãs e sua tia e seus pais, e ele pensa em Melissa.

Espera que ela consiga vê-lo, porque ele a vê agora. Ele a vê todos os dias.

Espera que possa deixá-la orgulhosa.

— Tudo bem, vamos contar até três! — grita o fotógrafo. — Um, dois...

— Três! — exclamam todos.

Joaquin acha que aquela é uma foto que vale a pena guardar.

GRACE

Grace para o carro no estacionamento dois minutos antes da hora. Seu telefone vibra. É Rafe.

Elas apostaram $20?!?!?!

> Pois é, né?, responde Grace.

Quero uma parte.

> Vou avisar para Maya.

Já chegou?

> Acabei de estacionar.

Tá legal. Ligue mais tarde se quiser.

> Pode deixar. Eu gosto de você.

Eu também gosto de você.

Grace salta do carro e enfia o celular no bolso de trás da calça. Não sabe se está com medo ou nervosa ou simplesmente aterrorizada, mas não tem como desistir agora. Ela foi a uma reunião com o seu grupo de apoio de mães biológicas alguns dias antes e contou a elas sobre o encontro que estava por vir, e sua voz não tremeu nem falhou. Acreditara que jamais ia conseguir falar sobre Pesseguinha com estranhos, mas as garotas do grupo entenderam.

A princípio, seus pais ficaram sem saber o que falar por ela ter ido procurar Melissa sem contar a eles. "Nós dissemos que íamos ajudar!", exclamaram no dia seguinte, depois que Joaquin tinha voltado para casa com Mark e Linda e Maya tinha desaparecido pela rua, recusando a carona de todos.

Mas, então, eles conversaram, a guarda de Grace estava baixa por causa da exaustão, do alívio e da gratidão. Ela pegara uma foto de Melissa da coleção de Joaquin e quando colocou a foto na mesa entre ela e seus pais, a raiva deles morreu na hora e eles ficaram olhando para a imagem, em silêncio.

E então começaram a conversar mais depois disso.

Os pais de Grace contaram para ela como tinha sido trazer uma recém-nascida para casa, contaram sobre a preocupação com a possibilidade de Melissa a pegar de volta. "Tínhamos que esperar noventa dias antes de a adoção ser oficial naquela época", revelou a mãe de Grace, e Grace notou pela primeira vez que o canudo no seu chá estava destruído na ponta. "A gente simplesmente não queria perder você, não depois de finalmente termos conseguido."

Grace entendia. Sabia como era agora, perder uma coisa e conseguir outra completamente diferente. Sabia como ela ia segurar as coisas que tinha, o irmão e a irmã que ocupavam um novo lugar na sua vida. O lugar de Pesseguinha ainda estava lá, aberto e vazio, mas havia novos lugares em seu coração para serem ocupados, para fazer com que se sentisse inteira de um jeito que nunca tinha se sentido antes.

Todas as noites, fazia um agradecimento especial para Melissa por ter escolhido aquelas duas pessoas para serem seus pais.

Grace não via Max fazia meses, não tinha muitas notícias dele também. Ainda era difícil pensar nele, mas na maior parte do tempo só sentia pena. Pensava sobre o que diria a ele. Às vezes fazia discursos épicos no banho sobre como "um dia, ela talvez procure você e talvez tenha perguntas e, então, você pode explicar tudo para ela, então guarde suas desculpas porque eu não preciso mais delas, mas você talvez precise". Às vezes chorava e às vezes ficava com raiva, mas na maioria das vezes se sentia bem por esquecer Max e continuar sua vida, seguir em frente.

Agora ela está no estacionamento, olhando para o parque verdejante à sua frente. Seu telefone vibra de novo e ela lê uma mensagem de Maya.

Está escrito Boa sorte!, seguido por dois símbolos de joinha.

É, boa sorte, chega uma mensagem de Joaquin logo depois. Liga pra gente depois.

Pode deixar, digita Grace em resposta, as mãos tremendo um pouco enquanto se esforça para pressionar as teclas certas. Ela manda três corações para eles e se afasta do carro. Suas mãos estão suadas e ela as enxuga na calça jeans antes de seguir em direção ao parque com os joelhos trêmulos. O dia está lindo. Grace acha que nunca viu um céu tão azul.

O parque é enorme, mas do outro lado, ela vê Daniel e Catalina. Catalina a vê primeiro e acena. Assim que Grace está perto o suficiente, Catalina corre para ela e lhe dá um abraço apertado.

— Grace! — exclama ela. — Estou tão feliz por você ter vindo! — Grace retribui o abraço e se sente muito grata por Pesseguinha ter alguém para sempre abraçá-la assim, todos os dias da sua vida. — Você está ótima.

— Obrigada. — Grace sorri. — Desculpe, eu só estou muito nervosa.

O sorriso de Catalina é caloroso e firme.

— Imagino, mas não precisa ficar.

Grace respira fundo e solta o ar devagar e concorda com a cabeça. Daniel está agachado no chão a alguns metros, falando alguma coisa, ele se vira e se levanta quando vê Grace.

Grace vê o cabelo dela primeiro, cachos castanho-escuros, o sol passando por entre as árvores e dançando sobre seus ombros. Está usando um vestidinho azul xadrez, meia-calça e um suéter branco. Deste ângulo, Grace vê os olhos de Maya, o nariz e o maxilar de Joaquin, o cabelo de Melissa.

Grace reúne coragem e encontra a própria voz.

— Milly? — chama ela.

Pesseguinha olha para ela.

Ela vê Grace.

E sorri.

AGRADECIMENTOS

Como sempre, minha imensa gratidão à minha família, que me encorajou durante a escrita deste livro. Obrigada por fazerem parte do meu time. Devo muito café para todos vocês.

Obrigada à minha agente, Lisa Grubka, que conversou comigo sobre cada capítulo deste livro, incluindo os errados. Sua crença de que eu ia finalmente acabar essa história foi, muitas vezes, a luz no final de cada túnel escuro, e eu sou eternamente grata por todas as vezes que ela leu as páginas, fez anotações e respondeu aos meus e-mails desesperados. Obrigada por ser uma parceira de crime nos últimos dez anos.

Eu tive as primeiras ideias sobre este livro quando estava em um estacionamento do supermercado Costco, e imediatamente escrevi um e-mail para a minha editora, Kristen Pettit. Ela respondeu: "Amei essa ideia. Amei. Mesmo." Mal sabíamos que levaria mais um ano antes de uma ideia aleatória se tornar uma história coerente, mas Kristen estava comigo a cada passo do caminho, incluindo quando eu perdi totalmente o rumo e tive que começar tudo de novo. Obrigada por me apoiar, por permitir que eu respeitasse o meu tempo, e por me ligar no fim de semana antes do Natal só para ver como eu estava. Devo a você muito mais do que café.

Obrigada a toda a equipe da Harper, incluindo Elizabeth Lynch, Jen Klonsky, Kate Jackson, Sarah Kaufman, Gina Rizzo, Renée

Cafiero, Kristen Eckhardt, Bess Braswell e Claire Caterer, por pegarem as minhas palavras e as transformarem em um livro impresso. Meus agradecimentos para Philip Pascuzzo e Pepco Studio pela capa maravilhosa.

Este livro não existiria se não fosse pelas pessoas que me permitiram conversar com elas sobre os personagens e suas histórias. Elas graciosamente me trouxeram para as suas vidas e conversaram comigo sobre sua família, seu trabalho e suas experiências e eu me sinto grata diante de tanta generosidade. Noemi Aguirre; Dra. Linda Alvarez; David H. Baum; Marie Coolman; Roy, Trevor, e Jacob Firestone; Jessica Hieger; Kate Lamb; e Kim Trujillo. Obrigada também àqueles que preferiram que seus nomes não aparecessem aqui — sua bondade não será esquecida. Quaisquer erros ou imprecisões neste livro são meus e apenas meus.

Tenho muita sorte por fazer parte de um grupo incrivelmente generoso, talentoso e muito engraçado de autores de livros para jovens adultos aqui em Los Angeles. Eu provavelmente ainda estaria no primeiro manuscrito não fosse pelos encontros deste grupo, então, agradeço por isso. Meu muito obrigada também para Brandy Colbert, Ally Condie, Jordanna Fraiberg, Gretchen McNeil e Amy Spalding, por lerem os manuscritos, oferecerem sugestões e me ajudarem com a pesquisa, e para Morgan Matson por sugerir o nome "Whisked Away" para a loja de utensílios de cozinha. Vocês todos são encantadores.

Aproximadamente dois terços deste livro foram escritos enquanto eu estava sentada ao balcão do Dinosaur Coffee em Los Angeles, então, obrigada a toda a equipe pelo delicioso café e um escritório provisório por grande parte de um ano e por não me julgarem quando eu chorei daquela vez.

Um agradecimento muito especial para a minha mãe, que teve fé neste livro e em mim, mesmo quando eu mesma a tinha perdido. Ela me apoiou em cada versão desta história e sempre me ouviu enquanto eu falava por horas sobre isso (desculpe por estragar o final!), e nunca duvidou que eu fosse terminá-la. Ela é a melhor, e eu a amo muito.

Por fim, obrigada a Joaquin, Grace e Maya. Passei mais tempo com eles do que com qualquer outro dos meus personagens, e mesmo que eles sejam fictícios, suas lutas e vitórias pareceram muito reais para mim. Sou infinitamente grata por eles terem me escolhido para contar sua história, e espero que estejam bem, onde quer que estejam.

Este livro foi composto na tipografia
Sabon LT Std, em corpo 11/16, e impresso
em papel off-white no Sistema Cameron da
Divisão Gráfica da Distribuidora Record.